T4-AKY-911

상속

은희경 소설집

상속

초판발행/ 2002년 6월 28일
6 쇄발행/ 2002년 8월 30일

지은이/ 은희경
펴낸이/ 채호기
펴낸곳/ (주)문학과지성사
등록번호/ 제10-918호(1993. 12. 16)

서울 마포구 서교동 363-12호 무원빌딩(121-838)
편집/ 338)7224~5 FAX 323)4180
영업/ 338)7222~3 FAX 338)7221
홈페이지/ www. moonji. com

ISBN 89-320-1344-6

값 8,500원

상속

은희경 소설집

문학과지성사
2002

차례

상속

내 고향에는 이제 눈이 내리지 않는다 7
누가 꽃피는 봄날 리기다소나무 숲에 덫을 놓았을까 39
상속 93
딸기 도둑 155
내가 살았던 집 193
태양의 서커스 245
아내의 상자 275

해설 · 연기(演技/延己)하는 유전자의 무의식에 대하여_김동식 319
작가의 말 345

거리로 나왔지만 그곳 역시 알 수 없는 불안으로 가득 차 있는 것 같았다. 겨울은 이미 떠나기 시작했지만 그렇다고 봄이 온 것도 아니었다. 길 안쪽으로는 녹지 않은 눈이 지저분하게 쌓여 있었고 한길은 여전히 질척거렸다. 그사이 거리에는 수많은 사람들이 쏟아져 나와 돌아다니고 있었다.

내 고향에는 이제 눈이 내리지 않는다

내 고향에는 이제 눈이 내리지 않는다

1960년 2월생

사람들은 모두 내가 6월에 태어날 줄로만 알았다. 나의 부모가 결혼식을 올리기 두 달 전 이미 나를 가졌다는 사실을 몰랐기 때문이다. 부모의 계산에 따르면 나는 4월에 태어나야 옳았다. 내가 태어나면 나의 부모님은 내가 팔삭둥이라고 우길 작정이었다. 그러나 나는 부모의 기대 따위는 전혀 개의치 않았다. 내가 세상에 나온 것은 2월이었다. 진짜 팔삭둥이였던 것이다. 며칠째 계속해서 눈이 퍼붓던 윤년 2월의 마지막 날, 탯줄에 매달려 우는 붉고 작은 나를 문틈으로 흘끗 들여다본 아버지는 '요량 없고 성질 급한 놈'이라고 마땅찮은 첫인사를 던졌다고 한다.

장남인 나는 항렬자인 '준'자를 가운데에 넣어 준영이라고 이름이 지어졌다. 나에게 그것은 좋은 이름이 아니었다. '준'자나 '영'자는 처음 입에서 발음이 되어 나올 때 무척 힘이 들어갔다. 성까지 붙여서 '윤준영'이라고 발음하려면 더욱이나 목구멍에서부터 소리가 막혔다. 하긴 내 이름을 지은 것은 내가 말을 시작하기 이전이었으니 아버지도 내가 말더듬이란 걸 알았을 리가 없다. 달변이고 유식한 아버지에 따르면 말더듬이에는 같은 음절을 반복하는 연발성, 잡아끄는 신발성, 첫 발음이 나오지 않는 난발성 등이 있는데, 나의 경우는 그 모든 것을 고루 갖춘 복합성 완결판이었다. 아버지는 남에게 지적을 받기 전에 먼저 제 입으로 털어놓으면 덜 창피하다고 생각하는지 내가 있는 자리에서도 손님들에게 그 말을 자주 했다.

나에게는 다른 이름도 있었다. 베드로, 영세명이었다. 베드로는 언젠가 도래할 '신의 날'에 예수의 오른편에 앉을 수제자이자 교회의 반석이다. 내가 그 이름을 영세명으로 선택한 것은 단지 요셉, 로사리오, 라자로, 스테파노, 라파엘, 그런 이름들보다 발음하기가 훨씬 쉽기 때문이었다. 짐작하다시피 나는 무섭게도 말수가 적은 아이였다. 그러나 이름을 물어도 대답하지 않는 것까지 말수 적은 데 해당시킬 수는 없었다. 나는 누가 내게 말을 거는 것을 두려워하다 못해 무시하려 했지만 이름을 묻는 어른에게까지 거만하게 굴 만큼 눈치 없이 매를 버는 아이는 아니었다.

어쨌든 '윤준영'보다는 '베드로'라고 대답하는 쪽이 나았으므로 나는 학교보다 성당에 있을 때 더 마음이 편했고 또한 착한 표정까지 지을 수 있었다. 젊은 보좌 신부님은 다른 아이들이 나를 놀리지 못하도록 엄히 주의를 주었다. 유명한 사람 가운데도 말더듬이가 많다며 서머싯 몸이라든지 처칠이라든지 하는 이름을 들먹이기도 했는데 모두 내가 모르는 이름이었다. 다만 나는 그 훌륭한 사람들이 말더듬이라는 사실을 보좌 신부님이 무슨 근거로 그렇게 쉽게 확신하는지 이해할 수 없었으므로 나를 위로하기 위해 거짓말을 지어낸 신부님을 마음 깊이 따르기로 결심했다. 보좌 신부님은 어머니에게도 친절하여 특별히 어머니의 영세명을 손수 지어주었다. 그것은 파비올라였다. 먼 나라 황제의 어머니였다는 파비올라라는 이름이 어머니에게 썩 어울리는 건 아니었지만 마리아나 요한나보다는 나은 것 같았다. 우리집 식모였던 순덕이 누나는 마리아라는 이름을 갖고 싶어 교리 공부를 시작했는데 몇 주일도 채우지 못하고 공장에 취직하기 위해 도시로 떠났다. 그해에는 도청 소재지 근교에 제지 공장과 코카콜라 공장이 세워져서 우리 동네의 많은 처녀들이 도시로 갔다.

또한 그해는 유난히 눈이 많이 내린 해였다. 녹슨 난로 속에서 조개탄이 탁, 탁, 튀며 타고 있는 교실 창문을 통해, 뿌옇게 성에가 덮인 아버지 제재소 사무실의 유리문을 통해, 언제나 눈을 볼 수 있었다. 그 즈음엔 아버지가 계속 집을 비웠기 때문에 나는 마음놓고 이불 속에 엎드려 만화책을 보았다. 그것이 싫증나면 마루에 나와 앉아서 눈을 바라보았다. 장독 하나하나를 서서히 덮어가는 눈, 허공에서 잠시 머뭇거리며 어느 쪽으로 내려갈까 궁리하는 눈, 이웃집 굴뚝에서 피어오르는 연기 위에 질세라 날아와서 내려앉는 눈. 내리는 눈을 그렇게 한참 동안 보고 있자면 점점 머릿속이 텅 비어 아무 생각도 떠오르지 않았고 이내 가물가물 졸음이 찾아왔다. 바람이 처마 밑까지 들이칠 때 불현듯 이마에 닿는 차가운 눈송이 아니면 언제 마루로 나왔는지 옆에서 들리는 어머니의 긴 한숨 소리가 나를 깨우곤 했다.

그해 겨울 하면 생각나는 것으로 어머니의 기도도 빼놓을 수 없다. 어머니는 전에 없이 기도에 열심이었고 저녁 미사 때마다 나를 앞세워 성당에 갔다. 성당은 불빛이 드문드문 흩어져 있는 당산나무 마을에서도 더 들어가는 외진 동네에 있었는데, 어머니와 나는 갈 때는 뒷골목으로 해서 갔지만 돌아올 때는 밤이 깊었으므로 사거리 한길로 돌아서 오곤 했다. 초저녁 골목에는 덧창마다 노랗게 불이 밝혀져 있었고 청국장 고린내나 갈치 조리는 단내, 김 굽는 냄새가 났다. 어쩌다 나무 쪽문이 열리고 눈발 사이로 두부를 사러 나오는 바느질집 아주머니와 마주치기도 했다. 곰보인 아주머니는 언제나 똑같은 나일론 한복 치마의 허리를 동여매고 팔꿈치에 보풀이 많은 낡은 스웨터를 걸친 차림이었다. 사모님, 성당 가세요? 라고 어머니에게 인사를 건넨 뒤, 준영이 공부 잘하지? 라고 내게도 말을 붙였다. 갑자기 용을 쓰며 입술을 덜덜 떨기 시작하는 나를 대신해서 어머니는 내가 중학생이 되고부터는 키가 부쩍 자라 코트가 작아졌다고 대답해주었다. 고동색 모직에 진한 밤색 체크무늬가 있고 목깃에 인조털이 붙은 그 코트를 나는 4년째 입고 있었지만, 어머니 말과 달리 그다지 작아진 것은 아니었다.

그 무렵 나는 꿈을 자주 꾸는 편이었다. 어딘가를 마구 달리다가 날아오르려는 순간 낭떠러지 아래로 떨어지는 꿈을 가장 많이 꾸었다. 낭떠러지에 닿을 때마다 꿈속의 나는 중얼거리곤 했다. 언젠가 날아본 적이 있었어. 분명 날 수 있을 거야. 하지만 번번이 떨어지고 말았는데, 어머니는 그 꿈이 키가 크기 위해 꾸는 꿈이라고 말해주었다. 키 크는 꿈을 그렇게 많이 꾸는데도 내 키는 아주 조금씩밖에 자라지 않았다.

한 며칠 눈이 오지 않는 날도 있기는 했다. 포장이 된 한길의 눈은 하루면 다 녹아서 차 바퀴 자국을 따라 점점 검은 길바닥이 드러났다. 그러나 응달에 쌓인 눈은 녹지 않은 채 먼지가 그을음처럼 내려앉아 지저분했다. 더러운 표면이 버석버석하게 얼어붙어서 눈이라기보다는 모래 더미 같았다. 며칠 동안 낮이면 녹고 밤이면 얼기를 반복하다 보니 제법 단단해져서 쓰레기를 던져도 그 위에 가볍게 얹힐 정도였다. 골목에 쌓인 눈이 가장 지저분했다. 연탄재나 흙 따위와 뒤섞이면서 진흙이 되어 질척거렸는데 저녁이면 흙이 달라붙어 구두 굽이 무거워진 처녀들과 날씬하게 줄이 선 바짓단을 더럽힌 멋쟁이 청년들이 투덜거리며 그 골목이 끝나는 곳에 있는 극장으로 향했다. 깊게 팬 자전거 바퀴 자국이 그대로 얼어붙어서 길이 울퉁불퉁해지기도 했다. 그러나 아침이 되면 밤새 내린 눈으로 세상은 다시 새하얗게 바뀌어 있었다.

방학식날 담임 선생님은 흥분된 목소리로 우리 고장이 전국의 신문에 났다고 전했다. 우리 고장은 기차역이 있는 도시까지 버스로 두 시간이 걸리는 외진 읍이었으므로 신문에 날 만한 일은 거의 일어나지 않았다. '거참, 신문에 날 일이네' 하는 말은 하도 기가 막힌 일을 당했을 때나 쓰는, 별로 쓸 기회가 없는 농담이었다. 전국에서 가장 높은 강설량을 보인 지역으로 지명만 언급되었을 뿐이지만 그 사실만으로 청년애향단장이기도 한 담임 선생님은 감격한 듯했다.

12년 만의 폭설이라고 했다. 하긴 내가 태어나던 12년 전의 눈도 굉장했던 모양이었다. 특히나 그해에는 2월에 눈이 많았다고 하는데 제재소 주인인 아버지는 눈을 좋아하지 않았다.

눈 때문에 방학식은 운동장 대신 교실 안에서 치러졌다. 너희들이 중학생으로서 처음 맞는 겨울 방학이다. 선생님이 길게 훈시를 늘어놓았다. 방학도 엄연한 학교 생활의 연장이며, 학생의 본분은 어디까지나 면학에 정진하는 일뿐이란 걸 명심하도록. 선생님은 사거리 기름집의 둘째 아들이었다. 기름집은 사거리의 예각에 있는 아주 조그만 가게였는데 수리조합장이 사거리의 하꼬방 같은 옛집 몇 채를 사들여 허물고 그 자리에 새로 3층 건물을 지으려 하고 있었다. 선생님의 아버지는 집을 팔 마음이 없다고 고집을 부렸다. 그 집을 사지 못하면 수리조합장의 새 건물은 귀퉁이가 떨어져 나가 모양이 우스꽝스러울 것이다. 옆방에 갈 때도 바로 건너가지 못하고 신발을 신고서 일단 한길로 나간 뒤 모퉁이를 돌아 들어가야 한다. 선생님은 늘 바닥에 검은 기름이 번들거리는 어둠침침한 기름집과 그 집의 처지와 꼭 닮은 자기 아버지의 존재가 고장의 발전을 가로막는다고 생각했으므로 부자간의 사이가 좋지 않다는 소문이 나돌았다. 나는 그 소문에 관심이 있었다. 나는 소문 같은 걸 곧이곧대로 믿는 경솔한 아이는 아니었지만 아버지를 좋아하지 않는 아들 이야기라면 대체로 사실일 거라고 생각했다.

잠시 그쳤던 눈이 선생님의 훈시 도중에 다시 내리기 시작했다. 아이들은 일제히 창밖으로 고개를 돌렸지만 교단 위에 버티고 선 선생님의 눈길이 느껴지자 재빨리 자세를 바로 했다. 그러나 홍두깨만한 지휘봉으로 교실 바닥을 쿵쿵 내리치며 '주목!'을 크게 외쳤을 선생님도 이번만은 슬리퍼를 끌며 천천히 창가로 다가가 고장의 명예를 빛낸 하얀 눈발을 흐뭇하게 바라보는 것이었다. 생활통지표를 나눠줄 때 선생님은 내게 물었다. 윤준영, 요새 아버지

집에 계시냐? 내가 고개를 젓자 선생님은 이맛살을 모으고 알 듯 모를 듯 고개를 몇 번 끄덕이더니 통지표를 내려다본 뒤, 이럴 때일수록 공부 더 열심히 해야지, 라며 기어코 꾸중을 했다.

그해 방학식날은 크리스마스 이브이기도 했다.

내가 기다리는 것은 성탄 미사가 아니라 초저녁에 펼쳐질 성탄 축하 행사였다. 중등부 대표로 아녜스가 무대에 올라가 춤을 추게 돼 있기 때문이었다. 수리조합장 집 셋째 딸인 아녜스 오민희는 6학년 때 나와 같은 반이었다. 나는 한 번도 아녜스에게 말을 붙여 보지 못했다. 말문을 열려면 다른 아이의 열 배 가까운 시간이 필요했는데 피아노를 배우러 다니고 무용 대회와 백일장에서 상을 받느라 바쁜 아녜스에게서 감히 시간을 뺏을 엄두가 나지 않았다. 언젠가 미사 때 아녜스는 우연히 내 옆자리에 앉았다. 그 미사가 끝난 뒤 아녜스가 먼저 내게 말을 붙였다. 윤준영, 너 성가 참 잘 부르더라. 그러더니 웃음을 참으려고 입꼬리를 어색하게 오물거리며 이렇게 덧붙였다. 노래할 때는 하나도 안 더듬던데. 나는 여자애에게 그 정도 칭찬쯤 들은 걸 갖고 썩 기뻐하지는 않는다는 듯이 간단하게 '고마워'라고 적절한 예의만 차리려고 마음먹었다. 그래서 눈을 내리깔고 침착하게 숨을 고르며 입술을 떨기 시작했는데 가까스로 소리가 나왔을 때 눈을 떠보니 아녜스의 자리는 텅 비어 있었다. 아녜스가 아무 대꾸 없는 나를 거만한 아이라고 생각하고 상처를 받은 것은 아닌지 약간 신경이 쓰였지만 나쁜 기억은 아니었다.

성탄 축하 행사 가운데에는 선물 교환 순서도 있었다. 나는 지난 가을 추석빔을 사러 어머니를 따라 양품점에 갔을 때 진분홍 테두리가 둘려 있고 자잘한 꽃무늬가 박힌 손수건을 눈여겨봐두었다. 그리고 돈이 생기자 바로 양품점을 찾아가 그 손수건을 두 장 샀다. 물론 한 장은 아녜스를 위한 것이었다. 다른 한 장은 어머니한테 선물을 해서 칭찬을 들을 수도 있었으나 그냥 내가 갖기로 했다. 나는 소년에게 첫사랑이란 비밀스러워야 한다는 사실을 잘 알 뿐 아니라 그것을 멋지게 간직하는 방법까지 알고 있었다.

학교가 파한 뒤 나는 눈길을 밟아 집으로 돌아왔다. 사람이 적게 다니는 골목길을 택한 것은 선물 교환 순서 때 아녜스에게 할 말을 연습하기 위해서였다. 아녜스, 지난번에는 미안했어. 흰 입김을 내뿜으며 들뜬 걸음으로 골목 안을 달려가는 내 목소리는 크고 맑았다. 혼자 있을 때는 말을 더듬지 않는다는 말만이라도 더듬지 않고 할 수 있다면 하는 생각이 들었다.

집 안은 조용했다. 어머니는 안방에 있었다. 그런데 성당에 가기 위한 차림이 아니었다. 어머니 말은, 이제 곧 밤이 되면 어머니와 내가 성당에 가지 않고 도시로 이사를 간다는 거였다. 그리고 아무와도 작별 인사를 하면 안 되었다.

날이 어두워졌는데도 어머니는 저녁 지을 생각을 하지 않을 뿐 아니라 불도 켜지 못하게 했다. 제재소의 박충무 아저씨가 소리 없이 트럭을 몰고 와서 어머니와 함께 대충 짐을 꾸리기 시작했다. 트럭에 싣는 것은 그리 많지 않았다. 나와 어머니가 타자 트럭이 출발했다.

깊은 밤 트럭은 헤드라이트도 켜지 않은 채 달빛 아래서 희게 빛나는 눈길 위를 달렸다. 기름집 사거리를 지나고 군청 앞을 지나고 학교 앞을 지나고 중국집인 중앙관을 지나고 은혜서림을 지나고 서울양행을 지나고 대성약국을 지났다. 중앙관 앞을 지날 때를 빼고는 그다지 서운한 마음이 들지 않았다. 성당 앞을 지날 때 나는 성당 지붕 위에서 반짝이고 있는 커다란 별을 보았다. 성모상의 머리 장식에 붙은 꼬마 전구들이 꺼졌다 켜졌다를 반복했다. 아마 그 시각 성당의 제단은 꽃으로 장식되고 감실 옆에는 아기 예수의 구유 앞에 무릎을 꿇은 네 동방박사의 모습이 만들어져 있을 것이다. 무대 위에서 아네스가 나비처럼 춤추고 있을지도 모른다. 눈발이 흩날리기 시작했다. 나는 고개를 뒤로 돌리고 점점 작아져가는 성당을 오래오래 바라보았다. 내 어머니 파비올라는 얼어버린 거울처럼 시선을 앞유리에 고정시키고 꼼짝도 하지 않았다. 차창으로 달려드는 눈발을 뚫고 우리는 그렇게 고향을 등졌다.

우리는 새벽에 도착했다. 나는 방이 너무 작은 데에 깜짝 놀랐고 그런 방을 딱 한 개만 쓰도록 되어 있다는 걸 알자 약간은 어이가 없었다. 그 집을 찾느라고 우리는 무척 고생을 했다. 달포 전에 제 손으로 계약을 해놓은 집이라는데도 박총무 아저씨는 쉽게 찾지 못했다. 소읍에서만 살아온 아저씨가 도시 변두리의 골목에다 집장수가 똑같은 모양으로 지어놓은 열 채 가까운 집을 한눈에 구별하는 건 무리였다. 박총무 아저씨는 단지 우리의 행방에 대해 시침을 떼기 위해 아무 할 일 없는 제재소에 아침 일찍 출근해야 하는 모양이었다. 얼마 안 되는 짐을 부려놓자마자 그대로 되돌아갔다.

그런 다음 어머니가 곧바로 앓아 누웠다. 어머니는 꽤 오랫동안 앓았다. 나는 낯 모르는 도시 변두리에 나를 데려다 놓고 무책임하게 앓아 누워버린 어머니가 못마땅했을 뿐 아니라 간혹은 너무 이기적이 아닌가라는 생각도 들었다. 그렇게 며칠이 지나자 새해가 되었다. 별 생각 없이 열네 살이 된 것이다.

모든 것이 내가 상상하던 도시 생활과는 거리가 멀었다. 넓은 길이라든지 기차라든지 빌딩 따위는 구경조차 할 수 없었다. 장롱 두 짝만 들여놓았는데도 겨우 누울 자리밖에 남지 않은 방과 마루와 부엌만 하루 종일 오갔고 주인집과 함께 쓰는 변소에 가기 위해 시멘트를 바른 조그만 마당을 가로지를 뿐이었다. 몇 번인가는 대문 밖으로 나가서 골목 앞에 쭈그리고 앉아보았다. 그러나 골목 마지막 집인 우리집 뒤편은 공터였는데 연탄재와 음식 쓰레기와 강아지 똥이 지천이라서 구경거리라고는 전혀 없었다. 옆집이나 앞집에 혹시 내 또래 아이라도 살지 않는지 기웃거렸지만 다른 집 대문들은 보통 낮에도 굳게 닫혀 있었으며 어쩌다 집 안에서 나오는 사람이 있다고 해도 나와 눈이 마주치면 말 한마디 건네기는커녕 얼른 문을 닫아버리는 것이었다. 나는 이제 오히려 누군가 내게 말을 걸어주기를 바라게까지 되었다. 벙어리보다는 말더듬이로 사는 게 그래도 조금 더 낫지 않은가 싶었다.

어머니는 내가 집 밖으로 나가는 것을 좋아하지 않았다. 아무에게도 우리가 어디에서 이사 왔는지 말하지 말라고 다짐을 두었다. 내가 방문을 열고 들어설 때마다 깜짝깜짝 놀라곤 했으며 잠도 깊이 자지 못했다. 어머니는 기도를 전혀 하지 않았다.

딱 한 번 골목을 벗어나 큰길로 나갔다가 날이 어두워질 때까지 집을 찾지 못해 혼쭐이 난 뒤로 나는 혼자서 골목 밖으로 나갈 엄두를 내지 못했다. 골목 안을 종일 왔다 갔다 하면서 지붕 위의 텔레비전 안테나가 모두 몇 개인지 세어보고 문패와 초인종들을 만져보기도 하고 담벼락 위의 내 그림자가 겨울 해의 움직임에 따라

짧아졌다 길어졌다 하는 것을 관찰하기도 했지만 시간은 무섭게도 느리게 흘러갔다. 나는 이불 속을 더듬어 늘 누워만 있는 어머니의 발치 어디께에서 양은 밥통을 찾아내 식은 밥 위에 김치를 얹어 먹기도 진력이 나 있었다. 어머니는 곧 토모코 아줌마가 와서 도시 구경을 시켜줄 거라며 기운 없이 나를 달랬다.

며칠 후 진한 화장을 한 토모코라는 아줌마가 정말로 우리를 찾아왔다. 아줌마는 어머니의 소학교 친구였는데 소학교를 마치기도 전에 도시로 식모살이를 와서 무엇엔지는 모르지만 '성공'을 했다. 어머니와 아줌마는 어린 시절 헤어질 당시에 부르던 대로 일본 이름을 사용했다. 토모코 아줌마는 어머니를 후미코라고 불렀다. 토모코와 후미코의 상봉 장면을 피해 방 밖으로 나오던 나는 마루 끝에 앉아 있는 소년을 보았다. 구부정한 어깨에 검정 비닐 점퍼를 한껏 젖혀 입은 키가 큰 여드름투성이 소년은 나를 보자마자 이 사이로 침을 찍 올리더니 그것을 마루 밑에 벗어놓은 내 신발 옆에다 퉤, 하고 뱉었다. 토모코 아줌마의 아들 성국이는 나와 같은 학년이었지만 나이는 두 살 더 많았다. 그 애는 처음부터 나와는 다른 인생을 살고 있는 듯한 인상을 주었다.

토모코 아줌마가 약국에 가서 어머니 약을 지어왔다. 뻣뻣하게 언 꽁치 다섯 마리와 물미역도 사들고 들어왔다. 몹시 추운 날이었다. 그날 저녁은 모처럼 여럿이 둘러앉아 허연 돼지비계와 두부가 둥둥 뜨고 김이 모락모락 나는 김치찌개에 따뜻한 밥을 비벼 노릇하게 구워진 꽁치 살을 얹어 먹을 수가 있었다. 달고 새콤한 초고추장에 찍어 먹는 물미역도 맛이 시원했다. 나는 도시에는 왜 이렇게 오래도록 눈이 내리지 않는가 물어보고 싶기도 했지만 그런 용도로 입을 사용할 틈이 없었다. 오랜만에 몸을 일으킨 어머니는 손에 힘을 주어 간신히 숟가락을 잡았다.

그때 방문이 벌컥 열리며 남자 둘이 들이닥쳤다. 그들은 어머니에게 뜨거운 밥이 편안히 목구멍으로 넘어가냐고 빈정거리더니 돌연 사납게 욕을 퍼붓기 시작했다. 토모코 아줌마가, 우선 앉으세요, 앉아서 천천히 말씀하세요, 라고 권하자 한 남자는 밥상 다리를 발로 차 엎는 것으로 보답을 했다. 김치찌개의 붉은 국물이 비닐 장판 위로 넘쳐흘렀고 남김없이 살이 발린 앙상한 꽁치뼈가 기운 없이 나동그라졌다. 부도내고 한밤중에 내뺀 것들이 아랫목에서 뜨뜻한 밥을 먹어? 니 남편 어딨어, 어디다 숨겼어, 앙? 그들은 옷장 속까지 뒤지면서 계속 어머니를 다그쳤다. 어머니의 얼굴은 무섭게 창백했는데 나를 향해 밖으로 나가라는 손짓만을 계속했다. 방을 나온 나는 마루에 걸터앉았다.

그들은 오래 머물지 않았다. 어머니가 지닌 마지막 재산인 결혼반지와 자존심을 빼앗은 뒤 곧 다시 오겠다는 말을 남기고 떠났다. 그들이 떠나는 데는 조그마한 어려움이 있었다. 구두가 없어진 것이다. 한참 만에 대문 밖 공터의 쓰레기 더미에 버려져 있는 걸 발견했지만 안에 개똥이 들어 있는 걸 모르고 신은 까닭에 그 추운 날 양말을 버리고 맨발로 먼길을 가야 했다. 어머니는 그 일 때문에 더욱 쩔쩔맸다. 성국이는 무표정한 얼굴로 담에 기대어 서 있었다. 그들이 간 다음 토모코 아줌마는 성국이를 노려보며 깡패 새끼라고 욕을 했다. 성국이는 못 들은 체 주머니에 양손을 찔러넣고 시멘트 담에 가볍게 발길질을 하고 있었다.

그날 나는 밤새 같은 꿈을 반복해서 꾸었다. 갑자기 방문이 벌컥 열리는 꿈이었다. 놀라서 깨어날 때마다 나를 물끄러미 내려다보거나 한 손으로 이마를 짚은 채 입술을 잘근잘근 깨물고 있는 어머니 모습을 보았다. 어머니는 한잠도 자지 않는 것 같았다. 나쁜 꿈을 꿀까 두려워 잠을 자지 않기로 한 사람치고는 이상하게도 먼길 떠나는 것처럼 외출옷 차림으로 벽에 기대앉아 있었다. 그러더니 새벽 무렵에는 마치 먼길 떠났다가 지쳐 돌아온 사람처럼 이불 위에 쓰러지듯 드러눕는 것이었다.

토모코 아줌마는 거의 매일 왔다. 어머니는 토모코 아줌마와 함께 외출을 하기 시작했다. 어머니는 점점 달라졌다. 토모코 아줌마처럼 화장이 진해졌고 집안일에는 관심이 없었다. 나는 주로 성국이와 시간을 보냈다.

장래 희망

내가 잠들지 못하는 것은 바람 소리 때문이다.

바람 소리가 혹독하다. 우우 소리를 지르며 달려들어 갈퀴처럼 얼굴을 할퀴고 눈알을 도려갈 것만 같다. 가만히 듣고 있으면 그 속에 빨래 펄럭거리는 소리, 고함 소리, 밤거리에서 쫓기는 발소리 따위가 섞여 들리는 것 같다. 이런 바람 소리를 들으면 휴지 조각이 빗자루에 쓸려가듯 이 세상이 모조리 바람에 쓸려가버리는 기분이 든다. 답답했던 속이 시원해진다. 바람 소리는 언제나 나를 밖으로 꾀어내고 땅을 박차며 달려보고 싶도록 부추긴다.

내 자리는 107호실 왼쪽 침상 창문 쪽이다. 구치소에서 감별소로 옮겨지던 첫날 호송 버스에서 내린 소년수들은 마당에 부려지자마자 '앉아번호'를 시작했다. 교도관은 한차례 순서가 돌아가면 다시 우리를 일으켜서 '앉아번호'를 반복하게 했다. 그 일은 교도관의 마음에 들 만큼 복창 소리가 커질 때까지 계속되었다. 밤 아홉시 일석점호를 마치고 이 침상에 누웠을 때 처음으로 나를 반겨준 것이 바로 바람 소리였다.

반대편 오른쪽 침상에서 지금 무슨 일이 벌어지고 있는지 알 만하다. 두 녀석이 한 애를 가운데 눕혀놓고 있다. 그 둘은 소년원을 한두 차례 거쳐온 애들이지만 가운데 녀석은 혼자서는 화장실도 가지 못하는 모자란 놈이다. 한 번은 앉은자리에서 오줌을 싸는 바람에 우리 모두가 단체 기합을 받은 적도 있다. 저런 녀석이 감별소에 있다는 것은 경찰서에 돼지가 잡혀온 거나 다를 바 없다. 저 바보놈은 제 형이 꾀어서 시키는 대로 도둑질을 했다는데 당연히 잡혔다. 지금도 밤에 화장실 데려다 주는 대가로 저 짓을 하고 있다. 두 녀석은 먼저 그 얼간이한테 딸딸이를 치게 해놓고 그것을 구경한 다음, 그사이 잔뜩 부풀어오른 제 물건을 저놈의 뒤에다 밀어넣는 것이다. 맨 처음 야릇한 기척을 느꼈을 때는 구역질이 치밀었다. 지금은 괜찮다. 어디에나 있는 구역질나는 짓이 이곳이라고 없을 리 없다. 그냥 창문을 흔들며 울부짖는 바람 소리를 듣고 있으면 된다.

감별소에 들어오면 먼저 '지나온 나의 생활'이란 제목의 설문지를 받는다. 나는 그것을 세 번이나 다시 썼다. 숱하게 써온 반성문도 그렇고, 말로 해도 되는 거짓말을 반드시 글로 쓰게 하는 데는 신물이 난다. 어쨌든 내가 쓴 답안에서 감별소 교사는 나를 지도하는 데 필요한 정보를 얻지 못했다.

1. 나의 지난날: 태어나서 오늘까지 여러 가지 일을 경험하였으리라고 봅니다. 마음에 남아 있는 것을 생각나는 대로 써봅시다.

—마음에 남아 있는 것이 없음.

2. 나의 가족: 나의 집은 어떠한가, 집안의 생활 모습을 써봅시다.

— 어머니와 나는 각자 바쁘다. 아버지는 여러 명 있었지만 함께 살아본 적이 별로 없다.

거기까지는 정말로 생각하기가 싫어서 그렇게 간단히 쓴 것이다. 그러나 그 다음부터는 할 말이 없는 것도 아니지만 이 감별소에서 털어놓고 싶지는 않다. 그들은 나를 이해하려는 게 아니라 뉘우치게 하려는 것이다.

3. 사회에 대하여: 지금까지 학교나 직장, 사회에서 각계각층의 어른들과 만났을 것입니다. 이러한 경험을 통해서 사회에 대하여 느낀 것을 써봅시다.

—나는 어른들에 대해 별로 하고 싶은 말이 없다. 반대로 어른들은 늘 내게 하고 싶은 말이 많은 것 같다. 이곳에서는 지겹고 뻔한 잔소리를 안 듣기 바란다.

나는 '배차장파'였다. 남들 눈에는 중학생 양아치들이 버스 배차장에서 어슬렁거린다 싶겠지만 그것은 일종의 서클 활동이었다. 문예반이나 독서 클럽처럼 취미가 비슷한 아이들끼리 주기적으로 만나 공동의 목표를 위한 일을 도모하는 것이다. 언제나 인생이 답답하기만 한 아이들이 모였으므로 유대감은 훨씬 강했다. 그렇다고 서로들 좋아하는 건 아니었다.

우리는 몇 명씩 몰려다녔다. 집에서든 학교에서든 욕과 잔소리만 듣는 존재들인 만큼 비슷한 무리가 있다는 것이 위안이 되었다. 술을 마시고 담배를 피우는 것 역시 맛을 안다기보다 어른들에게 반항하고 약 올리는 기분이 우리를 우쭐하게 만들어주기 때문에 즐긴다. 만나서 하는 일은 대부분 라면이나 빵을 사먹고 노가리를 푸는 것이었다. 우리가 문예반이나 독서 클럽과 다른 점은 그것이었다. 우리는 생산이 아닌 소비를 위해 모인 것이었다. 함께 모여 먹을 것과 놀 것을 찾아다녔다.

그럼 돈이 있어야 할 거 아냐. 그 돈은 어디서 나는데? 그 녀석이 물었다. 얼마 전에 영문도 모르고 어머니 친구 집에 갔다가 알게 된 애였다. 그야 삥 뜯어야지. 내가 대답했다. 삥을 뜯으려면 겁을 잘 줘야 해. 모자를 삐딱하게 쓰고 가방을 옆구리에 껴야지. 교복도 좀 찢고. 얌전한 애들이 하지 못하는 짓을 보여줘야 걔들이 겁을 먹거든. 깡패들은 다 싸움 잘하는 거 아니야? 아니. 어깨에 힘주는 애들은 다 공갈빵이고, 힘은 어깨가 부드럽고 목이 짧은 애들이 쓰지.

그 녀석의 집은 모래내에 있었다. 모래내를 따라 둑방을 걸어가면서 얘기를 나누곤 했다. 모래톱이 끝나는 곳쯤에 라디오 방송국이 있었고 그 너머에 배차장이 있었던 것이다. 둑방에는 늘 바람이 많았다. 키가 작은 그 녀석은 종종걸음을 치며 나를 따라왔다. 그 녀석처럼 알고 싶은 게 많은 애는 처음이었다. 나 같은 놈에게 뭘 물어본다는 것도 그렇지만 내 대답을 그렇게 주의 깊게 듣는 것도 그 녀석이 처음이었다. 나는 그 녀석의 더듬는 말에 금세 익숙해졌다. 그 녀석이 물었다. 깡패들끼리도 싸워? 응, 구역을 침범했을 때나 뭐 그럴 때.

내가 다니는 학교는 동쪽에 있는 중학교였다. 서쪽 중학교 아이들은 오거리의 롤러스케이트장 주변을 맡았고 남쪽 중학교 아이들은 주로 호반(湖畔)에 있는 공원 주변에서 어슬렁거렸지만 둘 다 우리의 적수는 되지 못했다. '배차장파'에는 전통이 강한 동쪽 중학교 씨름부원이 기수별로 두어 명씩 섞여 있었다. 북쪽에도 중학교가 있었지만 그곳은 명문고 진학률이 높은 학교였다. 힘이라고는 연필 쥐고 안경 쓸 힘 두 가지밖에 없는 아이들이라서 애초부터 제외되었다. 3월이 되면 그 녀석도 그중 한 학교로 전학을 할 것이다. 그 녀석은 나와 함께 '똥중'이라고 불리는 동중에 다니고 싶어하는 것 같았다.

나는 그 녀석을 배차장에 데리고 나갔다. 그 녀석이 또 물었다. 배차장은 좋은 구역이야?

우리들이 몰려다니는 장소는 몇 가지 조건이 갖춰져 있어야 한다. 삥 뜯기 좋게 만만한 아이들의 왕래가 빈번해야 하고 우리한테 찍힌 놈을 끌고 갈 만한 으슥한 장소도 필요하다. 또 노점이나 라면집이 있어 배를 채우기가 쉬워야 한다. 그런 점에서 배차장은 요지였다. 더 좋은 곳으로는 극장이 몰려 있는 시내의 튀김집 골목이 있었지만 그곳은 고등학생과 퇴학생들의 활동 무대였다. 그들 중에는 진짜 깡패 조직에서 심부름하는 형들도 있었는데 중학생 양아치들의 우상이었다. 기름으로 얼룩진 더러운 배차장 담벼락에 기대어 노점에서 50원에 세 개 주는 길쭉한 옥수수빵인 '좆빵'을 나눠 씹는 아이들 가운데에는 그들처럼 조직에 끼는 것만을 장래 희망으로 삼아야 하는 재미없는 인생들도 적지 않았다.

배차장의 내 친구들은 3학년이라 다들 코밑이 거무스름했다. 건들거리고 다녀도 될 만큼 다리가 길거나 등이 구부정했다. 나는 친구들에게 그 녀석을 소개했다. 그 녀석은 고개만 끄덕 하는 시늉을 하더니 이내 입을 굳게 다물었다. 그런데도 친구들은 그 녀석이 말더듬이란 걸 금방 눈치챘다. 그 녀석이 땅꼬마란 데에 벌써부터 코웃음을 치던 친구들은 이것저것 일부러 말을 시켜보고는 대답을 듣기도 전에 웃어젖혔다. 그 녀석은 얼굴이 빨개졌지만 끝까지 우리 뒤를 따라다녔다. 내게 그렇듯이 친구들에게도 형 소리는 절대 하지 않은 걸 보면 그 녀석은 고집이 좀 있었다.

마침 그날은 삥뜯기에서 그럭저럭 성과를 거두었으므로 좆빵 대신 튀김기름 냄새가 끝내주는 핫도그를 사먹기 위해 모두 버스를 타고 시청 앞으로 진출했다. 고소한 기름 냄새는 제과점 문 앞까지 솔솔 풍겨나왔다. 노릇노릇하게 익은 밀가루옷에서 아직 기름이 지글지글 끓고 있는 따뜻한 핫도그가 플라스틱 바구니에 담겨 나왔다. 그 녀석은 눈을 반짝이며 흥분했다.

그 며칠 후 야간 고등학교 다니는 야순이들과 만나기로 했을 때도 그 녀석은 나와 함께 있었다. 여자애들 세 명이 오기로 되어 있었는데 한 명밖에 오지 않아 기분을 잡친 날이었다. 여자애는 껌을 딱딱 씹으면서 나타났다. 얼굴이 가무잡잡한 그 여자애는 우리가 중학생인 걸 뒤늦게 알고 욕을 하면서 갔다. 그 녀석이 물었다. 도시 여자애들은 다 저렇게 큰 브라자를 하고 다녀? 그날이 아마 그 녀석에게 처음 소주를 먹인 날일 것이다.

4. 가출 경험: 생활해오면서 가출을 한 경험이 있습니까? 가출한 경험이 있다면 그 기간 동안 무엇을 하며 지냈는지 써봅시다.

—세 번 가출했음. 한 번은 친구의 자취집에서 보냈고 한 번은 간판집에서 일했지만 한 푼도 못 받았다. 한 번은 오래전 일이라 기억 안 남.

가출은 짜릿하다. 바람 속을 걷는 것처럼 걸음을 옮길 때마다 몸이 붕 떠오르는 기분이다. 그러나 돌아올 때의 기분은 죽을 맛이다. 다섯번째 가출에서 돌아오며 다짐했다. 영원히 안 돌아올 수 있다면 몰라도 다시는 가출을 하지 말자고 말이다.

그 녀석이 집을 나가겠다고 말했을 때에도 우리는 둑방을 걷고 있었다. 추운 날이었다. 귓불을 찢을 듯이 날카로운 바람을 온몸으로 받으며 걷는 일은 정말 기분이 좋았다. 아무 말 없이 언제까지라도 걸을 수 있을 것 같았다. 그 녀석이 불현듯 침묵을 깼다. 이 둑방을 계속 따라가면 끝에 뭐가 있어? 동물원. 정말? 응. 그리고 좀더 가면 산이 나오는데, 공동묘지야. 그럼 반대편으로 가면? 거긴 왕릉. 아주 크고 오래된 무덤이겠네? 그래. 거기로 소풍 많이 갔지. 그러면 말야, 이 하천을 계속 따라가면 뭐가 나올까? 정말 별걸 다 궁금해하는구나. 나도 몰라, 안 가봐서. 하천을 죽 따라가면…… 아마 강이 나오겠지. 그렇구나. 그 녀석은 고개를 끄덕이더니 다시 물었다. 너는 앞으로 네가 어떻게 될 거라고 생각해? 생각 안 해봤어. 왜? 어차피 내 생각대로는 안 될 테니까. 그 녀석은 고개를 끄덕였다. 나도 그래, 어른이 된 뒤에 어떻게 될지는 아무리 생각해도 모르겠어. 그 녀석은 잠시 깊은 생각에 잠기는 것 같앉는데 표정이 몹시 우울했다. 늙는다는 거 생각해본 적 있어? 한참 만에 그 녀석이 다시 물었다. 늙으면 죽겠지 뭐. 나는 아무렇게나 대답했다가 약간 후회하는 마음이 되어 윗집에 사는 형 이야기를 들려주었다. 대학생인 그 형은 늘 기타를 치며 팝송을 불렀다. 여름이면 마당에 등받이가 없는 조그만 나무 의자를 내다 놓고 앉아서 기타를 치며 부르는 그 형의 노랫소리를 거의 밤마다 들을 수 있었다. 노래는 그 집 할아버지의 고함 소리가 난 뒤에야 끊기곤 했다. 그 형이 기타를 치다 말고 내게 이렇게 말했어. 야야, 한심하다 한심해. 우리 할아버지는 술 취하면 점잖게 두만강 푸른 물에 노 젓는 뱃사공을 부르는데 말야. 우리는 다 늙어갖고 저 푸른 초원 위에 그림 같은 집을 짓고 해가면서 촐싹거려야 하지 않겠냐. 그래서 내가 대꾸했지. 우리도 늙으면 아마 두만강 푸른 물을 부를 거라고.

나는 늙은 뒤의 인생이란 그런 식으로 생각하는 거라고 말하고 싶었다. 누구나 똑같이 공평하게 늙어간다고, 죽을 때는 더욱이 모든 사람의 인생이 마찬가지 아니냐고 말이다. 현실이 아무것도 보장해주지 않을 때 미래만큼 두려운 것은 없다. 자신의 미래에 대해 불길한 조짐만을 던지는 현실에서 벗어나기 위해서는 가출밖에 방법이 없다고 생각하는 아이들은 내 주변에 흔했다. 가출은 그런 애들 모두가 거쳐가는 순서이자 가장 손쉬운 선택이었다.

5. 이번의 나의 실수: 이번 비행 사건에 대하여 생각나는 것을 써봅시다. 원인 등 여러 가지 마음에 걸리는 것이 있을 것입니다.

—공소 사실에 적힌 대로임.

그날 우리는 술을 먹었다. 그리고 술김에 객기가 나서 소주를 사 갖고 극장 뒷골목으로 튀김을 먹으러 갔다. 골목 구석에 세워진 오토바이에 기대서 담배를 빨던 남자 하나가 우리를 빤히 쳐다보았다. 쳐다본다는 것만으로 기분이 나빠지는 것이 우리 같은 아이들의 생리다. 뭘 봐요? 좀 보면 안 돼? 뻔한 시비가 시작되었다. 어린 것들이 취해갖고 겁없이 돌아다니는데 말야. 뭐라구? 형씨가 뭔데 사람을 함부로 무시해. 이런 대화는 주먹질의 시작을 예고하는 관례적인 신호로 통한다. 그러고 나서 여기저기서 패거리들이 몰려나와 합세를 하고 그 바람에 우리는 몇 대 휘둘러보지도 못하고 죽어라 도망치는 게 순서였다. 그러나 그날 밤 우리는 취해 있었으므로 사정이 약간 달라졌다. 우리는 피를 보고야 말았다. 잠깐 사이에 그 남자를 실컷 두들겨 패주었다. 도망쳐나온 뒤에야 술과 흥분에서 깨어난 우리는 우리가 상위 구역을 침범했고 조직이 있는 진짜 깡패들을 귀찮게 한 엄청난 죄를 저질렀음을 알았다. 아무리 조무래기 중학생 따위라고 해도 그런 일을 했다면 내버려두지 않을 것이다. 우리는 그때부터 쫓기는 신세가 된 것이었다.

도둑질은 그런 데서부터 시작된다. 당분간 숨어다니려면 돈이 필요했는데 우리가 아는 돈 구하는 방법이란 한 가지뿐이었다.

담을 넘었다. 초저녁잠이 많은 노부부는 깊이 잠들어 있었다. 막상 훔칠 게 별로 없었다. 나는 짜증이 나기 시작했다. 그 녀석이 어둠 속에서 금고를 발견하고 그걸 들었다. 그런데 금고 안에다 동전까지 넣어둔 모양이었다. 짤그랑 소리가 나자 노인이 잠에서 깨어 벌떡 일어났다. 나는 들고 있던 주머니칼로 노인의 등을 찍어 눌렀다. 그 녀석이 들고 있던 금고를 떨어뜨린 것도 거의 동시의 일이었다. 튀자, 누군가의 입에서 바람 소리처럼 날카로운 한마디가 튀어나왔다. 그 녀석은 금고를 다시 들어올리려고 애를 썼다. 잠든 척하고 있던 노파가 그 녀석의 허리를 붙잡았다. 나는 칼을 들고 노파를 향해 다가갔다. 노파는 그 녀석을 놓고 대신 내 다리를 붙잡았는데 물귀신같이 질겼다. 노파의 얼굴을 향해 칼을 치켜들었지만 다음 순간 그 팔을 그냥 천천히 제자리에 내려놓으며 나는 속으로, 이번엔 잡히게 되어 있는 모양이다, 하고 생각했다.

6. 마지막으로 지금 마음속에 떠오르는 장면을 빈 칸에 그려봅시다.

나는 그림을 그리지 않았다.

이제 감별소에서는 나를 불량으로 감별할 것이고 가정법원은 망설임 없이 소년원으로 보낼 것이다. 칼에 찔린 노인의 상처는 그리 크지 않았다. 그러므로 어머니는 내게 욕을 퍼부으면서도 호적상 나의 아버지로 되어 있는 남자를 찾아가 가퇴원 각서를 써달라고 사정해볼지도 모른다. 그러나 그 남자는 내가 갇힌 것이 자기에게 다행이라고 생각하는 사람이다. 나를 꺼내줄 마음이 전혀 없는 그 남자는 절대로 각서 따위는 써주지 않을 것이다. 보호자의 각서가 없는 나는 꼼짝없이 15개월을 다 채워야 한다. 그 다음은 알 수 없다. 불안 따위는 느끼지 않는다. 미래란 어차피 닥쳐올 것이고 버러지처럼 살든 해장국집 걸레처럼 살든 어쨌든 살아갈 수는 있을 것이다. 동전 하나까지 금고 안에 넣어 지키려 했던 노인과는 정반대로, 가진 것이 없어서 집착 없이 늙어갈 수 있을지도 모른다. 동물원, 공동묘지, 왕릉, 강, 닥쳐올 미래. 그 녀석은 이 세상과 세상의 끝과 그리고 흘러가는 시간에 대해 궁금해했다. 처음 정액이 주머니에 차서 배설을 기다리는 시기에는 다 그렇다. 그러나 그 녀석은 어떤 인생에게는 그 일이 딸딸이를 통해서만 이루어진다는 걸 곧 알게 될 것이다. 세상이 왜 그렇게 생겨먹었는지는 그 녀석이나 내가 알 바 아니다. 내가 그리고 싶은 것이 있다면 그 녀석의 모습이다. 아마 1월의 바람 속에 말더듬이의 입김을 허옇게 날리며 혼자 둑방을 걷고 있을 것이다.

태양은 가득히

성국이가 잡혀간 뒤 나는 다시 아무 말도 하지 않게 되었다. 내가 말을 하면 사람들은 대개 주의 깊게 들으려 하지 않는다. 그것은 내 말을 중간중간 가로막으며 지금 네가 하려는 말이 이게 아니냐고 제 쪽에서 말을 대신 다 해버리는 사람이나 이해심 있는 표정으로 내게 천천히, 천천히, 라고 달래듯이 주문하는 사람이나 마찬가지다. 그들은 내가 더듬는 것에만 주의를 기울였지 내가 하는 말의 내용이 무엇인지에는 관심이 없었다. 성국이는 그렇지 않았다. 아버지는 내가 말을 시작할 때마다 손바닥으로 입을 때리곤 했는데 한창 입술을 떠느라 눈을 꾹 감고 있던 나에게는 참으로 날벼락이었다.

2월이 되었는데도 아버지한테서는 아무 소식이 없었다. 아버지 소식을 기다리는 날이 오다니, 내 인생에 앞으로 어떤 일이 닥칠지 점점 알 수 없게 되어간다는 생각이 들었다.

어머니는 한번 외출하면 밤늦게야 들어왔다. 군데군데 화장이 지워진 어머니에게서는 술냄새가 났다. 비틀비틀 내게 다가와서 이불 속에 누워 있는 나를 꼭 끌어안으며, 우리 준영이 언제 크나, 우리 아들이 어서 커야 엄마가 호강할 텐데, 하고 풀린 눈으로 뇌까릴 때도 있었지만 어떤 때는 사나운 눈빛으로 내려다보기만 할 때도 있었다. 또 어떤 때는, 엄마 없어도 살 수 있지? 아무래도 엄마는 멀리 아주 멀리 가야 되겠다, 라는 놀라운 말을 아무렇지도 않게 내뱉기도 했다. 그럴 때마다 나는 필사적으로 자는 척했다. 그것은 내가 어머니의 말을 현실로 인정하지 않고 꿈으로 치부해 버리고 있다는 일종의 시위였다. 나는 어머니보다 더 늦게 집에 들어오기 위해 성국이와 붙어다녔지만 제아무리 늦는다 해도 늘 어머니보다는 먼저였다. 언제나 방의 불은 꺼져 있었고 나는 들어오자마자 옷장을 열어 어머니의 옷이 다 있는지 확인하곤 했는데 그러고 나면 뭔가 모르게 화가 나고 치사한 기분이 들어서 그만 이불 위에 엎드려버리곤 했다. 그때까지도 아네스에게 줄 꽃무늬 손수건을 잘 간직하고 있는 나 자신이 어린애처럼 생각되었다.

기정이라는 여자애는 야간 고등학교 1학년이었다. 가슴이 아주 커서 마치 자랑할 게 그것밖에 없어 앞으로 불쑥 내밀고 다니는 것처럼 보였다. 말끝마다 '어쭈'와 '씨발'을 붙이는 건 좀 그랬지만 딱 달라붙은 스웨터 속에서 출렁거리는 기정이의 가슴에서 나는 눈을 뗄 수가 없었다. 그날 기정이의 껌 씹는 소리가 사라지자 내 심장 박동 소리도 사라지고 갑자기 사방이 허전했다. 다음날 새벽에는 이상한 느낌 때문에 잠에서 깨어났다. 꿈에서 기정이를 본 것 같았다. 솔직히 말해 발가벗은 기정이를 보았는데 아랫도리가 축축해져 있는 것이었다. 몽정이 시작되자 나는 매일 밤 팬티 속으로 손을 집어넣게 되었다. 나 역시 더러운 사람이 되었다는 생각도 들었지만 어쨌든 그날부터 꽃무늬 손수건이 유용해졌다. 손수건은 팬티에 얼룩을 남기지 않도록 하는 데에 도움을 주었고 얼마 안 가서 대문 밖 쓰레기 더미 속에 버려졌다.

성국이와 친구들은 소주를 마시고 이따금 둑방에 나가 노래를 불렀다. 성국이가 좋아하는 곡은 「그건 너」였다. 전화를 걸려고 동전 바꿨네, 종일토록 번호판과 씨름을 했네, 그러다가 당신이 받으면 끊었네. 그것은 기분이 좋아지는 노래는 아니었다. 신나는 노래는 따로 있었다. 저 푸른 초원 위에, 그림 같은 집을 짓고, 사랑하는 우리 님과, 한 백 년 살고 싶어. 그러나 성국이는 누군가 그 노래를 시작하면, 개 같은 소리 하고 있네, 하면서 병나발을 불었다. 빈 병을 둑방 아래로 휙 집어던지며, 야, 집어치우고 누구 두만강 푸른 물이나 불러봐라, 라고 내뱉는 거였다. 처음 본 순간부터 나는 성국이가 나와는 다른 인생을 사는 아이라고 생각했다. 나에게 있어 성국이는 알고는 싶지만 다가갈수록 점점 알 수 없을 것 같아 두려워지는 이 세상이라는 존재와 비슷했다. 성국이네와 함께 오거리 롤러스케이트장 근처로 원정 나갔다가 카바레 앞에서 남자의 부축을 받으며 나오는 취한 어머니를 보았을 때 나는 그다지 놀라지 않았다. 그때 내가 놀란 것은 어머니의 높은 웃음소리 때문이었다. 그것은 어머니의 웃음소리가 아니었다. 걸음을 헛디뎌 고꾸라질 듯 비틀거리는 어머니에게 남자가, 조심하라구 후미코, 라고 말했다. 그 며칠 후 어머니가 앓아 누운 적이 있다. 나는 어머니가 하느님께 죄를 받았다고 자책하며 기도라도 하지 않나 지켜보기 위해 밖에도 나가지 않고 어머니 옆에 붙어 있었다. 죄를 받은 게 아니었던지 어머니는 이내 다시 화장을 하고 나갔다. 소파 수술이란 게 원래 며칠 누워 있기만 하면 될 뿐 아무 표시도 나지 않는다는 건 나중에 성국이에게 전해 들은 말이었다.

어느 날 박총무 아저씨가 찾아와 어머니에게 돈을 전해주었다. 그것은 아버지를 만난 적이 있다는 뜻이었다. 화장을 안 해 부석부석한 얼굴의 어머니는 한쪽 무릎을 세우고 앉은 채 신문지에 싸인 그 돈을 멍한 표정으로 내려다보기만 했다. 박총무 아저씨는 또 안주머니에서 뭔가를 꺼내 내게 건네주었다. 뜻밖에도 그것은 아녜스의 편지였다. 나는 대문 밖 골목으로 나가서 햇볕이 드는 담벼락에 기대 혼자 그것을 읽었다. 보좌 신부님이 감기에 걸렸다는 소식, 성당 중등반에 풍금이 생겼다는 소식이 있었고, 그 풍금으로 창미사곡을 치면서 언젠가 들었던 나의 맑은 노랫소리를 떠올린다고 적혀 있었다. 또 내가 떠난 뒤로도 많은 눈이 내려 성모상 옆에 언제나 눈사람이 서 있다고도 썼다. 보좌 신부님께서 네 소식을 알 수가 없다고 걱정하시면서 내게 편지를 써보라고 했어. 지난 주일에는 중등반 모두가 너를 위해서 기도했단다. 네가 고향에 돌아와 다시 우리와 함께 성당에 다닐 날이 있겠지? 그날을 기다리며 그럼 안녕. 아녜스가 베드로에게. 나는 어머니가 아버지의 돈을 바라볼 때처럼 멍하니 그 편지를 읽었다. 고향을 떠난 이후 시간이 너무 많이 흘러갔다는 생각이 들었다.

나는 결심했다. 어머니한테 버림받기 전에 내가 어머니를 버리는 편이 조금이라도 자존심을 지키는 방법 같았다. 성국이는 나의 가출에 대해 짧게 대꾸했다. 독서실 같은 데 가서 한 이틀 자고 들어온다고 뭐가 달라질 것 같냐? 너희 엄마가 너를 소중하게 여기는지 아닌지 시험해볼 마음이라면, 시작도 하지 마라. 나는 성국이마저 내 편이 아니라는 데 서운함을 느꼈지만 그런 불신은 절망에 빠진 사람이 흥분 상태에서 품게 되는 가벼운 오해라고 고쳐 생각했다. 누군가를 믿어야 하는 것 역시 절망에 빠진 사람으로서 선택의 여지가 없는 일이었다.

사실 성국이는 내 편이라는 확신을 준 적이 한 번도 없다. 성국이가 잡혀간 지금 오히려 그것은 나에게 중요한 문제가 되었다. 성국이가 나를 위해 끝까지 입을 다물어주지 않는다면 성국이 대신 내가 소년원에 잡혀갈지도 모르기 때문이다. 그날 신나게 싸움을 하고 도망칠 때까지만 해도 나는 내가 그런 일을 할 수 있으리라고는 상상도 하지 못했다. 잡히기는 성국이가 잡혔지만 노인을 금고로 쳐서 쓰러뜨린 것은 바로 나였다. 노파에게 다가서는 성국이의 손에서 칼을 보았을 때 모든 잘못을 성국이가 뒤집어쓰게 되리라는 것을 직감한 나는 혼자서 도망쳤다.

나는 비 오듯 땀을 흘리며 달렸다. 눈앞에 아무것도 보이지 않았고 오직 노인의 집에서 되도록 멀리 벗어나야 한다는 생각뿐이었다. 그리 깊은 밤도 아니었기 때문에 거리에는 간혹 행인이 있었지만 나를 붙들고 왜 그렇게 뛰어가냐고 묻는 사람은 없었다. 그것은 도망자를 이롭게 만드는 도시의 좋은 점이었다. 나는 막다른 골목으로 들어갔다가 돌아나오기도 하고 같은 길을 반복해서 뛰기도 하며 어두운 길을 골라 온몸에서 김이 모락모락 나도록 뛰었다. 그러다가 갑자기 불빛이 환한 곳으로 나오게 되었다. 나지막한 철문 앞에 사람들이 모여 있는 게 보였다. 헤어질 인사를 하는 듯했는데 모두 두 손을 모으거나 허리를 숙인 공손하고 다정한 모습이었다. 인사를 마친 뒤에는 문밖으로 나와 버스 정류장을 향해 걸어가는 사람도 있었고 또 다른 사람을 향해 인사를 하러 가는 사람도 있었다. 그 사람들 너머 어둠 뒤편에 서 있는 둥근 지붕과 십자가가 눈에 들어온 순간 비로소 나는 그곳이 성당이라는 걸 알았다. 내 뺨에 닿은 밝고 부드러운 빛은 성당의 불빛이었다. 나는 번개라도 맞은 듯 소스라치며 필사적으로 도망쳤다.

혼절한 사람처럼 쓰러져 자고 오후에야 일어나니 어머니가 성국이 잡혀갔다는 소식을 전해주었다. 며칠 동안 방에서 잠만 잤다. 그동안 스무 개 가까이 되는 라면을 먹었고 어머니가 지어온 약도 먹었으며 갈증을 달래기 위해 이따금 머리맡 약봉지 옆에 놓인 사과를 씹어 먹기도 했다. 그사이 눈이 한 번 왔다. 열을 식히려고 창문을 열었을 때 눈이 오는 것을 본 나는 현기증이 일어 손바닥으로 창턱을 짚었다. 그날 어머니가 낮에 들어오더니 다음날 전학 수속을 하러 교육청에 가야 한다고 말했다. 달력을 보고 나는 2월이 얼마 남지 않은 것을 알았다. 날짜를 확인한 뒤로도 나는 한참 동안 달력을 쳐다보았다. 올해 2월은 28일에서 끝나 있었다.

해마다 이맘때가 되면 나는 더욱 심하게 말을 더듬었다. 곧 새 학기가 시작되어 새로운 선생님과 아이들이 내 이름을 묻고 말을 걸어오리라는 생각만으로도 나에게 가장 힘든 시기였다. 선생님이 출석부를 펴는 순간 내 심장은 몸 밖으로 튀어나갈 듯이 마구 뛰곤 했다. '예' 하는 대답 소리를 내기 위해서 입술을 격렬하게 떨고 있는 내 모습을 상상하며 순서를 기다리는 일은 고통스러웠다. 도시에서는 그 고통이 더할 것이다.

교육청에 나간 나는 동쪽 중학교로 배정을 받았다. 성당에 갈 때나 입던 한복 두루마기를 오랜만에 꺼내 입은 어머니는 말이 없고 조금 수척해 보였다. 서류를 작성하는 교육청 직원이 질문을 던져도 딴 데 정신이 팔린 사람처럼 멍한 표정으로 한 박자씩 늦게 대답을 했다. 단 하루 내렸던 눈이 녹아 길거리는 온통 질척거렸다. 아침에 깨끗이 닦아 신고 온 어머니의 흰 고무신은 먹물로 붓질을 한 것처럼 되어 코의 모양조차 보이지 않았다. 걸을 때마다 고무신에 치마가 닿아 치맛단이 점점 더러워지고 있는데도 무슨 생각을 골똘히하는지 어머니는 전혀 신경을 쓰지 않는 눈치였다. 어머니는 나를 중국집으로 데려가 자장면을 먹였다. 그 중국집은 극장과 맞붙어 있었다. 중국집에서 나온 뒤 무심코 극장 앞을 지나치던 어머니는 간판을 보자 뜻밖에도 꿈에서 깨어난 사람처럼 눈을 가늘게 뜨며 걸음을 멈추었다. 어머니가 한참 동안이나 바라보고 서 있는 극장 간판에는 하얗고 작은 배의 키를 잡은 금발 남자가 그려져 있었다. 붉은 태양을 향해 고개를 돌리고 있는 남자의 모습은 멋졌다. 벗은 어깨 위로 햇살이 쏟아지는 듯했고 머리카락은 바닷바람에 날리고 있었으며 그 아래에는 '태양은 가득히'라고 씌어 있었다.

난생처음 어머니와 둘이서 영화를 보았다. 가난뱅이 남자가 친구의 돈과 애인을 가로채기 위해 강렬한 태양이 내리쬐는 푸른 바다 위에서 살인을 저지른다는 줄거리에 어머니가 흐느끼는 이유를 알 수가 없었다. 어머니의 흐느낌은 언젠가 카바레 앞에서 들은 적 있는 후미코의 웃음소리처럼 낯설었다. 나는 갑자기 가슴이 답답해지기 시작했다. 화면 가득 넘실대는 푸른 바다가 점점 나를 걷잡을 수 없이 불안하게 만들었다. 바닷물이 내 입 속까지 밀려들고 나를 삼킬 것만 같았다. 그대로 자리에서 일어난 나는 어머니가 왜 그러냐고 물을 시간을 주지 않기 위해 빠른 걸음으로 어머니 곁을 떠났다.

거리로 나왔지만 그곳 역시 알 수 없는 불안으로 가득 차 있는 것 같았다. 겨울은 이미 떠나기 시작했지만 그렇다고 봄이 온 것도 아니었다. 길 안쪽으로는 녹지 않은 눈이 지저분하게 쌓여 있었고 한길은 여전히 질척거렸다. 그사이 거리에는 수많은 사람들이 쏟아져 나와 돌아다니고 있었다. 여러 학교에서 졸업식이 있었던 모양이었다. 졸업장이나 상장 비슷한 종이를 말아쥔 교복 차림의 학생들이 가족이나 친구들과 무리지어 돌아다니고 있었으며 길바닥 여기저기에는 조화가 버려져 흙발에 밟히고 있었다. 몇 명씩 짝을 지어 중국집 앞과 극장 근처를 돌아다니는 그들은 나만 모르는 뭔가를 공모하기 위해 몰려다니는 정체를 알 수 없는 타인의 집단 같았다. 불현듯 이제는 학교에 다니지 못하리라는 생각이 들었다. 이제 나는 예전의 내가 아닌 것이다.

나는 사람들에 휩쓸려 거리를 걸어가고 있었다. 성국이가 돌아와서 내가 범인이라는 것을 밝히기 전에 어딘가로 떠나야 할 것 같았다. 그곳은 왕릉과 동물원 너머 먼 강보다 더 먼 곳이 될 것이다. 바람이 차가워 나는 코트 자락을 여몄다. 작년 생일에 어머니는 새 코트를 사주려고 했는데 내 키가 자라지 않아서 내년에 사주기로 약속했었다. 나는 2월에 태어났지만 그러나 올해 2월에는 생일이 없다.

〔『창작과비평』, 2000년〕

어렸을 때는 너무 어른스러워서 아무도 귀여워하지 않았어요. 거꾸로 지금은 나이 든 어른이 애같이 유치하고 덜떨어졌대요. 누가 그래요? 남편이요. 어른 같은 애나 애 같은 어른이나 징그럽기나 하지 누가 좋아하겠어요. 사실 날 진짜로 좋아하는 사람은 아무도 없어요.

누가 꽃피는 봄날 리기다소나무 숲에 덫을 놓았을까

누가 꽃피는 봄날
리기다소나무 숲에 덫을 놓았을까

소라의 학교 생활

소라는 뛰어나게 아름다운 소녀는 아니었다. 그러나 허리춤에 책보를 동여매고 고무신 바닥에 벌건 흙을 묻힌 채 2,30리 길을 걸어 학교에 다니는 면 단위 아이들과는 많은 점에서 달랐다. 담배 가게와 포목점과 사기그릇집과 당구장과 중국 음식점이 있는 거리의 읍내 아이들과도 달랐다. 소라의 집은 읍내에서도 몇 채 안 되는 양옥집이었고 봄이면 가장 먼저 흰 목련이 피었으며 라일락, 덩굴장미, 단풍, 담쟁이가 철 따라 걸음을 멈추고 한 번쯤 담장 안을 흘끗거리게 만들었다. 하늘색 페인트가 칠해진 나뭇살 대문에는 앙증맞은 초인종이 달려 있었는데 어쩌다 열린 대문 틈으로 흰 앞치마를 입은 소라네 집 식모가 주둥이 긴 물뿌리개를 들고 화초에 물을 주거나 레이스 커튼을 빨아 빨랫줄에 너는 모습을 볼 수 있었다. 저녁이 되어 대문 앞에 노란빛 외등이 켜지면 간간이 피아노 소리가 흘러나오기도 했다. 소라는 그 집의 외동딸이었다.

단 한 번만 보아도 누구나 소라가 다른 아이들과 다르다는 걸 한 눈에 알 수 있었다. 봄 가을로는 소풍날에나 신어보는 양말을 소라는 사계절 내내 벗은 적이 없었고 누군가 많은 시간을 들여 손질해 줘야 하는 땋거나 꼬아올린 머리에 리본을 달았으며 가을이면 체크 무늬 모직 점퍼 스커트를, 여름이면 소매가 봉곳 올라간 아사 원피스를 입었다. 보풀이 잔뜩 일어난 털조끼에 무릎이 튀어나오고 복사뼈가 드러나는 해진 바지를 입은 부스럼투성이의 빡빡머리들, 그리고 일자로 이마를 덮는 상고 단발에 나일론 통치마 차림의 촌 아이들 틈에 있을 때가 아니라도 그랬다. 촌 아이들을 깔보는 읍내 아이들이 대개 운동화를 신었다면 소라는 분홍색 에나멜 구두를 갖고 있었다. 또한 사춘기의 남매들끼리는 물론이고 아버지 어머니와도 한방에서 잠을 자는 아이들이 보통이지만 소라는 혼자 쓰는 자기 방을 갖고 있었으며 누룽지나 감자만 보아도 입이 벌어지는 그 애들 앞에서 얇은 종이를 벗겨내면 색색의 띠가 드러나는 드롭스를 입에 넣곤 했다. 아홉 살, 열 살이 되어서야 겨우 초등학교에 들어온 아이들이 적지 않은 터에 소라처럼 손을 허리에 얹고 발끝을 든 채 사뿐사뿐 음악에 맞춰 율동을 익히는 유치원 생활을 경험한 아이는 학교에서 몇 안 되었다. 어느 겨울 소라가 빨간 가죽 반코트와 털모자 차림으로 농협을 지나 보건소 앞길로 해서 학교에 갈 때 그 낡고 궁상맞은 단층 시멘트 건물들은 불현듯 이국적인 빛을 띠었다.

운동회날에 여자애들은 모두 밑단에 고무줄을 넣은 펑퍼짐한 검은색 반바지를 입었다. 그러나 소라는 국어책의 삽화에 나오는 소녀처럼 머리띠를 하고 양장점에서 만든 흰 주름 스커트를 입고 나타났다. 만국기가 펄럭이는 운동장에서 제 식구를 발견한 아이들은 거의가 "엄니!" 하거나 "어무니!" 하고 부르며 뛰어가 반기곤 했는데 간혹 엄마라고 부르는 아이들도 있긴 했지만 소라처럼 아버지까지를 "아빠!" 하고 도회적으로 부를 수 있는 시골 아이는 흔치 않았다. 운동회가 끝난 뒤 아이들이 운동장 청소를 하는 동안 소라의 부모는 선생들과 함께 중국 음식점으로 갔다. 소라가 또래에 비해 영리하다고 판단한 소라의 부모는 딸을 만 다섯 살에 학교에 넣었다. 그러나 소라가 너무 어려서 제대로 적응할 수 있을지는 걱정이라는 소라 부모의 말은 마음에 없는 인사치레일 뿐이었다. 교감 선생은 군내 무용 대회 때 보여주었던 소라의 활약을 화제 삼았다. 교내 선발에서 소라는 단지 여덟 명의 병아리 역 가운데 하나로 뽑혔지만 머리에 꽂은 깃털 장식과 무용복이 누구보다도 화려했기 때문에 곧 백설공주 역을 맡을 수 있었다. 소라 어머니 옆자리에 앉아 있던 음악 선생은 소라의 고운 목소리와 피아노 교육으로 얻어진 절대 음감에 대해 칭찬하기 시작했다. 실제로 소라는 여러 방면에 소질이 있었고 영리하다는 부모의 판단 또한 사실이어서 성적도 언제나 일등이었다.

어른들이 자신을 칭찬하는 동안 소라는 아무것도 모른다는 듯한 얼굴로 초간장을 흘리지 않도록 주의하면서 얌전히 탕수육을 먹었지만 한마디도 빼놓지 않고 듣고 있었다. 간간이 선생들이 질문을 던지면 단어를 신중하게 골라가며 바른 문장으로 대답했다. 사투리도 비속어도 아이들만의 유행어도 쓰지 않았고, 지방 억양까지 감출 순 없었지만 또박또박한 표준말이었다. 소라의 표정이나 몸짓에는 타인의 시선을 의식하는 사람만이 갖는 부자연스러운 세련됨이 있었는데 그것은 어린애가 지니기에도 또 터득하기에도 어울리지 않는 대인 방식이었다. 누구든지 한 번만 보아도 알 수 있는 일이었다. 소라는 사랑받기 어려운 소녀였다.

학교가 파하면 촌 아이들은 같은 마을 친구들끼리 어울려 함께 집으로 돌아갔다. 꼴을 베거나 소를 먹이거나 혹은 동생을 업고 밭으로 나가거나 저녁밥을 짓거나, 어차피 한두 시간 후면 동네에서 다시 만나게 될 사이였다. 집안일을 돕지 않아도 되는 읍내 아이들 역시 한 동네 친구들끼리 붙어다니기는 마찬가지였다. 여자 아이들은 함께 숙제를 한다고 모여서는 고무줄놀이나 소꿉놀이, 공깃돌 받기, 머리핀 따먹기를 하며 놀았다. 남자 아이들은 총싸움을 많이 했고 구슬놀이와 딱지치기 따위를 하느라 땅거미 질 무렵까지 골목 안이 소란스러웠다. 고학년이 되면서부터 여자 아이들과 남자 아이들이 함께 어울리는 일은 적어졌지만 관심은 더 많아졌으므로 저희들 수준의 추문과 음담을 나누며 시시덕거리기 일쑤였다. 소라는 그렇지 않았다. 학교에서 돌아오면 과외 공부를 하고 피아노 레슨을 받고 때로 취약한 산수 과목을 보완하기 위해 주산을 배우거나 무용 대회 연습을 하거나 식모와 함께 텔레비전을 보았다. 가장 많은 시간은 책 읽는 일로 보냈다. 소라의 독서 영역은 동화책과 위인전, 동시집, 어린이 잡지, 어린이 신문은 물론이고, 오직 응접실 책장에 꽂아놓기 위해 구입되었던 금박 표지의 전집류와 어머니가 구독하는 여성 잡지 등을 넘어섰다. 겨우 여덟 개의 책꽂이가 있을 뿐인 학교 도서실의 책은 꽂힌 순서까지 거의 외우고 있었다. '장래 희망'을 적어내는 수업 시간에 아이들은 '선생님' '간호사' '과학자' 또는 '대통령' 따위를 써냈지만 소라는 '이 세상에 있는 책을 모두 읽은 사람'이라는 다분히 인문적이고 독창적인 답변을 적었다. 한 해 전에는 선생님조차 어리둥절하게도 '북구 외교관'이라는 단어를 생각해냈고, 열 살이었던 그 전해 역시 '프리마 돈나'라는 낯선 외래어를 써서 시골 아이들로 하여금 콧방귀를 뀌게 만들었다.

소라에게 친구란 함께 과외 공부를 하거나 부모들끼리 가까운 사이라서 어울리게 된 몇 안 되는 동급생들이었다. 소라의 친구들은 이따금 스무고개놀이와 인형에 종이옷 갈아입히기 등을 하며 놀았다. 소라의 인형옷이 남달리 화려했던 이유는 어머니가 즐겨 보는 미국의 백화점 카탈로그를 오려서 만들었기 때문이었는데 60년대 미국에서 유통되는 모든 물건이 망라되어 있는 그 두터운 카탈로그는 코팅된 종이가 반들반들하고 얇아서 쉽게 찢어지곤 했지만 무늬와 색깔만은 더할 수 없이 선명하고 멋졌다. 또한 소라는 스무고개놀이를 할 때 친구들이 '호랑이'나 '지팡이' 따위를 문제로 내는 것과 달리 '월산대군' '제라늄' '젊은 베르테르의 슬픔' 같은 다소간의 지식을 요구하는 단어와 구를 제시했으므로 친구들이 소라의 문제를 맞히는 경우는 거의 없었다. 답을 듣고 어처구니없어하는 친구들에게 월산대군이 성종의 형이라는 사실을 모르리라고는 미처 생각 못 했다는 소라의 사과는 진심에서 나온 것이었는데 자신의 지식과 총명을 친구들에게 상기시키는 건 분명 겸손하지 못한 태도라고 생각하고 있었기 때문이었다. 과외가 끝나자마자 신나게 책을 덮어버린 친구들이 "야, 우리 뭐 하고 놀까" 소리치면 소라는 조금 생각하는 표정을 지은 다음 "뭔가 유익한 놀이를 하는 게 좋겠어"라고 문어체로 대답하여 아이들을 웃겼다. 소라는 자신을 향한 배타적 태도를 뛰어난 사람이 당연히 치러야 하는 비용으로 생각하도록 훈련되어 있었다. 왜 그들이 자기를 미워하는지 알 수 없는 소라에게 아버지는 절대로 소라처럼 될 수 없는 사람들의 질투와 절망에 대해 이해할 줄 알아야 한다고 가르쳤다.

소라의 담임 선생은 해산을 서너 달 앞두고 있었다. 많은 수업이 반장의 감독 아래 자습으로 때워졌는데 그 감독의 내용이란 다름아닌 떠드는 아이들 이름 적기였다. 선생이 교실 문을 나가자마자 아이들은 일제히 유월 논바닥의 개구리떼처럼 떠들어대기 시작했지만 반장에게 이름이 적히는 것은 오직 소라뿐이었다. 칠판에 커다랗게 적힌 소라의 이름은 마치 효수되어 내걸린 순교자의 머리처럼 수업 시간 내내 조롱을 견디며 반 아이들의 결속과 분위기 고양에 도움을 주었다. 신앙촌이라고 불리는 집단 거주 지역에 사는, 가난하고 총명하고 반항적이며 늘 추종 세력을 몇 명씩 거느리고 다니는 반장은 소라를 집요하게 괴롭혔다.

짓궂은 남자 아이들로부터 수난을 겪는 것이 소라에게 새삼스러운 일은 아니었다. 유난히 눈이 많았던 지난해 겨울을 소라는 쉽지 않게 넘겼다. 지형적으로 눈이 많은 고장인 만큼 촌 아이들의 귀가를 걱정해 학교가 일찍 파하는 일이 잦았으므로 창밖에 눈이 뿌리기 시작하면 아이들 모두 환호성을 질렀는데, 특히 남자 아이들은 방과 후에 눈덩이를 뭉쳐들고 소라가 교문 밖으로 나오기를 기다리자는 뜻으로 은밀히 눈을 맞춰가며 휘파람을 불어댔다. 첫눈 오던 날이 가장 끔찍했다. 다른 여자 아이들이 쫄쫄이 털바지나 얼룩덜룩한 누비 바지 차림인 데 반해 소라는 털코트 속에 니트 치마를 입고 있었고, 그 치마가 뒤집어진 채 벌렁 넘어져 우는 소라의 모습을 보기 위해 남자 아이들은 눈덩이를 뭉쳐들고 대기하는 것으로도 모자라서 양동이 물을 퍼 날라 교문 앞을 반질반질하게 얼려놓기까지 했다. 도움을 청한다든가 하면 더욱 강도 높은 보복의 핑계를 제공할 뿐임을 소라는 경험으로 알고 있었다. 몇 번인가는 30리 길 너머에 사는 지각대장 아이가 개구멍을 알려주어서 토끼몰이 분위기에 취해 있는 남자 아이들을 피했지만 대부분의 경우는 그 아이들 모두가 지쳐 흩어질 때까지 교실에 혼자 남아 있어야 했다. 봄이라고 해서 안심할 수는 없는 일이었다. 두터운 내복을 벗은 뒤 그해 처음으로 흰 타이츠에 원피스 차림으로 학교에 온 날이었다. 실과 시간이라서 아이들 모두 호미나 괭이를 챙겨들고 학교 뒤에 딸린 텃밭으로 나갔다. 혼자 밭고랑에 앉아 있던 소라의 치마 밑을 향해 남자 아이 하나가 흙을 한 줌 던졌으며 그것이 신호라도 되듯 남자 아이들이 한꺼번에 흙덩이를 던지는 바람에 소라는 거름 더미 위에 그대로 미끄러졌다. 누군가 교무실에서 뜨개질을 하고 있던 담임 선생을 불러왔지만 남자 아이들 모두 웃음을 참아가며 가볍게 손바닥을 한 대씩 맞았을 뿐 소라가 납득할 만한 응징은 이루어지지 않았다. 그날 저녁 담임 선생은 소라 어머니와의 전화를 통해 반 전체 남자 아이들의 연인으로서 소라가 겪는 사건들이 교무실의 즐거운 화제라는 내용으로 그 일의 경위를 전했다. 소라는 여전히 다른 아이들과 달랐으므로 폭풍우가 몰아쳐서 촌 아이들 반 이상이 결석하고 읍내 아이들이 무더기로 지각을 한 날에도 노란 비옷에 장화를 신고 택시에 실려 등교했으며 장화가 어디론가 사라져버려서 순찰을 돌던 숙직 선생님이 슬리퍼를 빌려줄 때까지 어두워진 교실에 맨발로 남아 있었다.

몰래 빼돌린 급식 빵을 자전거 뒤에 싣고 집으로 돌아가던 소라네 학교 소사는 소라가 눈에 띄었다 하면 쩌르렁쩌르렁 경적을 울리며 어디까지나 소라를 뒤따라왔다. 옥수수빵을 미끼로 여자 아이들과 뽀뽀를 하는 데 성공했지만 소라에게는 그것이 통할 리가 없었으므로 대신 괴롭히는 쪽으로 방향을 바꾼 것이었다. 뒤에서 경적 소리가 나면 무조건 뛰어야 했던 소라는 골목 안으로 도망쳤다가 싱겁게 잡혀버렸는데 소사는 소라를 다시 놓아준 다음 뒤쫓기를 반복하곤 했다. 밤늦게 과외를 하고 돌아오다가 술 취한 교무주임과 마주쳤을 때도 늙은 선생은 꾸벅 인사를 하는 소라에게 바싹 다가와 머리를 끌어당기더니 썩은 술냄새와 뜨거운 입김을 뿜어대며 솜털이 보송한 소라의 귓불을 깨물었다. 피아노 선생네 문간방에 사는 제대 군인 또한 소라가 혼자 피아노를 치고 있는 방으로 슬그머니 들어와 등 뒤에서 꼭 껴안고는 커다란 두 개의 손바닥으로 소라의 밋밋한 젖가슴을 꾹 쥐었다 놓곤 했다. 밥상 위에 제 숟가락 하나 놓지 않는 소라가 팬티만은 식모에게 내놓지 않고 손수 빤다거나 언제나 무릎을 꼭 붙이고 앉도록 신경을 쓴다든가 그걸로도 모자라서 집에 남자 손님들이 오면 그 앞에서 혹 행동이 흐트러져 속옷이라도 보이게 될까 봐 반드시 바지로 갈아입는다든가 하는 것은 소라 어머니의 신경질적인 교육 때문이기도 했다. 소라 어머니는 소라의 교육에 극성이었지만 결코 다정하다고는 할 수 없어서 품에 안거나 머리를 쓰다듬어주는 일은 하지 않았다. 감정적이고 변덕이 심한 소라 어머니는 전에는 칭찬했던 일을 갖고 엄하게 야단치는 경우마저 있었는데 그때에도 소라는 꾸중이 끝날 때까지 입술을 이리저리 깨물며 듣고 있다가 마치 텔레비전 드라마에서처럼 제 방으로 뛰어가 문을 닫고 소리 죽여 흐느꼈다. 소라를 모든 면에서 유능하게 키우고 싶었던 소라의 부모가 어리광 같은 무책임하고 소모적인 정서를 허락하지 않았다는 것이 소라가 불쾌한 희롱을 혼자 겪어내면서도 수선을 피우지 않는 한 가지 이유였다. 또 하나의 이유가 더 있었다면 그런 봉변은 아름다운 소녀에게만 생기는 일이었고 또 자신이 타인에게 성적 충동을 유발시키는 데 대해서 동의할 뿐 아니라 이해도 할 수 있었기 때문이었다.

자신에게 주어진 역할을 주위의 기대만큼 해내야 한다는 생각이 소라를 늘 긴장시키고 정진하게 만들었다. 단 한 번 소라가 반장에게 일등을 빼앗겼을 때 소라의 어머니는 성적표를 집어던지며 과외고 뭐고 그만두라고 소리를 질렀는데 그것보다 소라를 더 두렵게 한 것은 아버지가 일주일 동안이나 소라에게 말을 건네지 않은 일이었다. 무척 더웠던 어느 여름 소라는 학교에서 돌아오는 길에 넘어져 원피스 단이 뜯어진 채로 절뚝거리면서 걷다가 군청 앞에서 아버지를 발견했다. 땀과 먼지로 얼룩진 채 아빠를 부르며 뛰어오는 딸을 보자 지위 높은 공무원들과 함께 있던 아버지는 표정이 굳어졌으며 걸음을 빠르게 옮겨 승용차에 올라탔다. 놀란 소라는 그 자리에 우뚝 섰지만 다음 순간 자신의 철없고 감정적인 행동이 아버지를 부끄럽게 만든 데에 깊은 수치심을 느꼈다.

출산 휴가에 들어간 담임 선생 대신 소라네 반을 가르치기 위해 임시 교사가 왔다. 가무잡잡한 얼굴에 주근깨가 많고 깡마른 그 처녀 선생은 도시 학교로 갈 기회가 많은데도 일부러 시골을 지원한

재원이었다. 자기 자신의 어린 시절을 소재로 가난과 역경을 딛고 피어나는 아이들의 순수함을 여러 편의 동화로 쓴 동화 작가이기도 했으므로 문예반 지도도 맡게 되었다. 처녀 선생에게는 대부분의 시골 아이들과 달리 가난과 역경도 지니지 않았고 또한 도무지 순수하지도 않은 소라가 마음에 들 리 없었다. 막강한 재정 후원자인 아버지 덕분에 권위적인데다 타성에만 젖은 무능한 교무실에서 칭찬을 한 몸에 받고 있는 것 역시 못마땅한 점 가운데 하나였다. 처녀 선생이 부임해온 바로 그 주일에 읍이 생겨난 이래 처음으로 소규모 무용단이 군청 공회당으로 공연을 왔다. 극성스러운 무용 선생의 주선으로 억지로 무용을 보러 온 그리 많지 않은 읍내 아이들은 공연 같은 데는 애초부터 관심이 없었다. 모아놓으면 으레 그렇듯이 오로지 떠들어댈 뿐이었는데 갑자기 아이들이 일시에 말을 멈추고 무대에 시선을 집중한 순간이 있었다. 몸에 꼭 달라붙는 타이츠를 입은 남자 무용수가 등장하자 한순간 경악으로 인해 숨을 죽였던 아이들은 어디선가, 우와! 자지 크다! 라는 말이 들려오자마자 기다렸다는 듯 일제히 와르르 웃어젖혔다. 자갈밭 위를 제멋대로 뛰어다니는 작은 발소리처럼 소란스러운 웃음소리 속에서 남자 무용수는 무대 위를 몇 바퀴 도는 척하더니 그대로 퇴장해버렸다. 그때 얼굴을 붉히고 이마를 찡그린 채 벌떡 일어나서 아이들을 휘둘러보며 날카롭게 소리치는 소녀는 소라였다. 너희들 왜 그래, 정말 교양이 없구나! 무용수가 사라져버리자 약간 잦아든다 싶었던 웃음소리가 다시 한번 높아졌다. 그 일은 허영심과 교만 탓에 순수함을 잃어버린 소라를 위해 특별한 지도가 필요하다는 처녀 선생의 결심을 더욱 굳게 만들었다. 인성 검사 기록에 따르면 소라는 성실성, 근면성, 창의력 모두 양호했지만 특기할 만하게도 사회성 수치가 20도 안 되는 데 반해 사교성은 90이 넘었다. 남들과 잘 어울리지 못하면서도 타인을 간절히 원한다는 그 의미를 미처 헤아리지 못한 처녀 선생은 단순한 사회 활동 장애로 판정을 내렸다. 첫번째 체육 시간에 반 아이들의 인화를 유도하기 위해 짝짓기놀이를 시도했던 처녀 선생은 그 시간이 끝날 때까지 소라에게 짝을 맞추러 다가가는 아이가 단 한 명도 없는 걸 보고 자신이 옳다는 것을 확신했다.

처녀 선생이 소라를 불러 상담했다. 왜 친구가 없다고 생각하니? 부모님이 친구를 골라서 사귀라고 하시니? 아니에요. 그럼 왜 그래? 더럽고 가난하다고 친구들을 깔보는 거야? 질문을 받으면 으레 정답을 맞히도록 최선을 다하게 되어 있는 소라는 그때부터 입술을 깨물기 시작했다. 어쩌다 점심 시간에 운동장에서 아이들과 어울리는 일도 있긴 했지만 소라는 곧잘 넘어지거나 게임의 규칙을 파악 못 해 우왕좌왕하기 일쑤였다. 소라는 거울 앞에서 맵시 있게 걷는 법을 연습해본 적은 있었지만 뛰어본 일은 별로 없었고 편을 짜거나 협동해서 하는 놀이에는 전혀 소질이 없었다. 눈치 빠르게 요령을 부리지도 못했으며 남을 제치고 뭔가를 차지할 만큼 그악스럽지 못했고 게다가 그런 것들을 잘해야 경쟁에서 이긴다는 가르침은 한 번도 받아본 적이 없었다. 다른 아이들 역시 소라와 어울리기를 원치 않기는 마찬가지였으므로 규칙을 친절히 가르쳐주기보다는 소라가 서툰 것에 모두들 재미를 느끼는 쪽이었다. 너 말야. 처녀 선생은 대나무 자로 소라의 턱을 치켜올리고는 눈 속을 쏘아보았다. 점심 시간에 혼자 도시락을 먹는 건 또 왜 그래? 너

남의 반찬 못 먹지? 네 반찬 너 혼자 먹으려고 그러는 거 아냐? 소라는 무척 비위가 약했다. 처녀 선생의 그 말이 정확한 사실이었으므로 가까스로 의젓함을 지켜왔던 소라의 눈가에 눈물이 조금 맺힌 채로 상담이 계속되었다. 너한테 꼭 물어보고 싶은 게 있는데 말야. 너, 네가 예쁘다고 생각하니? 너 같은 환경에서 그렇게 차려 입히면 누구나 그렇게 보여. 그리고 두번째. 너, 뭐든지 잘한다고 칭찬받지? 그거 말야. 다른 아이들도 너한테 하듯이 과외하고 책 사주고 돈 들여서 가르치면 다 잘할 수 있다고 생각하니, 아니면 네가 잘나서 그렇다고 생각하니? 상대가 원하는 정답을 맞힐 수 없어 난처해진 소라는 꽤 오랫동안 고개만 숙이고 있었고 아무 대답을 듣지 못하자 처녀 선생은 그것을 작문 숙제로 내주었다. 숙제라는 말에 소라는 마치 일 중독자처럼 곧바로 그 내용을 공책에 받아적었으며 적극적인 문제 해결 의지를 보였다. 참 그리고, 출석부에는 이름이 소연이던데 왜 다들 소라라고 부르지? 처음에 할아버지께서 소연이라고 지어주셨는데 엄마가 소라라고 부르기 시작했고 그때부터 소라가 더 쉽고 예쁘다고 그렇게 부르게 됐어요. 소라는 유독 문장과 발음에 신경을 쓰며 경위를 설명했는데 진정으로 처녀 선생의 마음에 들기 위해 노력하고 있었다.

소라의 특별 활동 부서는 무용반에서 문예반으로 옮겨졌다. 다른 아이들이 '하늘은 하늘은 요술쟁이야, 바람은 바람은 심술쟁이야'라는 글을 짓는 동안 소라는 '가을은 백조의 호수처럼 추억이 일렁이는 무지개빛 고독으로 나를 이끌어간다. 오, 약한 자여 그대 이름은 여자이노라라는 셰익스피어의 말처럼 나는 코스모스 소녀가 되어 문득 눈처럼 흰 맨발을 나부끼며 낙엽을 밟고 싶다' 따위의 작문을 하여 호된 질책을 받았으며 방과 후까지 교실에 남아 선생이 시키는 대로 '마음에서 우러나온 진실한 글'을 쓸 수 있도록 노력하겠다는 내용의 반성문을 써야 했다. 초등학교 아이들에게 글짓기 솜씨란 맞춤법 실력과 거의 마찬가지였는데 그 점에서 소라는 확실히 다른 아이들보다 월등했고 겉멋 든 미사여구와 명구명언 인용이 글을 망친다는 처녀 선생의 훌륭한 가르침이 적용될 만한 문장을 쓸 수 있는 것도 사실 소라뿐이었으므로 처녀 선생의 신랄하고 가혹한 비난이 매 시간 소라에게 집중적으로 쏟아 부어지는 건 당연한 일이었다. 소라는 처녀 선생을 두려워한 만큼이나 신뢰했고 때로 비굴한 태도마저 보였는데 그것은 스스로를 모범적이라고 생각하는 사람일수록 자기를 칭찬하지 않는 사람들이 가진 당당함을 무조건 신뢰해버리는 소극적 파괴 본능을 갖기 때문이었다. 소라가 '9월 바람 속에는 물감이 들어 있네, 그 바람 불러 머리 빗는 느티나무 밑에, 아이들 발자국, 단풍눈 오는 늦가을을 기다린다네'라고 지었던 어느 날 처녀 선생이 전학생 하나를 데리고 교실로 들어섰다.

베이지색 스웨터를 입은 전학생 소년이 간단한 인사를 마치자 처녀 선생은 맨 뒷줄의 비어 있는 의자를 가리켰다. 소년은 짝의 얼굴을 보지도 않은 채 조금 전 반 아이들에게 했던 인사말을 기계적으로 되풀이했다. 나 이현우야. 서울에서 전학 오게 됐어. 앞으로 잘 지내자. 궁벽한 시골 학교에서 보내야 하는 시간들이 벌써부터 지겨운 소년은 학교 교문에 들어서는 순간부터 자리를 배정받아 앉기까지 자기의 관심을 끄는 일을 단 한 가지도 발견하지 못했으므로 바닥에 내던지듯 가방을 털썩 내려놓았다. 기계총이 올라

머리통이 얼룩덜룩하고 얼굴 가득 마른버짐이 핀 짝이 첫 시간은 미술이라고 일러주었다. 시골 학교의 미술 시간이 준비물 검사와 회초리 때리기와 교사에 의한 강요된 선심과 그에 대한 역시 강요된 인사치레 따위의 절차로 절반이 지나간다는 걸 알기까지는 긴 시간이 걸리지 않았다. 자신의 짝이 회초리를 맞은 대가로 앞자리 아이에게서 빌린 크레파스를 쥐고 흰 도화지를 붙들자마자 짧은 소매 밑의 여윈 손목이 움직이는 대로 금방 능숙한 그림을 그려내는 것을 전학생 소년은 흥미 없이 바라보았다.

전학 온 지 채 한 달도 지나지 않아 변소와 담벼락에 누구누구는 연애대장이라는 낙서가 등장하기 시작한 것은 전학생 소년의 인기를 짐작하게 해주었다. 총명하고 반항적이며 늘 부하들을 거느리고 다니는 반장도 군수의 막내아들인 전학생 소년에게는 적수가 될 수 없었다. 처녀 선생마저 비록 가난과 역경이라는 조건은 갖추지 못했지만 장난꾸러기에다 유쾌하고 우수한 전학생을 귀여워하여 귀공자 소년의 인기를 높이는 데 한몫 했다. 처음에 연애대장이라는 간단한 문구로부터 출발했던 낙서에는 점점 상대 여자의 이름도 같이 들먹여지면서부터 조잡한 그림이 곁들여졌는데 소라의 이름도 빠지지 않았다. 그러나 전학생 소년이 소라에게 보내는 관심은 그리 크지 않았다.

전학생 소년은 어쩔 수 없는 시골 소녀이면서 인형옷 같은 옷을 입고 굳이 유식한 표현을 골라 쓰며 자신이 받고 있는 선망과 질시를 지나치게 의식하고 있는 소라에게 가벼운 동정 그리고 냉소를 품고 있었다. 반 아이들 몇 명이 사택으로 놀러 왔던 날 소공녀처럼 흰 레이스 깃이 달린 공단 원피스를 입고 눈을 내리깐 채 사뿐히 현관을 들어서는 소라를 보고 마룻바닥에 엎드려 만화책을 보고 있던 소년이 소라를 너무나 유심히 쳐다보았으므로 이미 소년의 특별한 관심을 짐작하고 있던 소라는 내내 눈길을 피해야 했다. 소라가 지나치게 진지한 것도 소년에게는 한 가지 즐거움이었다. 일기를 쓰지 않는다는 소년의 말에 소라는 놀라는 표정을 지었다. 난 되도록 매일 쓰려고 노력하는데 잘 안 돼. 뭣 때문에 그런 노력을 하니? 인간은 노력하는 존재잖아. 좋은 인간이 되려고 노력하는 건 당연한 일이지. 난 하기 싫은 일을 매일 세 가지씩 하려고 결심하고 지난 주부터 실천하고 있어. 그리고 신문 배달 애들이나 냄새나는 시장 할머니들이 옆으로 올 때에도 숨을 꾹 들이마시고 가만히 있어. 얼굴을 찡그리거나 피해버리면 실례가 되니까. 그런 걸 일기에 쓴다고? 응. 그렇게 써놓으면 약속이 되어서 안 지키면 죄의식이 생기고 어쩐지 벌을 받을 것만 같거든. 왜 그런 귀찮은 일을 하는데? 좋은 인간이 되기 위해서라니까. 어째서 좋은 인간이 되어야 하는 거니? 말문이 막힌 소라는 소년을 빤히 바라보았는데 자신은 한 번도 의심해본 적 없는 당연한 일들에 대해 의문을 품고 또 부정하거나 무시할 줄까지 안다는 것이야말로 소라의 눈에 비친 소년의 가장 큰 매력이었다. 자기에게 모아지는 여자애들의 관심을 당연하게 생각하는 전학생 소년에게 소라는 그중 하나일 뿐이었고 보다 근본적으로는 남자애든 여자애든 촌구석 아이들한테 별로 관심이 없다는 걸 소라가 알 리 없었다. 사람을 진심으로 대하지 않을 때의 여유에서 생겨나는 매력이 기만이나 모독과 크게 다르지 않다는 것 역시 알지 못했다.

소라가 전학생 소년과 가까워진 것은 때마침 도내 어린이 방송극 경연 대회가 열렸기 때문이었다. 방송극에 출연하는 아이들은 2주일 후 라디오 방송국이 있는 큰 도시로 가게 돼 있었는데 수학여행이 아니고는 자기 고장을 벗어나보지 못한 아이들로서는 굉장한 외유였으므로 학교 전체가 술렁였다. 더구나 연습할 시간이 많이 남지 않아 출연자들은 수업에 빠져야 했고 대외 행사에서 학교의 명예를 높여주기를 바라는 육성회에서는 빵과 과자까지 제공한다는 소문이었다. 숱한 화제와 선망 속에 다섯 명이 뽑혔다. 방송극 대본은 토씨 하나까지 표준말로 씌어졌으므로 남자 주인공 역은 깨끗한 서울 말씨를 쓰는 전학생 소년에게 돌아갔다. 모두의 예상대로 여자 주인공은 소라였다.

연습을 마친 늦은 저녁 전학생 소년은 소라네 집 앞을 거쳐서 사택으로 돌아가곤 했다. 읍내 한가운데를 가로지르는 내가 흐르고 있어 소라네 집에 가기 위해서는 조그마한 다리를 건너야 했다. 전학생 소년과 소라는 다리 한가운데에 멈춰 서서 다리를 중심으로 양쪽으로 나누어진 동네의 드문드문 가물거리는 불빛과 검은 냇물을 내려다보며 잠깐씩 얘기를 나누었다. 며칠 사이 소라는 전학생 소년을 훨씬 가깝게 느끼고 있었다. 난 사실 어른들을 다 속이고 있어. 우리 엄마 아빠는 내가 착한 줄 알지만 내 머리 속에는 나쁜 생각이 정말 많아. 어떤 사람이 죽어버렸으면 하고 바랄 때도 있어. 누구, 너희 엄마? 아빠? 아니. 엄마 아빠가 돌아가시면 누가 날 키워줘. 시험을 볼 때도 일등을 못 할까 봐 항상 겁이 나. 누가 어깨를 짚으면 재수가 없어서 시험 못 본다는 말을 들었거든. 가끔 반장 어깨를 살짝 짚어볼까 말까 그런 생각이 들 때가 있어. 나 벌 받겠지? 아니. 전학생 소년이 휘파람을 불었다. 서울 있을 때 난 시험 전날 제일 공부 잘하는 애네 집에 찾아가 밤까지 놀다가 왔는 걸. 정말? 그럼. 소라는 전학생 소년에게 진지한 제의를 한 가지 했다. 내 비밀 하나 얘기하면 지켜줄래? 말해봐. 사실은 말야. 일기를 쓸 때도 나는 많이 지어내. 내가 한 나쁜 짓들은 절대로 일기에 안 쓰거든. 난 언젠가 유명한 사람이 되면 그런 말을 남길 거야. 이 세상에 진실은 없다, 이렇게 말야. 이 세상에 진실은 없다? 하하, 웃긴다. 큰 소리로 웃어대는 전학생 소년에게 소라가 고집스러운 목소리로 다짐을 두었다. 비밀 지킨다고 약속해, 얼른. 전학생 소년은 웃음을 멈추더니 두 팔을 뻗어 소라의 얼굴을 끌어당기고는 장난스럽게 입을 맞추었다. 이렇게 하면 되니? 한순간 소라는 멍청히 서 있었지만 이내 소라다운 성숙한 위기 관리 능력을 발휘해 다리 밑의 검은 물을 내려다보는 척 자연스럽게 난간에 몸을 기댔다. 소라가 감미로운 표정으로 아래를 내려다보고 있는 동안 전학생 소년은 생각났다는 듯이 주머니를 뒤져 비스킷 봉지를 꺼내서는 한 개를 소라에게 주고 자신도 한 개를 입에 물었다. 그러고는 출발 신호라도 되는 듯이 턱으로 앞을 가리켰다. 비스킷을 와삭와삭 소리나게 씹으며 정말 밥맛 없는 애다, 속으로 중얼거리던 전학생 소년은 다리 끝에 당도하자 언제나와 똑같이 잘 가, 라고 친절히 작별 인사를 했다. 처음에 소라는 천천히 또박또박 걸었지만 발소리가 점점 빨라지는 듯싶더니 마침내는 맹렬히 뛰는 소리로 바뀌었다. 소년은 픽 웃었다.

그 무렵부터 전학생 소년과 소라에 대한 낙서가 한층 극성스럽게 변소와 담벼락을 더럽히기 시작했다. 밤에 다리 위에서 연애 걸었다, 뒷산에서 그랬다, 방송실에서 그러는 걸 숙직 선생님한테 들켰다 등등 내용도 다채롭고 노골적이 되어갔다. 어쨌든 소라네 학교는 예정대로 도내 방송극 경연 대회를 치렀고 지도 선생 이하 아이들 모두의 예상대로 상은 받지 못했다. 그동안 방송극 연습에 시간을 많이 뺏겼던 소라는 중간고사가 닥쳐오자 악몽에 시달렸는데 반장에게 선두를 빼앗기는 그 꿈의 내용과 달리 일등을 차지한 것은 전학생 소년이었다. 소년은 해가 질 때까지 운동장에서 공을 차고 수업 시간에 만화책을 보다가 뺏기고 청소 시간이면 아이들을 선동하여 개구멍과 학교 뒷산을 들락거리며 온갖 장난거리를 찾아냈다. 음악 시간, 음치에 가까운 소년이 익살스럽게 노래를 부를 때면 아이들은 모두 깔깔 웃으며 손뼉으로 박자를 맞춰주었고 노래가 끝나자 앙코르를 외쳐댔다. 소년이 양말을 짝짝으로 신고 와도 여자 아이들은 흉을 보기는커녕 귓속말을 나누며 재미있어했고 코를 힝 풀든 머리칼이 뒤엉키든 잘생긴 얼굴이란 것은 언제나 보기에 좋은 것이었다. 그런 감정은 소년이 어차피 자기들 집단에는 속해 있지 않고 또한 얼마 안 가 떠날 손님 같은 존재임을 알기에 생길 수 있는 예의나 호감 같은 것이므로 소라를 대할 때의 반감과는 다를 수밖에 없었다. 그러나 소라는 소년을 통해 처음으로 불공평하다는 게 뭔지 깨닫게 되었다. 어느 날 아침 교실 문을 열고 들어서던 소라는 칠판 귀퉁이 '오늘의 명언'을 적는 난에서 익숙한 글귀를 발견했다. 이 세상에 진실은 없다. 그 옆에 이름이 적혀 있는 두 명의 주번 가운데 한 명은 별명이 지각대장인 촌 아이였고 다른 한 명은 이현우였다. 그 주의 체육 시간에 처녀 선생은 아이들의 요청에 따라 오랜만에 짝짓기놀이를 해보았는데 처음으로 소라가 짝을 짓는 장면을 목도하는가 싶은 순간 전학생 소년의 손을 뿌리치고 돌아서는 소라를 보게 되었다. 두 차례나 더 소라를 향해 다가갔던 전학생 소년은 아이들이 우르르 달려와 손을 내밀자 못 이기는 척 싱긋 웃으며 끌려갔는데 분명 소라의 냉담을 즐기는 기색이었다. 첫번째 체육 시간과 달리 처녀 선생은 한 시간 내내 짝짓기놀이에서 철저히 소외된 소라로부터 쉽게 눈을 뗄 수가 없었다.

11월에는 그해의 마지막 외부 행사인 백일장 및 사생 대회가 열렸다. 커다랗고 둥근 흰 깃에 수가 놓인 블라우스를 입고 겹주름 치마 위에 자주색 카디건을 걸친 소라는 전학생 소년을 피해 맨 뒷줄에서 주최 측의 도장이 찍힌 8절지 시험지를 받았다. 대회가 열리는 곳은 조그마한 언덕 아래 널찍한 풀밭이 있어 활터로도 쓰이고 반공 궐기 대회 따위의 행사 마당으로도 쓰이는 공터였다. 지게를 지고 나무를 베러 온 농부들에서부터 담배 피울 장소를 찾는 고등학생과 데이트족, 편을 갈라 칼싸움을 하는 동네 꼬마아이들이 수시로 들락거렸다. 일찌감치 작문을 완성하여 심사 본부에 제출한 소라는 발표를 기다리는 동안 혼자서 이리저리 돌아다니다가 앉기에 적당한 풀밭을 발견했다. 바로 뒤로는 비스듬한 언덕이라 기대기 좋았고 통나무를 몇 그루 쌓아놓은 나뭇더미가 그늘을 만들어주고 있었다. 뻗은 다리를 책으로 가리고 앉은 소라는 어디선가 전학생 소년이 자신을 지켜보고 있으리라는 생각에 한 손으로 앞머리를 한 번 쓸어올린 다음 두 팔을 뒤로 짚은 채 고개를 젖혀 마치 흘러가는 구름에 반했다는 듯 갸웃이 하늘을 올려다보았다. 마치 기다리고 있었던 것처럼 갑자기 소라의 얼굴 위로 뜨겁고 강렬한 통증이 쏟아진 것은 순식간의 일이었다. 등 뒤에 있던 나뭇더미가 무너지면서 통나무 한 개가 소라의 얼굴까지 굴러떨어졌던 것이다. 정신을 잃는 순간 소라는 아이들이 우르르 뛰어오는 발소리 속에 희미하게나마 박수와 웃음소리가 섞여 있는 것을 분명히 들었다. 사생 대회에 참가했던 아이 하나가 뛰어가서 인솔 책임자인 처녀 선생을 불러왔을 때 소라의 눈 밑으로는 쉴 새 없이 피가 흘러내리고 있었다. 처녀 선생은 그 아이에게 약국에 가서 붕대와 연고를 사오라고 시켜 소라의 눈 밑에 약을 발랐지만 상처는 무섭게 부어올라 눈이 거의 보이지 않았다. 소라의 흰 블라우스는 피로 얼룩졌고 흰 타이츠에도 군데군데 흙이 묻고 핏자국이 보였다. 소라는 시상식에 참석하지 못했을 뿐 아니라 흉터가 남지 않도록 도시의 큰 병원까지 가서 치료해야 했으므로 일주일이나 결석했다.

소라의 얼굴로 굴러떨어진 나뭇더미는 목부가 단단히 쌓아놓은 더미였으므로 그것을 움직이려면 여러 명이 함께 밀었으리라고 짐작하기 어렵지 않았다. 처녀 선생은 이 기회에 변소와 담벼락을 도배하는 극성스러운 낙서광도 함께 밝혀내려고 단단히 마음먹었다. 그러나 그동안 가난과 역경 속의 아이들을 누구보다 큰 이해심을 갖고 열심히 지도해온 처녀 선생의 예상과 달리 아이들의 입을 열게 하는 것은 쉬운 일이 아니었다. 대회에 참가했던 아이들을 한 사람씩 불러 물어봤지만 쿵 소리가 나서 달려가봤더니 소라가 쓰러져 있었다는 식으로 대답이 거의 비슷하여 비밀을 지키려는 집단적인 모의의 기미가 분명히 느껴졌다. 다들 벌을 받을까 봐 두려워하고는 있었지만 조금씩 흥분돼 있는 품이 소라의 수난을 즐거워하는 눈치였다. 전학생 소년이 서 있었던 자리가 나무를 밀어버리기에 가장 좋은 위치이긴 했는데 그의 짓이라고 생각하는 사람은 아무도 없었고 평소에 소라를 미워하던 반장에게 혐의가 돌아가는 듯싶었지만 백일장에 참가하기는 했어도 어머니가 아파 일찍 돌아갔다는 반장의 진술대로 작문을 제출하지 않은 것이 확인되어 흐지부지되고 말았다. 소라가 다시 학교에 나왔을 때 처녀 선생이 약간 반갑게 소라를 맞이했을 뿐 달라진 것은 아무것도 없었다.

겨울 방학이 시작되자 정해진 기간을 채운 처녀 선생은 학교를 떠났으며 전학생 소년 역시 서울로 돌아갔다. 반장은 중학교에 보내주지 않는 데 앙심을 품고 집을 뛰쳐나갔다는 소문을 마지막으로 영영 소식을 들을 수가 없었다. 눈 밑에 조그마한 흉터가 생긴 소라는 다음해에 서울로 올라가 중학생이 되어야 했으므로 영어 공부를 시작했다.

소연의 결혼 생활

처음 소연의 남편은 단정하고 여성스러운 소연의 분위기에 호감을 느꼈다. 소연은 유복한 가정에서 조금 엄격한 편인 가정교육을 받고 자랐으며 우수한 성적으로 대학에 입학한 뒤 자신을 만나기까지 겨우 여섯 번의 미팅을 했을 뿐 별다른 연애 경험도 없이 착실하게 외국어 학원과 서클룸을 오갔다. 문학이나 음악, 예술, 어떤 화제에도 탄력적으로 대화할 수 있는 교양을 갖추었고 화려한 용모는 아니었지만 어느 자리에서건 빠지지 않는 세련된 미적 감각을 갖고 있었다. 눈치 없이 설치거나 드세지도 않았고 천생 여자라는 주변의 평판대로 다정하고 온순한데다 남을 배려할 줄 아는 성숙한 면 또한 소연이 가진 한 장점이었다. 소연에게 까다로운 면이 있다면 누가 자신을 좋아한다는 말을 잘 믿지 않는다는 점이었다. 자신이 예쁘고 착하고 똑똑하다고 알고 있었던 소연은 그 이유로 자기를 좋아하는 사람들에게서 아무런 열정도 발견하지 못했다. 소연은 두 가지의 증명을 원했는데 하나는 자신을 유일하게 사랑한다는 것, 또 하나는 그 사랑이 변하지 않으리라는 것이었다. 불멸의 열정과 사랑을 증명해 보이기 위해서 소연의 남편이 제법 저돌적이고 전면적이며 끈질긴 구애를 했다는 건 캠퍼스 내에 널리 알려진 일이었다.

결혼 생활은 소연 남편의 예상과는 다소 다른 것이었다. 몇 년간 소연은 행복한 결혼을 위해 갖가지 재능과 노력을 쏟아 부었는데 그것은 스스로 행복을 누렸다기보다 소연의 특기인 연출이라고 해야 옳았다. 집 안에는 유행에 따른 각종 아기자기하고 불필요한 장식품으로 넘쳐났고 휴일이면 교통 체증에 시달리며 유원지로 나갔고 정기적으로 극장과 연주회장, 유명한 레스토랑을 예약했으며 생일이나 기념일에는 꽃과 포도주를 주고받았고 저녁을 먹은 뒤 베란다에 꾸며진 코지 코너에서 부부 찻잔으로 차를 마시는 동안 소연의 남편은 소연이 자기에게 주는 것보다 요구하는 게 너무 많다는 불만에 빠지기 시작했다. 소연이 만들어주기를 기대했던 가정이란 훨씬 더 자기 쪽에 편리하도록 설계된 것이었다.

출장 떠난 남편에게 깜짝 놀랄 반가움을 선사하기 위해 공항이나 터미널에 마중을 나왔던 소연은 남편은 물론 오는 동안 말벗이 되어주었던 옆자리 여자까지 당황하게 만들었다. 시장에 갔다가 싱싱한 딸기를 본 순간 계절도 모른 채 사무실에 박혀 일에만 매달리는 남편의 피로를 덜어줄 양으로 흰색 리넨 보자기에 딸기를 싸 갖고 회사 앞 다방에 나타나는 소연의 자상함 역시 점심식사 후 이쑤시개를 물고 남녀 동료들과 어울려 한창 농담을 주고받고 있던 남편에게는 진저리쳐지는 일이었다. 체육 대회나 등반 대회 등의 사내 친목 모임이 있을 때마다 남편이 서운해할까 봐 출산 후 몸조리까지 마다하고 굳이 참가하기를 고집하는 소연은 남자들끼리의 거나한 2차를 기대했던 남편을 번번이 실망시켰다. 소연의 남편은 소연의 재능과 사려가 자신이 아닌 다른 것을 위해 쓰이기를 진심으로 원했는데 그러는 동안 자신이 페미니스트가 아닌가 하고 생각하게 되었다. 휴일에 아이를 봐줄 테니 친구라도 만나라고 등을 떠미는 페미니스트 남편의 아량에도 불구하고 모처럼의 단란한 시간을 낭비하고 싶지 않다고 가스레인지에 국수 삶을 물을 올려놓는 소연에게 소연의 남편은 집 안에서 도태되지 말고 진정한 자아실현을 하라고 거듭 촉구하기에 이르렀다. 결혼 전 그토록 숨가쁘게 맹세를 거듭했음에도 소연의 남편은 소연을 행복하게 해주는 일에 의욕과 관심을 잃었는데 여전히 소연의 행복에는 책임이 없을 수 없으므로 부담감을 느껴야 했고 그것은 결국 자신을 맹세를 지키지 못한 사람으로 만들어버린 소연에 대한 짜증으로 비약되곤 했다. 한밤중에 인터넷 포르노 사이트인 소라스가이드에 들어가 소라가 추천하는 포르노 필름에 열중해 있던 소연의 남편만큼 등 뒤에서 들리는 아내의 말소리에 소스라치는 사람이 있다면 아마 남자 중학생들뿐일 것이다. 자신이 다른 남편들과 그리 다르지 않다고 생각하는 소연의 남편에게는 왜 소연이 다른 아내들과 그토록 다른지 그것이 가장 큰 불만이었다.

소연의 남편이 알고 있는 소연은 우선 남편에게 지나치게 의존적이라는 점에서 다른 아내들과 달랐다. 결혼 뒤 소연이 가장 만족스러워했던 것 중 하나는 부모로부터 멀어질 수 있다는 점이었는데 그것은 친정에 관심을 가지라고 채근하는 다른 아내들과는 분명 달랐다. 우리 엄마가 날 좋아했을까? 주말 저녁 시골 부모님이 서울의 자식에게 영상 편지를 보내는 텔레비전 프로그램을 보던 소연이 갑자기 물었을 때 소연의 남편은 리모컨을 누르며 건성으로 대답했다. 자식인데 좋아하고 말고가 어디 있어. 그냥 잘 키우려고 애쓰는 거지. 난 우리 엄마가 나를 좋아하기를 바랐어. 자기가 낳은 자식한테 반해서 정신을 잃고 따라다니란 말야? 그 말에 소연은 이마를 찡그리더니 이내 가벼운 표정이 되며, 이젠 당신이 있으니 됐어, 라고 대답했는데 그것은 더 이상 소연의 남편이 듣기를 원하는 말이 아니었다.

이웃과의 관계에서도 소연은 자연스레 가까워지지 못하고 처음엔 경계하다가 아무것도 아닌 일로 쉽게 감동해놓고는 얼마 안 가 실망하고 상처받기를 되풀이했다. 늘 좋은 사람이 어디 있다고 그래. 기분 나쁜 점도 있고 싫을 때도 있고, 그러면서 서로 어울려 다니는 거지. 그냥 가깝게 알고 지내면서 편의를 봐주다가도 집에 와서 욕도 하고 그런 게 이웃이고, 또 그런 게 사람 관계인데 더 이상 뭘 바래. 당신 그 아줌마들하고 사귀냐? 소연의 남편이 핀잔을 주었지만 소연은 이상하게도 이웃 사람들이 셋 이상 어울리게 되면 반드시 자신을 싫어하는 사람이 나오고 결국은 모두 자기를 좋아하지 않게 된다는 주장을 굽히지 않았다. 그냥 집에 혼자 있으면 그만인 걸 뭐 하러 부대끼면서 같이 다녀. 소연의 결론은 소연의 남편의 기대와는 거리가 먼 것이었다.

소연이 다른 아내들과 다른 점은 아이의 교육에 열의를 보이지 않는 데서도 나타났다. 아이에게 책을 많이 사주지 않고 또 아무런 특기 교육도 시키지 않는 소연은 텔레비전에서 당돌한 꼬마애가 나오면 정도 이상으로 흥분하여 되바라졌다는 둥 어린애답지 못하다는 둥 그 부모에게까지 비난을 퍼부었다. 다른 아이들이 바쁘게 유아원과 학원을 오가는 사이 아무것도 배우지 않는 소연의 아이에게는 함께 어울릴 친구가 없었고 자신의 의도와 정반대로 자꾸만 다른 아이들과 달라지고 있다는 걸 소연은 알지 못했다.

연애 시절 언제나 소연의 곁을 떠나지 않았고 결과적으로 다른 사람과 관계 맺을 일을 차단했던 소연의 남편은 소연이 사람 대하는 일을 가장 두려워한다는 것을 결혼 후에야 알았다. 시댁 식구들은 물론이고 아파트 경비원과 청소 아줌마까지도 피해다니기 일쑤였다. 점원이 싫어할까 봐 물건 바꾸러 가기를 꺼린 나머지 치수가 너무 커서 어깨로 흘러내리는 브래지어 끈을 손바느질로 줄여서 입는 소연은 마음에 들지 않는 물건들을 너무 많이 갖고 있었다. 가로줄 무늬를 골랐지만 세로줄 무늬 천으로 제작되어 배달된 커튼도 그중 하나였는데 소연은 볼 때마다 공간이 길어 보여 세로줄도 나쁘지 않다는 말을 되풀이했다. 마음에 안 들더라도 일단 자기에게 주어진 환경에 적응하고 장점을 발견하려는 소연의 사고의 탄력성은 놀라운 데가 있었다. 이렇게 알람 기능이 없는 밥통이 차라리 나아, 난 전자제품 너무 복잡한 건 싫더라, 당신 오히려 어두운 색이 잘 어울린다, 하는 식이었다. 마음에 드는 물건을 쉽게 고르지 못하고 오랜 시간 망설이는데다가 자기가 고른 물건을 점원이 제대로 챙겨넣지 않았을까 봐 근심해야 하는 소연은 쇼핑을 즐기지 않았다. 음식 배달도 소연이 가장 꺼리는 일 중 하나였다. 거리가 멀다거나 주문량이 적다거나 만들기 귀찮아한다거나 해서 싫어하면 어떡하냐며 자장면 배달 하나 시키지 못했고, 그릇에 음식 찌꺼기가 남았다거나 현관 밖으로 내놓지 않았다거나 잔돈이 준비되지 않았다는 이유로 불쾌해할지도 모른다며 남편의 등을 떠밀곤 하는 소연은 신청 안 한 신문이 현관 앞에 배달되기 시작하면 시비가 벌어질 생각에 벌써부터 얼굴이 창백해졌다.

소연의 남편이 그런 면을 자기에 대한 집착이라고만 해석하는 것은 공정하지 못한 태도였다. 소연은 남편의 비난대로 이 세상을 살아가기에 뭔가가 조금 부족한 인간일지는 모르지만 그 조금을 제외한 많은 부분에서 다른 어떤 아내들보다 뛰어났다. 살림을 꾸리고 아이를 키우는 소연은 소연의 남편도 익히 알고 있는, 발표 시간에 언제나 야무지게 제 몫을 처리하여 칭찬을 받던 대학 때 소연의 모습 그대로였다. 소연의 남편에게 비밀이 많아진 것은 자기 자신이 일반적인 사람이라고 주장하는 것처럼 결혼에 대한 일반의 권태였을 뿐이었는데도 소연의 남편은 아내에게 책임을 전가하는 입장을 취함으로써 자신을 합리화하고 또 아내를 따돌리는 데 성공했다.

소연의 남편이 새로 옮긴 부서의 일로 사흘 동안 지방 출장을 다녀왔던 날 소연은 빨랫감을 정리하다가 남편에게 비밀이 있다는 것을 확연히 알게 되었다. 소연의 남편이 상상하는 대로라면 그 자리에서 곧바로 앓아 누웠겠지만 소연은 그렇게 하지 않았다. 며칠 동안 소연은 자기에게 닥친 일을 객관적으로 보기 위해 안간힘을 썼다. 자기 자신의 문제를 틀에 집어넣어 쉽게 일반화해버릴 만큼 구조적으로 혹은 사회적으로 사고하지 못하는 소연은 자신이 남편에게 매력을 잃은 것이므로 남편만 비난할 일은 아니라는 판정을 내리고 개선책을 찾기 시작했는데 결국 남편과 자기 자신 모두를 실망시키지 않는 현명한 적응력을 보여준 셈이었다.

소연은 얼마 전부터 텔레비전 뉴스에 등장하기 시작한 이현우라는 기자를 알고 있었다. 그 기자는 도덕성을 지켜야 할 고위 공직자들의 수뢰 사실을 보도할 때와 사이비 교주가 여신도들에게 혼음을 강요했다는 기사를 내보낼 때 두 번이나 "이 세상에 진실은 없는 것 같습니다"라는 멘트를 했다. 그 즈음 소연은 아이에게 저녁밥을 먹이고 함께 산책을 한 다음 정해진 시각에 재워놓고 혼자서 아홉시 뉴스를 보곤 했는데 어느 날 오랜만에 허기를 느꼈다. 혼자 있을 때 소연이 저녁을 먹지 않는 것은 소연 남편의 생각처럼 남편에게 집착해서가 아니라 혼자 밥 먹는 것을 끔찍하게 싫어하기 때문이었다. 결혼 후 처음으로 자신만을 위해 생선을 새로 굽고 나물을 무치고 국을 데워서 상을 차린 소연은 밥상을 거실로 들고 나와 마치 생일상을 받듯이 뿌듯한 마음으로 그 앞에 다가앉았다. 그런데 갑자기 누군가 목을 조르는 듯 숨쉬기가 답답하고 구역질이 치밀어서 견딜 수 없을 정도였으므로 베란다로 나가 바람을 쐬어야 했다. 허기는 가시지 않은 채였다. 마루가 깔린 베란다 바닥에 상을 옮겨놓고 앉아 막 숟가락을 들려고 하는 순간 소연은 무심히 바깥을 향해 고개를 돌렸다. 방범창에 붙은 쇠창살이 눈앞을 가로막아 마치 자신이 감옥에 갇혀 있는 듯한 연상을 일으켰고 다시 거실로 시선을 돌렸지만 거기에 혼자 잠들어 있는 아이 역시 닫힌 문 안에 가두어져 있는 것만 같았다. 뉴스가 끝난 뒤 방영되는 프로그램은 동물 다큐멘터리였다. 거꾸로 매달린 번데기로 몇 년을 보낸 곤충이 탈태를 하기 위해 몸부림치는 장면을 소연은 물끄러미 바라보았다. 그것들은 가까스로 껍질을 벗고 나가더라도 한동안은 아무 저항력 없는 살덩어리인 채로 꼼짝없이 나무에 붙어 있어야 했다. 그 무렵 들어 소연이 텔레비전을 하도 열심히 보았으므로 소연의 남편은 텔레비전 뉴스 보기가 지겨워 일을 찾았냐고 농담했고 그것은 소연이 자신으로부터 멀어지게 될 것을 진심으로 기대하고 또 기뻐한다는 뜻임을 소연은 잘 알았다. 소연은 자신이 달라질 것이라고 굳게 믿었다.

소연의 직장 생활

첫 출근 하던 날 소연은 자신이 회사 안에서 그다지 환영받지 못하고 있다는 것을 느꼈다. 발랄하고 젊고 또 만만한 여자가 들어오기를 바랐던 남자 직원들에게 서른넷의 나이에 난생처음 직장 생활을 시작하는 기혼 여성이란 부담스러운 동료였고 무엇보다 사장의 친척이라는 점에서 더욱 거북했다. 고등학교를 졸업하고 7, 8년씩 근속해도 겨우 대리가 될까 말까 한 여자 직원들 역시 업무도 전혀 모르는 소연이 과장으로 들어온 데에 불만이 많았다. 직책은 비서였지만 중요한 비서 업무는 남자 비서가 담당하고 있었으므로 소연의 자리가 일없이 월급만 많은, 여자 직원이라면 누구나 바라는 자리인 것도 그들을 못마땅하게 만든 한 가지 이유였다. 가장 노릇을 오래 하거나 일찍 부모로부터 경제적으로 독립해야 했던 그들은 소연처럼 갖출 것 다 갖춘 여자가 진정한 자아를 찾는다면서 생계 수단인 일자리를 잠식해 들어오는 데에 반감이 없을 수 없었다. 소연은 첫 대면에서도 점수를 얻지 못했다. 옅은 회색의 단정한 슈트에 붉은 실크 블라우스를 받쳐입어 사무적이면서도 개성을 살리는 세련된 차림, 그리고 친절하지만 자신감이 넘치는 단정한 말씨. 벌써부터 커리어 우먼의 경륜이 몸에 밴 듯 우아하게 인사를 하는 모습은 마치 속성학교에서 성공하는 직장 여성의 99가지 테크닉을 금방 익히고 나온 것처럼 작위적인 것이었다.

소연은 많은 점에서 전임자들과는 달랐다. 몇 년째 아이디어만 기안해 올리고 실행에 옮기지 않았던 업무 몇 가지를 맡더니 일주일을 꼬박 밤늦게까지 회사에 남아서 그동안의 업무 경과를 죄다 파악한 뒤 기어이 혼자 힘으로 그 일을 성사시키고야 말았다. 그 일은 회사의 주 업무와는 관계가 없는 일로 급하지도 않았고 굳이 진척시킬 이유도 없었으며 실은 명분만 놓아두고 벌이지 않는 편이 회사로서도 이득인 그런 성격의 업무였다. 굳이 하지 않아도 될 일을 진행시켜놓은 바람에 번거롭게만 됐는데도 스스로 보람을 느끼는 것은 물론 남들도 모두 감탄하고 있으리라는 짐작에 쓸데없이 겸손해하는 소연을 동료들은 뜨악한 눈으로 보기 시작했다. 소연은 부분적으로 매우 유능한 데가 있었지만 전체 흐름 속에서 일의 중요도를 판단하여 조직 내에 적절히 순서를 정하고 조율하는 면에는 몹시 서툴렀다. 팀을 이루어 하는 일에서는 자신이 담당한 부분적 역할을 필요 이상으로 완벽하게 완수해 보통으로 일한 사람들의 단점을 확 드러나 보이게 만들었다. 그것은 거절당하는 것이 두려워서 남에게 부탁을 잘하지 않음으로써 모든 일을 혼자 해야 하는 소연의 소심함 탓도 있었는데 그런 점이 어떤 동료들에게는 혼자만 두드러지고 공을 독점하고 싶어하는 공명심으로 비쳤다. 폐를 끼치지 않는 사람에게는 정도 붙을 리 없다는 것을 소연은 잘 알지 못했다.

충동적으로 일을 벌이기 좋아하는데다 성질이 급하고 감정적인 사장에게 그 일이 현실적으로 불가능하다고 분연히 직언을 하는 것도 소연이었다. 그러나 눈치 있는 사람이라면 그것은 사장의 자족적인 업무 스타일일 뿐 실제 진행에 들어가면 남자 비서가 자기 재량으로 적절한 선에서 차단하므로 아무 문제가 되지 않는다는 걸 쉽게 파악했을 것이다. 그럼에도 자신이 사장의 과실을 견제하는 중요한 역할을 하고 있다는 자부심 탓에 소연은 혹시 그것이 사장과의 친분을 과시하는 일로 보일까 매우 조심하는 기색이었다. 저녁까지 회사에 남을 일이라곤 전혀 없는 한가한 자리에 있으면서 굳이 야근팀에 합류해 식권을 축내가며 함께 저녁을 먹는가 하면 앞장서서 사장을 성토하여 동료들을 헛웃음치게 만들었다. 대기업 사장이 일 년에 한 번씩 점퍼 차림으로 말단 직원 틈에 끼여 삼겹살에 소주를 마시는 이벤트인 줄 아는 모양이라고 동료들은 뒤에서 소연을 야유했다. 분위기에 따라 혹은 관례적인 품앗이로 동료들에게 한턱을 써야 하는 경우에도 소연은 다른 동료들과의 형평에 맞지 않게 비싼 음식점에 초대해놓고 대접이 소홀한 게 아닌지 모르겠다는 둥 이 집 음식이 원래 좀 짜다는 둥 해가며 결국에는 적지 않은 돈을 쓰고도 욕을 듣게 마련이었다. 전화를 받는 중이라거나 일에 열중해서 소연의 인사를 다소 사무적으로 받아넘겼던 동료들은 소연이 상처를 입은 것은 물론이고 자신을 좋아하지 않는다고 여긴 나머지 슬퍼하고 있다는 사실을 알고는 아연하지 않을 수 없었다. 반대로 소연 자신이 누군가를 불편하게 했다 싶으면 그 일로 자신을 싫어하게 되었다고 지레 판단하여 괜스레 어색하게 대하는 바람에 이유도 잘 모른 채 서로 거북한 사이가 되기도 하였다. 사람을 대할 때 유난히 긴장하고 수줍음이 많은데도 그 수줍음을 그대로 드러낼 만큼 뻔뻔스럽지 못한 소연의 교양은 때로 지나치게 사교적인 태도나 난데없는 활달한 농담으로 표출되어 동료들 사이에는 소연이 정치적 인물이라는 말까지 심심찮게 돌았다.

동료들을 결정적으로 어처구니없게 만든 것은 회식 때 소연의 분방함이었다. 술을 잘 마신다고 시원스럽게 대답하던 것과는 달리 소연은 금방 취해버렸고 자신이 얼마나 사교적이고 또 사회에 타협하는 닳고닳은 인간인지 주장하는 내용의 술주정을 펼쳤으며 직장에서의 성추행 같은 건 얼마든지 이해한다는 의미로 남자 동료들의 어깨를 툭툭 치기까지 했다. 누군가의 술잔이 빌 때마다 열심히 채워놓는 것도, 젓가락이 자주 간다 싶으면 샐러드나 물김치 접시를 여자 동료들 앞으로 가까이 갖다 놓는 것 또한 소연이었다. 모두에게 친절했음에도 여자 동료들은 소연의 친절을 믿을 수 없는 것으로 여겼고 그중에는 모든 것을 다 잘하려고 하는 욕심 많은 칭찬 중독자라거나 모든 사람들로부터 사랑받기 위해 애쓰는 허영심 많은 공주라고 대놓고 싫어하는 사람도 있었다. 소연의 독특한 캐릭터에 익숙해져가면서 동료들은 더 이상 소연을 경계하지는 않왔지만 같은 편으로 받아들이지도 않았다. 점심 시간이 되자마자 여자 동료들이 삼삼오오 짝을 지어 저희들끼리 나가버리기 때문에 소연은 늘 혼자서 점심을 먹어야 했는데 그것은 소연이 생각하듯 시샘하거나 어려워해서가 아니라 너무나 달랐기 때문이었다.

소라의 사회 생활

젊은 화가 김영재가 화랑 운영에 손대보려고 하는 한 중소기업 사장과 그의 비서 소연과 함께 저녁식사를 하는 자리에서 소연은 세련된 태도로 스테이크를 자르고 있었지만 속으로는 무슨 말을 해야 자신이 이 자리에 도움이 될지 궁리하느라 잔뜩 긴장해 있었다. 김영재는 식사를 아주 조금밖에 하지 않았고 말수가 적었으며 담배를 많이 피우는 사람이었다. 화가다운 관찰력으로 소연이 핸드백을 자기 의자 뒤편에 놓아 앉은 자세를 똑바로 하는 것, 차를 마신 뒤에는 반드시 잔에 묻은 붉은 립스틱을 손가락으로 지우는 것 등을 놓치지 않고 보고 있었다. 김영재가 소연이 신고 있는 핑크색 메리제인 슈즈를 계속 내려다보았으므로 소연은 다리의 위치를 여러 번 바꿔가며 신경을 써야 했다. 그 구두는 결혼식날 웨딩드레스 아래 신었던 것인데 키가 작은 남편을 배려해 낮은 굽을 골라야 했던 소연에게 소녀풍의 낭만적인 메리제인 슈즈는 그런대로 잘 어울렸다. 며칠 전 신문에서 '발레 슈즈에서 이름을 따온 메리제인 슈즈가 올 가을 새롭게 인기를 모으고 있다'는 기사를 보고 신발장 구석에서 찾아낸 것이었다. 사장이 화장실에 가느라 자리를 떴을 때 김영재는 소연의 목선이 우아하다고 칭찬하며 꼭 한 번 초상을 그려보고 싶은데 자기가 준 명함의 전화번호로 다음 주에 전화할 수 있겠느냐고 물었다. 저 결혼했어요. 돌연한 소연의 말에 김영재는 다른 뜻은 없으니 오해는 마세요, 하고 가볍게 웃음지었지만 소연이 보기에는 실망한 게 분명했다. 김선생님은 결혼하셨어요? 아직 못 했습니다. 어머 그래요? 소연은 갑자기 어색해져서 얼굴을 붉혔는데 그 이유야 어쨌든 자신이 김영재에게 관심이 있는 건 아니라고 속으로 생각하고 있었다. 소연에게는 남편 이외에는 모든 남자가 불편한 존재였고 설령 그 불편함이 주는 달콤한 긴장이나 흥분 따위에 관심이 있다고 하더라도 그것을 얻기 위해 타인들로 득실대는 낯선 세상으로 뛰쳐나갈 만큼 담대하거나 또 불행한 것은 아니었다. 그럼에도 소연은 김영재의 눈을 똑바로 바라보고 고개를 끄덕이며 말했다. 선생님이 하세요. 전 전화 잘 못 하거든요.

소연과 헤어진 김영재는 자신에게 닥친 믿을 수 없는 행운에 대한 흥분이 가라앉을 때까지 한참 동안이나 거리를 걸어다녔다. 김영재는 소연에 대해 많은 것을 알고 있었다. 꽤 오랜 세월 동안 김영재는 어느 자리에서든 또래 여자와 인사를 나누게 되면 출신 학교를 알고자 했고 드물게도 소연의 동창을 만나는 경우 빠짐없이 소연을 아느냐는 질문을 던졌다. 소연의 한 고등학교 동창은 소연을 소극적이고 내성적인 아이로만 기억했다. 소연은 뛰어나지도 모자라지도 않았으므로 눈에 띌 일이 별로 없었고 가끔은 특이한 상식이나 기지로 반 아이들을 놀라게 했지만 주목받는 것을 몹시 거북해해서 남의 시선을 받자마자 제풀에 위축되곤 했다는 것이다. 한 번은 운 좋게도 소연과 제법 가까웠다는 대학 동기를 만나게 되어 소연의 결혼에 관해 꽤 자세한 이야기를 들은 적이 있었다. 3학년 때 서클에서 만난 복학생 선배 하나가 너무나 열심히 따라다니자 적극적인 사람에게 잘 끌려가는 소연이 결국 졸업하자마자 식을 올리더라는 얘기였다. 소연이 걔는 특이한 데가 있어요. 소연의 대학 동기는 미대를 졸업한 뒤 곧바로 유학을 떠났기 때문에 그 뒤의 소식은 알지 못한다며 이렇게 덧붙였다. 식당에서도 꼭 너부터 먼저 결정해 그거 보고 나도 결정할게, 라고 하고 친구들끼리 다방에 가서 음악 신청을 할 때 제가 곡을 고른 적도 없어요. 근데 이상한 게 다른 사람이 좋다고 하면 그제야 그 곡에 대한 풍부한 상식을 늘어놓으면서 그 선곡에 적극적으로 공감을 하는 거예요. 왜 그렇게 자기 주장이 없냐고 물어보면 뭔가를 선택하고 결정하는 일이 세상에서 제일 어렵다고 그래요. 남들과 비슷한 것, 다 같이 가는 평범하고 안전한 길을 가는 게 제일 편하다면서 그런 일이 일단 주어지면 잘해낼 자신은 있다고 말하더라구요. 복학생 선배하고 결혼한다고 할 때 친구들이 이해를 못 했어요. 처음에는 그 남자 끔찍하게 싫어했거든요. 그런데 나중에 그렇게 돼서 하는 말이, 자기는 좋아하려고 노력하면 사람 좋아하는 일은 별로 안 어렵다는 거예요. 지금까지 뭐든지 노력해서 이루었지 저절로 얻은 건 하나도 없었다나. 사람 좋아하는 것까지 주어진 대로 노력을 해야 한다고 생각하다니, 정말 수동적이라고 해야 할지 계산적이라고 해야 할지. 친구들은 걔 그런 식이니 평생 진짜로 누굴 좋아해보지 못할 거라고들 했어요. 하긴 그 남자가 뭐 특별히 문제는 없었어요. 잘생긴 편은 아니었지만 집안이나 경제적 비전 같은 건 괜찮은 편이었죠. 모르긴 해도 소연이 개, 남편이 시키는 대로 하면서 아무 생각 없이 잘살고 있을걸요. 만나는 여자들에게 매번 출신 학교를 물어 소연에 대한 한 가닥 소식이라도 알아내려고 하는 김영재는 왜 소연에 대해 그렇게 궁금해하냐는 질문을 받을 때면 왕래가 없는 먼 친척이라고 적당히 둘러댈 뿐 소연과 초등학교 동창이라는 사실은 결코 밝히지 않았다.

소연 쪽에서는 김영재를 전혀 알지 못했다. 그러나 사장이 새로 시작하려는 사업의 정지 작업에 매우 중요한 인물이라는 것만은 충분히 알고 있었으므로 당연히 다음 주에 김영재를 만났다. 김영재가 관심 있어하던 메리제인 슈즈에 어울리는 보라색 원피스를 한 벌 장만하면서 목 둘레가 깊이 파인 디자인을 찾느라 여러 곳을 돌아다니기까지 했다. 소연은 자신이 비즈니스 일선에 있는 직장인으로서 연줄이나 돈은 동원할 수 없지만 상대가 호감을 가질 만한 다른 조건이나마 갖춘 것을 장점이자 다행으로 여겼으며 그것을 활용하는 데 개인 감정을 개입시키는 것은 직장에 다니기 전의 자신처럼 사회와 비즈니스를 모르는 순진한 사람들이라고 믿었다. 개인의 인격이나 자존심을 잘 감추고 공과 사를 완전히 구별하는 것이야말로 유능한 사회인의 조건이라고 생각하니 멸시나 모욕 따위도 견딜 수 있을 것 같았다. 약속 장소를 향해 가면서 소연은 김영재의 도움을 받아 사장이 화랑 사업을 시작하게 되면 자신을 채용한 일을 결코 후회하지는 않을 것이라는 상상으로 몇 번이나 미소를 지었다. 그동안은 사장의 친척이라는 자격지심에 일부러 일을 찾아가며 했다면 지금은 정식으로 중요한 일감을 맡게 된 셈이었다.

카페에 먼저 나와 있던 김영재는 크림색 스웨터에 잿빛 면바지 차림이었는데 처음 만났을 때보다 훨씬 밝은 인상이었고 소연을 맞으며 일어서는 것을 보니 생각보다 큰 키였다. 소연은 상대의 관심을 끌기 위해 준비해온 말이라는 사실이 뻔히 드러나는 문장으로 자기 나름의 비즈니스를 시작했다. 선생님을 우울의 화가라고 하던데요. 뭐라더라, 세련된 도회적 감각으로 인간 내면의 우울을 표현한다, 그렇죠? 김영재는 아무 대답도 하지 않고 주머니에서 모서리에 각이 들어간 던힐 라이트 담뱃갑을 꺼냈다. 언제 한번 화실에 놀러 가도 될까요? 그림 좀 구경시켜주세요. 자신의 말에 라이터 불을 담배에 붙이고 있던 김영재가 손길을 멈추고는 짧은 순간 눈을 마주쳐왔으므로 소연은 일단 안심했다. 정말로 저를 그려볼 생각이세요? 라는 다음 말을 준비해왔었지만 단지 만날 기회를 만들기 위해 생각 없이 던진 제안에 진위를 따지다가는 괜히 분위기만 어색해질 것 같아 보류하는 여유도 부려보았다. 보라색 원피스 등 쪽에는 땀이 배어나오고 있었지만 모든 일이 자기 뜻대로 잘 풀려가는 듯했으므로 소연은 만족스러웠다.

제각각 다른 생각에 열중해 있는 소연과 김영재는 음식에 거의 손을 대지 않았다. 화제를 주도해가는 것은 소연 쪽이었는데 덥다는 듯한 표정을 지으며 핸드백에서 핀을 꺼내 머리를 틀어올려서 파인 목이 더욱 강조되도록 배려하는 것도 잊지 않았다. 처음에 소연은 계획대로 회사가 내실 있고 유망하다는 얘기로 자주 말머리를 끌어갔지만 김영재가 따라주는 대로 포도주를 다 마셔버린 탓에 점점 취해 횡설수설하고 있었다. 남편은 어떤 사람이에요? 김영재가 묻자 소연은 몇 단계 건너뛰어 대답했다. 우린 사이가 좋아요. 근데…… 말끝을 흐리며 눈을 내리깔고 술잔을 만지작거리는 소연의 표정은 약간 복잡해 보였다. 무슨 문제 있어요? 그건 아니구요. 제 잘못도 있어요. 남편은 현모양처를 좋아하지 않거든요. 유능하고 독립적인 여성을 원해요. 좀 무능한 남자 아닌가요? 김영재는 가볍게 대꾸했지만 쓸쓸하게 고개를 젓는 소연의 입에서는 감상적인 대답이 튀어나왔다. 열정은 사라지는 법이니까요. 언제까지나 곁에 있고 싶어하는 그런 관계는 없나 봐요. 소연씨 어린 시절 얘기 좀 해보세요. 귀여웠을 것 같은데. 안 그랬어요. 소연은 빈 술잔을 입술에 대고 깊숙이 기울였다. 어렸을 때는 너무 어른스러워서 아무도 귀여워하지 않았어요. 거꾸로 지금은 나이 든 어른이 애같이 유치하고 덜떨어졌대요. 누가 그래요? 남편이요. 어른 같은 애나 애 같은 어른이나 징그럽기나 하지 누가 좋아하겠어요. 사실 날 진짜로 좋아하는 사람은 아무도 없어요. 부모님한테 사랑받고 자라지 않았어요? 그거야 제가 공부 잘하고 말 잘 들으니까 자랑스러워한 거지 사랑한 건 아녜요. 전 친구도 없었지만 우리 엄마한테도 고민 같은 거 털어놓지 못하고 뭐든 잘하는 척 이미지 관리하면서 자랐어요. 어린 시절 나를 기억하는 사람은 만나기도 싫어요. 그건 나하고 같군. 김영재의 말을 들었는지 못 들었는지 오랜만에 제 얘기를 들어주는 사람을 만난 소연은 혀 꼬부라진 소리로 계속 중얼댔다. 고등학교, 대학교 동창들도 만나기 싫어요. 나는 남을 이해하려고 정말 노력했는데 날 이해해준 사람은 하나도 없었어요. 따라다니는 남자들도 겉으로 보이는 나만 볼 뿐이지 고민은 들어보려고 하지 않더라구요. 인간관계가 다 그래요. 무언가를 얻기 때문에 좋아하는 거고, 그걸 못 주게 되면 버림받는 거예요. 사회는 더 그렇죠. 나도 처음에는 회사에서 환영 못 받았지만 열심히하니까 그제야 인정을 해주더라구요. 조직 사회가 쉬운 게 아네요. 자조적이던 소연의 표정에 약간의 자부심이 어린 것을 보고 김영재는 빈 잔에 다시 포도주를 따랐다. 혹시 어디선가 날 본 기억 안 나요? 김영재의 얼굴을 정면으로 보기 위해 고개를 그쪽으로 돌리던 소연은 비로소 김영재의 얼굴이 너무 가까이에 와 있음을 깨달았는지 허리를 똑바로 펴고 앉았다. 아뇨. 경계심을 띠고 대답하는 소연의 목소리는 술에서 깨어야 한다는 의식 때문에 다소 퉁명스러웠다.

다음날 소연은 깨질 듯이 아픈 머리를 손으로 짚으며 잠에서 깨어났다. 남편은 출근한 뒤였고 아이도 벌써 유치원에 갔는지 집 안이 조용했다. 찬물을 마신 다음 소연은 간밤의 기억을 더듬어보다가 먼저 핸드백을 열어 지갑 안을 확인했는데 지폐가 한 장도 비지 않고 고스란히 들어 있었다. 금방이라도 토사물이 쏟아져 나올 듯 속이 뒤틀려서 중간에 택시를 내렸다가 다시 탔던 기억이 났다. 누군가가 곁에 있어 택시비를 내준 게 분명했지만 어디에서 어디로 가는 택시였는지는 기억이 나지 않았고 몇 시에 들어왔는지도 모를 일이었다. 잠옷을 입고 있긴 했지만 제 손으로 입은 것이 아닌 모양으로 보라색 원피스와 슬립과 스타킹 따위를 어디에 벗어놓았는지조차 알 수 없었던 소연은 남편이 걸어두었는지 옷장 속 옷걸이에 걸린 원피스를 찾아내 샅샅이 살피고 냄새까지 맡아보았지만 희미한 향수 냄새가 남아 있을 뿐 별다른 것은 발견하지 못했다. 팬티스타킹은 여러 군데 줄이 나간 채로 돌돌 말려 거실 소파 밑에 던져져 있었다. 샤워를 하기 전 거울 앞에서 가슴이며 등이며 목을 자세히 살펴보는 것을 끝으로 소연은 미진하나마 마음을 놓았다. 그러나 다음 순간 아무런 사업상의 소득을 못 얻어냈다는 데에 생각이 미치자 이번에는 행여 할 말 못 할 말 늘어놓아 속을 들키고 정나미가 떨어지게 만든 것이나 아닌가 하는 걱정 때문에 불안해지기 시작했다.

소연은 가까스로 출근 시각에 맞출 수 있었다. 오후가 되어 김영재로부터 전화를 받은 소연은 사업을 그르치지는 않았다는 생각에 일단 안심했지만 지난밤 실수의 내용을 알 길이 없었으므로 다소 사무적으로 응대했다. 폐를 끼친 것 같네요. 제가 실수 많이 했죠? 저도 취했으니까 걱정할 것 없어요. 근데 화실에 오겠다고 한 약속까지 기억 못 하는 건 아니죠? 그런 약속을 했어요? 다음 주예요. 좀 먼 곳이라 혼자 찾아오시기 어려울 테고, 제가 모시러 가도 될까요? 통화를 끝낸 뒤 소연은 사장의 호출을 받았다. 화랑 운영 건에 관해 다시 한번 시장 조사를 해보라는 사장의 지시를 받자 크게 고무된 소연은 자신보다 먼저 사장실에 들어갔다 나오는 기획팀 직원이 소연과 같은 화랑 운영 기획안을 들고 있었다는 데에 아무런 주의도 기울이지 않았다. 소연의 생각처럼 기회가 소연에게만 온 것은 아니었다. 더구나 스스로 치밀하고 준비성 많다고 생각하는 사람들이 으레 그렇듯 소연도 대세를 잘 읽지 못하는 약점이 있었는데 소연은 김영재가 화랑 운영에 관심도 없다는 것은 그만두고라도 김영재 같은 화가가 화랑을 여는 데에 실제로 어떤 도움을 줄 수 있는지조차 알지 못했다. 오후 늦게 소연은 남편으로부터 어젯밤의 행적을 추궁하는 전화를 받았지만 근무 중에 사적인 전화가 오가는 건 바쁘고 유능한 직장인으로서의 올바른 자세가 아니기 때문에 냉담하게 전화를 끊었다. 소연의 남편이 기대했던 대로 이제 소연의 관심은 분명 남편이 아니었는데 그렇다고 김영재도 아닌, 코앞에 닥친 숙제물이었다.

김영재가 운전하는 지프에 실려 경기도 시골의 방앗간을 개조했다는 화실로 가는 동안 소연은 신선한 공기를 마셔본다는 둥 시골 정취가 푸근하게 느껴진다는 둥 의례적인 말들로 초대에 대한 고마움을 표현했다. 소연씨는 시골에 살아본 적 있어요? 저요? 아뇨. 소연이 깊이 생각하지 않고 대답하자 김영재는 이맛살을 모으고는, 참, 시골 근처에 살아봤냐고 물어야겠군, 하고 신중하게 질문을 바꿨지만 건성으로 고개를 젓기만 할 뿐 소연은 김영재의 얼굴에 나타난 가벼운 실망을 읽지 못했다. 소연의 머리 속에는 택시를 부르기도 곤란할 만큼 한적한 장소로 가고 있다는 생각이 서서히 고개를 들었고 농로를 통과한 지프가 소나무 숲 뒤의 외딴 화실 앞에 당도하자 은근히 꺼림칙해지기 시작했던 것이다. 애써 경쾌하게 지프에서 내린 소연은 추리소설의 주인공처럼 찻길로 연결될 법한 퇴로와 출입문의 방향, 가장 가까운 농가의 위치 등 지형을 익혀두려고 사방을 두리번거렸는데 한 젊은 여자가 화실 문을 열고 나왔으므로 속마음을 들킨 듯 당황한 표정이 되었다. 도자기 공예가이며 근처에 작업실을 갖고 있다는 그 여자말고도 김영재의 화실에는 자칭 시인이라는 남자와 그의 아내인 전통 찻집 주인이 기다리고 있었다. 소연을 다른 손님들과 인사시킨 뒤 김영재는 그들이 벌여놓았던 막걸리 술판을 즐기도록 내버려둔 채 소연을 그림들 앞으로 데려갔다. 수많은 그림들이 벽면을 따라 걸리거나 바닥에 내려놓아져 있었고 흰 천으로 가려진 몇 개의 그림들은 작업 중인 작품 같았다. 이곳은 천장이 높아서 채광이 잘돼요. 색감을 제대로 볼 수 있는 건 좋은데 가끔 그 빛 때문에 작업에 방해를 받기도 해요. 소연은 김영재가 하나씩 그림을 설명할 때마다 신중하게 고개를 끄덕이는 데 신경을 쓰느라 김영재의 목소리에 깃든 다소 격앙된 감회는 포착하지 못했다.

그날 밤 거나해진 술자리에서 김영재를 바라보는 소연만큼 간절하게 남자와 단둘이 되기를 바라는 여자도 별로 없었을 것이다. 사업 이야기를 할 기회는 끝내 오지 않았고 이미 결속을 이룬 집단에 쉽게 끼어들어 섞이지 못하는 소연으로서는 곤혹스럽기만 한 자리였으므로 초조하고 지루해진 나머지 막걸리만 계속해서 홀짝거린 소연은 서서히 눈앞이 흐릿해졌다. 공예가가 자기 작업실에서 자고 가라고 말했을 때, 첫인상부터가 냉랭했던 그 여자가 자기 같은 틈입자를 못마땅해한다고 여기던 소연은 마치 그 말이 자신을 조직 속에 받아들여준다는 뜻이라도 되는 듯 감동하여 공예가의 손을 붙들고 지나치게 흔들어댔다. 자칭 시인이 막걸리잔을 높이 들고 눈을 감은 채 자신의 애송시 한 구절인 "나를 키운 것은 팔십 퍼센트가 바람이었다"를 낭송하자 찻집 여주인이 "팔십 퍼센트, 좀 이상한데?"라고 문제 제기를 하며 소연에게 동의를 구했을 때 겨우 같은 편으로 인정받은 것에 차질을 빚을까 봐 걱정이 된 소연은 차마 '팔할'이라고 지적하지는 못하고 제 깐에는 덜 무식한 실수라 생각되어 "팔십 퍼센트가 아니라 칠십 퍼센트인 것 같다"고 대답했는데 소연이 국문학과를 졸업한 사실을 알고 있는 공예가가 볼 때 그런 지나친 겸손은 모욕을 주는 것이나 마찬가지로 불쾌한 태도였으므로 결국은 그들 사이에 소연은 도로 방외자가 되고 말았다.

혼자만 술을 마시지 않은 김영재는 취하기 전 잔뜩 경계하던 것 못지않게 쉽게 흐트러져버린 소연에게서 눈을 떼지 못하고 있었다. 화제가 김영재의 그림에 대한 것으로 넘어갔을 때 갑자기 소연이 충동적이고 과장된 몸짓으로 벌떡 일어나더니 비틀거리는 걸음을 옮겨놓았는데 작업 중인 그림 쪽으로 가는 게 분명했다. 소연이 팔을 뻗어 그림을 덮고 있던 흰 천을 확 벗기는 순간 화실 안에 경악과 함께 긴박한 긴장이 감돌았던 것은 소연을 뺀 나머지 사람들 모두 김영재가 작업 중인 그림을 보이기 싫어하는 게 지나쳐 마치 사람 손을 탄 새끼를 물어 죽여버리는 어미 동물처럼 그림을 파기해버리기까지 한다는 것을 알고 있었기 때문이었다. 그러나 뜻밖에도 김영재는 얼굴만 창백해졌을 뿐 아무 말도 하지 않고 물끄러미 소연을 바라보고 있었는데 눈빛이 심하게 흔들렸다. 그 그림은 가느다란 끈을 단추로 채우게 되어 있는 분홍색 아동용 구두 한 켤레였다. 소연은 자신의 메리제인 슈즈를 내려다보았다.

서울로 돌아오는 동안 소연은 김영재가 한마디도 하지 않아 몹시 불안했다. 잠이 든 척 일부러 김영재 쪽으로 자꾸만 얼굴을 기댔지만 기대와 달리 김영재가 한쪽 팔을 들어 어깨를 붙잡아준달지 안전띠를 똑바로 매준달지 하는 일은 일어나지 않자 소연은 집이 가까워올수록 점점 초조해졌고 마침내는 진짜로 잠들어버렸다. 밤비가 내리고 있었지만 김영재는 와이퍼를 작동시키는 대신 갑자기 갓길에 지프를 세우고 잠든 소연을 오랫동안 내려다보았는데 소연의 목과 팔에 뱀 무늬처럼 얼룩덜룩 내려앉는 비의 그림자에 홀린 듯 꼼짝도 하지 않았다. 어린 시절 김영재가 예쁜 소녀의 구두를 몰래 논두렁에 갖다 버린 것은 그 소녀가 어두워진 교실에 혼자 남아 있는 모습을 혼자서만 훔쳐보기 위해서였다. 허리춤에 책보를 매고 고무신 바닥에 붉은 진흙을 잔뜩 묻힌 채 학교까지 30리 넘는 길을 걸어다니며 언제나 별명이 땜통, 마른버짐, 지각대장이었던 김영재가 도시의 감수성을 가진 우울의 화가가 되기까지 그의 마음 속 도시는 소연이었다.

새벽까지 소연을 기다리던 소연의 남편은 여분의 담배를 찾아 화장대 서랍을 열어보았다가 편지 봉투 하나를 발견했다. 봉투 안에는 수신자가 이현우로 되어 있는 부치지 않은 편지가 들어 있었는데 문맥으로 보아 이현우는 소연의 첫사랑이며 최근에 다시 만나게 되었다는 것을 짐작하기 어렵지 않았다. 봉투 안에는 소연이 편지를 쓰기 위해 문장 연습을 하고 자신의 심경을 끼적거려놓은 노트도 함께 들어 있었다. 거기에 소연은 자기가 새롭게 품은 사랑의 열정으로부터 가정을 벗어날 힘을 얻었으며 그것이야말로 금지된 사랑에 빠진 경우 모든 가정 주부들이 그렇듯이 직장을 구하기 시작한 경위라고 고백하고 있었다. '배려 — 남이 원하는 게 뭔지 알아내려고 하는 것. 교양 — 남이 옳다고 하는 가치를 학습하고 남이 좋다고 하는 기능을 익히는 것. 성실 — 남이 실망하지 않도록 기대대로 해내는 것. 유행 — 남이 원하는 모습이 되는 것.' '내 인생은 내 선택이 아니라 나에게 호의를 가진 적극적인 사람들에 의해 결정되었고 그런 호의는 지속되지 않았다.' 이런 메모는 소연 남편의 관심이 아니었는데 다만 소연이 위축돼 있으면 그리 눈에 띄는 사람이 아니어도 일단 관심을 받기 시작하면 놀라운 매력과 에너지를 갖게 되며 또 온갖 재능과 성실을 발휘하여 거기에 헌신한다는 것만은 스스로의 경험으로 알고 있었으므로 화가 치밀었다. 다음날 아침 소연은 진정한 자아를 찾으라고 격려하던 남편에게서 회사를 그만두라는 말을 들었다. 배신감과 분노에 앞서 이미 커리어 우먼에 걸맞은 전문성과 공식적 입장을 갖게 된 소연은 남편이 던진 빨랫감에서 여자의 흔적을 발견했던 때와 달리 가정 안에서 모처럼 자신이 문제 행동을 한 중심 인물이 되었고 명분과 보람이 있는 부부 싸움을 하게 되었다고 생각하자 맹렬한 투지로 맞섰다.

자신을 지탱하는 것은 이제 일밖에 남아 있지 않다고 생각했으므로 쓸데없이 불필요한 일에 다른 날보다 두 배나 더 열중했던 소연은 하루 종일 바빴다. 퇴근 시간 후 책상을 꼼꼼히 정리하고 주간지는 물론 지역 정보지까지 스크랩을 하고 양치질까지 마치자 더 이상 할 일이 없어져 하는 수 없이 가방을 들고 나오면서도 소연은 야근을 하는 여자 동료에게 혹시 남자에게 전화가 걸려오면 메모를 잘 받아두라고 당부하기를 잊지 않았다. 회사 정문 앞에서 자신을 기다리고 있는 김영재의 지프를 발견하고는 사무실에 급히 돌아가서 화랑 오픈 기획안을 챙겨 가방에 넣은 뒤 그 안에서 손거울을 꺼내 얼굴을 살피는 소연의 동작에는 가벼운 흥분이 느껴졌다. 소연이 사무실을 나가자마자 전화를 걸었던 소연의 남편은 "안 그래도 남자에게 전화 올 거라고 하던데요"라는 친절하다기보다 야유하는 듯한 말을 전해 들어야 했고, 다시 집으로 전화를 걸었다가 그날 밤은 아예 아이를 자기 집으로 데려가 재우라는 연락을 받았다는 파출부의 볼멘소리까지 들었다. 방송국 전화번호로 전화를 건 소연의 남편은 이현우를 찾았지만 연결되지 않았다. 만약 지저분한 관계가 되었다면 두 사람을 현장에서 붙잡아 죽여버릴 작정이었으므로 소연의 남편은 거사 전의 드라마틱한 기분으로 여자를 만나기 위해 약속 장소인 호텔로 갔다.

김영재가 소연을 데리고 간 곳은 회원제로 운영되는 호텔의 스카이라운지였다. 포켓볼을 하는 사람들, 춤을 추는 사람들, 다트게임을 하는 사람들 그리고 술을 마시는 사람들이 각자 서로를 방해하지 않고 즐기는 한쪽에서 할 말이 있다던 김영재가 말없이 계속해서 위스키만 마셨으므로 소연은 긴장이 된 나머지 약간 피로를 느꼈다. 침묵을 잘 견디지 못할 뿐 아니라 마치 그것이 자기 책임이라도 되는 양 어떻게든 분위기를 자연스럽게 만들려고 애쓴다는 것이 결과적으로 쓸데없는 말만 잔뜩 늘어놓은 격이 되어 나중에 후회하기 일쑤였지만 그날만은 덩달아서 말없이 술잔만 기울였다. 화랑 얘기를 꺼낼 분위기는 전혀 아니었으며 남편과의 언쟁을 비롯하여 모든 것이 힘들게만 느껴지고 다분히 맥이 풀린 소연은 커리어 우먼의 얼굴을 벗어놓고 쉬고 싶은 마음이었다. 춤출래요? 김영재가 일어나 손을 내밀었을 때 선뜻 그 손을 잡았던 소연은 뜻밖에도 김영재가 손을 몹시 떠는데다 얇은 셔츠를 통해서 격렬한 심장 박동 소리까지 전해오는 바람에 어쩐지 연민을 느꼈으므로 익숙하지 않은 남자의 체취가 주는 역겨움을 잘 참아냈다. 다시 자리로 돌아와 앉자마자 오늘은 제 얘기 좀 해도 될까요? 라고 말하는 김영재의 얼굴은 눈에 띄게 상기되어 있었다.

사실 나는 촌놈이에요. 땅 한 뙈기 없는 빈농에서 9남매 중 둘째 아들로 자랐죠. 누나들은 열 살만 넘으면 읍내로 식모살이를 갔는데 셋째 누나가 들어간 집은 나하고 같은 반 여자 아이네 집이었어요. 내가 열세 살 되던 해에 집으로 도로 돌아왔죠. 온 식구가 들일을 나간 사이에 네 살배기 막내가 두엄 더미 옆에서 마른 오징어를 주워 씹고 다녔는데, 그것이 알고 보니 죽은 쥐였던 거예요. 탈이 난 막내를 돌보기 위해서 누나가 돌아와야 했어요. 나는 그게 싫었죠. 명절마다 다니러 온 누나한테서 그 여자애 얘기를 자세히 듣지 못하게 되었으니까요. 우리 식구들은 이듬해에 서울 변두리로 이사 왔는데 누나들이 공장일을 해서 나를 공부시켰어요. 방이 너무 작아서 식구들이 다 누울 수가 없었죠. 작은누나는 밥상으로 쓰던 포마이카 상을 펴고 그 위에서 잤어요. 남들이 비밀에 가까운 불행과 치부를 털어놓을 때 어떻게 행동해야 하는지 궁리하고 있던 소연은 김영재가 겪고 극복해온 고통의 크기에 비하면 자신이 추진하려고 하는 비즈니스는 무척 하찮은 것이며 그렇게 큰 상처를 지닌 사람의 호감을 이용해서 원하는 것을 얻으려 수완을 부렸던 데 대해 약간의 죄책감까지 느꼈다. 소연씨는 이해 못 할 거예요. 어린 시절의 어떤 강렬한 결핍, 그리고 갈망이 결국 나를 여기로 데려다 놓았어요. 난 운이 좋았어요. 모두가 다 꿈을 이루는 건 아니니까요. 생각에 열중할 때의 버릇인 듯 위스키 잔을 들고 빙빙 돌리는 바람에 김영재의 푸른색 셔츠에 술이 한 방울 튀는 것이 소연의 눈에 들어왔다. 어린 시절 우리 반에 아주 똑똑한 반장 애가 있었는데, 남들은 잘 몰랐겠지만 우린 꽤 친했어요. 그 애가 나와 비슷한 결핍, 갈망을 갖고 있었다는 것도 남들은 몰랐죠. 정치가가 돼서 이 세상을 정의롭게 만들겠다고 호언하던 소년은 중학교도 못 가보고 열아홉 살에 공장 기숙사에서 자살했어요. 가족들하고 소식 끊은 지 오래였고 갖고 있던 주소가 내 것뿐이었는지 나한테 유품이 보내져 왔는데, 일기장이 있더군요. 어린 시절 선망했던 소녀 얘기도 있었어요. 소연은 김영재의 입에서 무슨 말이 나올지 점점 두려워지기 시작했으며 유복하게 태어나서 별다른 시련 없이 살아온 사람으로서 죽음 같은 엄청난 재난에 대해 듣고 있기가 편치 않았다. 어릴 때 소연은 남이 고통을 겪는 얘기를 들으면 아직 순서가 안 되었을 뿐 자신에게도 언젠가는 고통의 순번이 온다는 생각에 공포를 느끼곤 했는데 무슨 이유에서인지 갑자기 그때로 돌아간 듯한 기분이었다.

김영재의 고개가 푹 수그러진 뒤 어깨가 조금 들먹여지는 걸 본 소연은 제풀에 슬퍼져 김영재의 등 쪽으로 가볍게 손을 얹었는데 그때 갑자기 고개를 든 김영재가 말했다. 사실 나 소연씨 잘 알아요. 난 당신 두려움 알 수 있다구요. 소연이 김영재의 등에서 손을 거둔 것은 김영재를 똑바로 바라보기 위해서였다. 어릴 때 모습에서 조금도 안 변했거든요. 아, 그거요? 제가 좀 철없는 구석이 있죠. 이미 발음이 정확하지 않은 소연은 김영재의 말을 제대로 알아듣지 못하고 있었지만 아랑곳없이 자기의 말을 이어갔다. 혹시 이런 이야기 알아요? 어릴 때 집짓기놀이를 잘했던 아이는 커서 과연 뭐가 되었을까요? 소연이 소리나게 잔을 부딪쳐오자 김영재는 마지못해 대꾸했다. 글쎄, 건축가? 아녜요. 그럼 현장 인부인가요? 아뇨. 커서도 집짓기놀이만 하고 있대요. 소연이 지나치게 크게 웃었으므로 다시 주문받은 술을 탁자 위에 내려놓던 웨이터가 흘끗 바라보았는데 웨이터가 보기에도 소연의 몸은 탁자에 괸 팔꿈치에서부터 윗몸까지 심하게 흔들거려 조금 위태로웠다. 그리고 말예요, 혹시 무덤이 홍역 한다는 얘기 들어봤어요? 아뇨. 홍역은 어릴 때 치르는 병이잖아요. 근데 평생 홍역이 안 와서 못 치르고 죽는 사람도 있어요. 그런 사람은 한여름에 무덤 풀이 노랗게 변한대요. 죽은 뒤라도 어쨌든 반드시 한 번 하기는 해야 하는 게 홍역이니까요. 선생님은 어릴 때 홍역 했었어요? 그럴걸요. 잘됐네요. 어릴 때 해야 할 짓은 어릴 때 다 해치워야지. 난 아직 안 했어요. 아마 무덤에 가서 하려나 봐요. 충혈된 눈으로 소연을 빤히 바라보던 김영재가 팔을 뻗어 끌어당기는 대로 소연은 가만히 있었으며 계속해서 하고 싶은 말이 있다는 듯 입술을 쫑긋거렸다. 난 말예요. 자기 잘못은 하나도 없다는 사람들 싫어요. 난 내가 잘못돼 있다는 거 잘 알거든요. 자기는 아무 잘못도 없는데 불행해졌다고 원망하는 그런 웅석 많은 사람들하고 난 달라요. 내 단점들 다 고쳐나갈 거예요.

정신을 잃어버린 소연을 부축해서 엘리베이터에 올라타긴 했지만 그것은 김영재로서는 전혀 예상하지 못했던 일이었다. 객실로 들어서며 김영재는 흥분을 가라앉히기 위해 숨을 크게 들이마셔야 했으며 소연을 침대에 조심스레 누인 뒤 구두를 벗기고 이불을 끌어다 덮어준 다음에는 더 이상 뭘 해야 할지 모르는 사람처럼 한동안 방 한가운데 우뚝 서 있었는데 마침내는 냉장고에서 맥주를 꺼냈다. 도시의 야경을 내려다보며 술을 들이켜는 동안 김영재의 귀에는 오직 소연의 가냘픈 숨소리만 들려올 뿐이었고 마침내는 방의 불을 모두 끄고 소연의 옷을 벗겼다. 젖가슴에 뺨을 대보니 따뜻하고 부드러웠으며 소연은 꿈쩍도 하지 않았다. 김영재가 천천히 옷을 벗고 소연의 속으로 들어갔을 때 무겁고 답답하며 설명할 수 없는 역겨움 한가운데 온몸이 무기력하게 내던져진 기분으로 소연이 눈을 떴다. 어둠 속에서 김영재의 희미한 얼굴 윤곽을 본 소연은 먼저 자기에게 일어나고 있는 일의 의미를 진지하게 해석해보았는데 그것을 김영재의 일방적인 폭력으로 여기기에는 자신이 여러 가지 여지를 많이 주었다는 판단이 들었으므로 마침내는 그가 너무 자책하거나 미안해하지 말라는 의미에서 몸을 조금 움직여주었다. 남편이 아닌 남자의 몸은 말할 수 없이 거북하고 혐오스러웠지만 갑자기 밀치고 일어난다거나 욕을 퍼붓는다거나 하여 두 사람 다 무안하고 어색해지는 것 또는 책임을 묻고 비난을 퍼붓는 따위의 상투적 광경을 겪는 것은 원하는 바가 아니었다. 쉴 새 없이 "어떻게 이런 일이! 내가 너를 안다니!"라고 속삭이며 몸을 떠는 김영재의 감동과 희열을 존중해주겠다는 배려 또한 소연이 눈을 꾹 감고 그 순간을 참아낸 이유가 될 수 있었다.

시간이 지난 뒤 둘은 무거운 어둠과 침묵에 내던져진 듯 나란히 누워 있었다. 소연이 가야겠어요라며 먼저 입을 열자 천장을 올려다보던 김영재의 입에서는 자연스러운 반말이 새어나왔다. 아직도 모르겠어? 뭘요? 네가 백일장 대회에서 다쳤을 때 약을 사다 준 게 나야. 이름도 기억하고 있어. 파상겔이라는 연고였지. 실과 시간에 네가 넘어졌을 때 선생님을 불러온 것도 나고, 또 첫눈 오던 날 도망치라고 개구멍도 알려줬잖아. 이 년 동안 같은 반이었어. 자신에게 일어나고 있는 모든 일이 자꾸만 비현실적으로 느껴지기 시작한 소연은 환청을 들은 사람처럼 눈을 두어 번 끔벅거렸다. 그리고 구두를 훔쳐다 버린 것도 나였어. 그래, 생각난다. 갑자기 소연이 대답했다. 분홍색 에나멜 구두였어. 아빠가 서울에서 동화책하고 같이 사다 준 거야. 맞아. 그 동화책이 『분홍신』이었는데 아빠는 제목이 예쁘고 구두와 잘 맞아떨어진다고 사왔지만 그날 밤 나는 그 책을 다 읽고 무서워서 잠을 못 잤어. 마술사의 신발을 신은 소녀가 춤을 멈출 수가 없어서 온갖 세상을 밤낮없이 춤만 추고 돌아다니는 얘기였어. 나중에는 발목을 끊어야 했지. 끊어진 발목이 분홍신을 신고서 춤을 추며 멀리로 사라지는 장면, 지금 생각해도 끔찍해. 소연은 손으로 가슴까지 이불을 끌어당긴 채 벌떡 일어나더니 자세를 바로 하고 김영재를 똑바로 내려다보았다. 아무튼 네가 성공해서 자랑스럽다. 그런데 솔직히 아직도 기억은 안 나. 나도 많이 변했지? 아니 넌 안 변했어. 이불의 다른 쪽 귀퉁이를 끌어올리며 일어나 앉은 김영재의 눈은 습관적으로 담배를 찾았지만 목이 몹시 탈 뿐 담배 생각은 그다지 없었다. 그때 너 다쳤을 때 나뭇더미를 밀어버린 게 누군지 알아? 낙서를 하고 다닌 것은 나였어. 네가 군수 아들 좋아하는 거 참을 수가 없었거든. 하지만 나무를 밀었던 건 군수 아들 이현우였어. 이현우는 기억하겠지? 응. 집에서 벗어나기 위해서 나 혼자 속으로 이현우를 점찍었지. 소연의 말에 잠깐 동안 짓고 있던 의아한 표정을 풀며 김영재가 말을 이었다. 어쨌든 모든 것을 다 이현우하고 반장이 짜고서 아이들을 시켰었어. 그때 네 편은 아무도 없었지. 알아. 소연이 고개를 끄덕였다. 근데 반장 말야, 죽었다니 정말 안됐다.

다시 또 시간과 더불어 침묵이 흘러갔는데 방 안의 어둠에 눈이 익어가면서 조금씩 복도의 발소리가 들려왔고 다른 방 욕실의 물소리도 전해져왔다. 소연의 목소리도 나지막하고 담담하게 들려왔다. 인생은 반복되나 봐. 한 번 치인 덫에서 벗어날 수가 없어. 어른이 되어서도 늘 비슷한 일들이 닥쳐오거든. 그때마다 어린 시절 학습된 대로 반응하게 되고, 결과는 똑같아. 소연은 가슴까지 끌어당겨 붙들고 있던 이불을 놓아버린 뒤 알몸을 드러낸 채 그대로 일어나서 옷을 하나씩 입기 시작했는데 서두르는 건 아니었다. 술이 완전히 깼는지 멍하니 소연을 바라보고 있는 김영재의 귀에 소라의 목소리는 아주 작게 들려왔다. 하긴, 괜찮아. 불행한 사람에 비하면 이런 건 아무 고통도 아닐 테니까. 그저 따돌림당한 것뿐이잖아. 옷을 다 입은 뒤 구두를 찾았지만 핑크색 메리제인 슈즈는 어디로 갔는지 쉽게 눈에 띄지 않았다. 갑자기 전화벨이 요란하게 울렸으므로 소라는 전화가 놓인 탁자 쪽을 흘끗 돌아보았고 자기가 놀랐다는 게 어이없는 일이라는 듯 방긋 웃었다.

〔『문학동네』, 2002년〕

N은 자신의 육체 안에도 아버지 몸의 일부가 어떤 식으로든 깃들어 있고 그것을 다름아닌 바로 자신의 육체로 느낄 수 있다는 생각을 하기 시작했다. N은 확실히 달라졌다. 한 사람의 육체가 생겨나기까지 자신이 알지 못하는 수많은 사람들의 육체가 시간 속에서 생멸을 거듭해왔다는 것도, 제 몸 속에 죽음이 들어 있다는 사실도 처음 깨닫는 일이었다.

상속

상속

어느 날 밤 그는 오랫동안 사이가 좋지 않았던 아내에게 자기가 암에 걸렸다는 사실을 알렸다. 골프 멤버 중 하나인 젊은 내과의의 권유에 못 이겨 내시경 검사를 해봤던 것이다. 결과를 알게 되자 그는 곧 인맥을 동원해 서울의 명성 있는 종합 병원을 물색했고 병원장에게 직접 선을 대서 입원 수속을 밟았다. 바로 내일이 입원날이라는 말에 아내는 그를 물끄러미 쳐다보았다. 서울 애들한테는 연락하지 말라고 이른 다음 그는 언제나처럼 혼자 창가에 놓인 침대에 올라가 잠들었다. 아내는 장롱 위의 보스턴백을 내려 먼지를 떨어내고는 그 속에 옷가지 따위를 챙겨넣었으며 텔레비전을 끈 뒤 아랫목에 이부자리를 깔았다. 그는 곧 잠들었지만 아내는 오랫동안 뒤척였다.

수술

그의 아들 J 내외는 수술 전날에야 전화를 받고 병원에 갔다. S 병원은 서울 외곽의 숲에 자리잡아 마치 호텔을 연상시키는 20층의 현대식 건물이었다. 주차장을 통해 지하로 들어서자 편의점과 은행, 고급스러운 선물 코너에 우체국까지 갖춰져 있었고 오가는 사람들 모두 차림이 말쑥했다. 엘리베이터 옆에는 귀빈을 경호하듯이 한 손에 무전기를 들고 정연하게 내방객을 통제하는 제복 차림의 젊은 경비원들이 보였다. 세련된 유니폼에 하나같이 도회적인 화장을 한 간호사들은 J가 병실 위치를 물을 때마다 친절하게 대답했으며 모든 의료 차트는 천장에 깔린 레일을 따라 자동으로 이동하고 있었다. 그가 입원한 병실은 1인실이었다. 들어서자마자 J는 병원의 규모와 첨단 시설에 대해 감탄을 늘어놓았다. J의 말대로 그 병원은 S그룹의 이미지 제고에 좋은 영향을 미칠 것이 틀림없었다. J는 특히 이 병원에는 외국에서 스카우트된 우수한 의료진이 포진해 있다는 소문을 들었다고 거듭 강조했는데 아버지가 그걸 원한다고 생각하기 때문이었다. J가 아는 아버지는 설령 목숨과 관계된 일이라도 징징거리거나 약한 모습을 보이는 것은 질색이었다. J의 아내는 조용하고도 피곤해 보이는 얼굴로 병상 발치에 서 있었다. 왜 아이를 데려오지 않았냐는 시어머니의 물음에 7세 이하 어린이의 병실 면회가 금지돼 있다고 대답했지만 그녀는 시아버지가 손자를 그리 기다리지 않았을 거라고 생각했다. 자신이 할아버지가 되었음을 받아들이기 싫었던 그는 손자가 태어난 뒤로도 일 년 가까이 자기 주변에 그 사실을 숨겼었다.

지하 식당에서 시어머니와 함께 저녁을 먹은 뒤 J의 아내는 혼자 집으로 돌아갔다. 인사를 하면서 그녀는 시어머니의 스웨터 주머니 안에 미리 준비했던 얇은 봉투를 넣었다. 엘리베이터를 기다리던 J의 아내는 주차장과 연결된 출입구 옆에서 시누이인 N의 모습을 발견했다. 계절에 어울리는 아이보리색 수트와 살구빛 스카프를 두른 N은 혼자가 아니었다. 올이 굵은 스웨터에 물 빠진 청바지를 입고 카메라 가방 같은 것을 둘러멘 키 큰 남자의 손을 잡고 있었다. N은 남자에게 잡혔던 손을 풀더니 건너편 커피 자판기 옆에 있는 간이 의자를 가리켜 보였다. 자판기 쪽을 향해 뚜벅뚜벅 걸어가던 남자가 얼마 안 가 몸을 돌리고는 그 자리에 서서 사라져가는 N의 뒷모습을 바라보는 것을 J의 아내는 본의 아니게 훔쳐보았다. 그녀는 문이 열리고 있는 엘리베이터에 천천히 올라탔다. 지하철역까지는 가까운 거리였지만 도심을 거쳐 신도시에 도착하려면 갈 길이 멀었다. 옆집에 맡겨놓은 아이와 난장판이 된 채 자신을 기다리고 있을 아파트 실내가 떠오르자 그녀는 이 엘리베이터 안에서 실신해버리면 응급실에 잠시 누워 있을 수 있지 않을까 하는 상상으로 간신히 머릿속 풍경을 바꿔놓았다. N은 그녀의 대학 동창이었는데 남자들에게 늘 인기가 있었으면서도 모든 일에 시니컬했다. J의 아내가 생각하기로 그것은 이기적이고 차갑고 욕심이 많기 때문이었다.

가족이 한자리에 모인 것은 오랜만의 일이었다. 부부가 상대에게 자유와 구속이라는 정반대의 것을 원하게 되어 감정적 이해(利害)가 대립되면서부터 자식들에게 부모라는 한 개의 단어는 아버지와 어머니 두 개로 분리되었다. 가족의 구심력이 약해진 것은 당연했다. 그날 그는 환자임에도 불구하고 혼자서 제법 많은 이야기를 했다. 주로 그동안 자신이 얼마나 젊고 건강하게 살아왔는지를 증거하는 예화들이었다. 모든 면에서 그의 근황은 거대 조직의 말단 월급쟁이 생활에 찌든 아들 J보다 훨씬 볼륨이 있었다. 맨손으로 일으켜 세운 조그마한 사업체는 대표이사인 그 대신 대부분 월급 사장이 꾸려갔고 그는 전국의 골프장을 돌아다니며 개인 기록을 갱신해가는 데 더욱 바빴다. 또한 그는 도내 상공인회의의 이사였고 배드민턴 협회의 회장, 동창회 임원이었다. 그의 성격적 · 경제적 호방함은 어떤 자리에서든 환영을 받았으므로 존경하여 따르는 사람도 많았다. 언제나 활기에 넘치며 호기심 많은 그의 사고방식과 태도로 미루어 칠순에 가까운 나이로 보는 사람은 단 한 사람도 없었다. 또한 두 자식이 대학을 마치고 일자리를 잡을 때까지 그는 가장으로서의 사랑과 책임을 다했다. 아들 J는 아버지인 그의 인생관에 불만을 품어본 적은 없었다. 정확히 말한다면 아버지의 뒷바라지와 기대에 비해서 자식들이 변변히 보답을 하지 못했다고 말해야 옳았다. 그러나 아버지에게 가족과는 분리된 그만의 인생이 따로 있고 때로 그것이 가족보다 우선이라는 느낌이 일찍부터 J로 하여금 아버지를 어려워하게 만든 것도 사실이었다.

수련의가 와서 수술 동의서를 받아갔고 간호사들이 행여 있을지 모르는 수술 부작용을 막기 위해 몇 가지 검사를 했다. 스스로의 분석에 따르면 그의 발병은 지극히 의외이고 납득할 수 없는 일이었다. 규칙적인 운동을 하고 있고 식욕이나 소화 능력에도 이상이 없었던데다가 스트레스를 받는 성격도 아니라는 거였다. 만약 나한테 스트레스가 있다면 그건, 이라고 하다가 그가 말을 멈추고 아내를 흘끗 바라보았으므로 병실 안의 공기가 갑자기 어색해졌다. J가 담뱃갑과 라이터를 들고 밖으로 나가자 보호자용 소파에 앉아 무표정하게 창밖을 바라보던 N이 가봐야겠다며 일어났다. J는 1층의 흡연 구역으로 가기 위해 엘리베이터를 기다리고 있었다. N은 아무 할 말이 없는 서먹한 얼굴로 오빠를 쳐다보았다. 걱정하지 마. 아직 초기니까 잘될 거야. J의 말에 N은 오른손으로 은빛 안경테를 한 번 치켜올렸다. 그렇겠지 뭐, 아버지 일이야 항상 아버지가 다 알아서 하시잖아. J가 다시 병실로 돌아오자 아버지는 빨리 담배를 끊으라고 충고했고 10년 전 자신이 보조 약제나 은단의 도움 없이 결심을 하자마자 하루아침에 금연을 해버렸던 이야기를 들려주었다.

수술은 성공이었다. 위를 3분의 2쯤 잘라냈지만 전이된 부분이 없어 깨끗하게 끝났다고 했다. 회복도 빨라서 수술한 다음날로 그의 내장은 벌써 우렁찬 방귀 소리를 내뿜어 제자리를 잡았음을 알렸다. 맛이라고는 기대할 수 없는 병원식을 미식가답지 않게 세 끼 모두 깨끗이 비워낸 그는 의사로부터 복근 운동을 위한 기구를 받아들자 당장 거기에 열중했다. 길쭉하고 좁은 유리관 속의 알록달록한 플라스틱 공을 입으로 불어서 올리는, 흡사 손자의 장난감처럼 생긴 기구였다. 그는 얼마 안 가 여섯 개 전체를 힘차게 위로 올릴 수 있게 되었으며 열 번씩 하라는 지시를 어기고 30번을 계속했다. 또한 의사는 빠른 회복을 위해서는 운동이 중요하다고 강조했다. 그는 병원 복도를 열 바퀴씩 도는 걸로 성이 안 찼는지 다음날부터는 걸이 막대에 링거 병을 걸고 건물 밖의 산책로까지 나가서 언덕을 오르내리곤 했다. 아내의 시중을 귀찮아하는 그의 표현은 점점 노골적이 되었다. 회복이 빨라서 이젠 밤잠을 설쳐가며 쓸데없는 고생을 할 필요가 없다는 제법 타당한 이유를 대가며 J의 집으로 가 있으라는 요구까지 했다. 그의 아내는 듣지 않았다. 서로 같은 집에 드나들기만 할 뿐 별거나 다름없는 생활을 해온 그녀로서는 그에게 여자가 있으리라는 의혹을 버릴 수가 없었고 그가 입원해 있는 병실을 지키는 일이 의무보다 권리에 가까웠다.

아내가 지켜보는 가운데 손님들이 다녀갔다. 늘 자신 있고 강한 모습만을 보여야 하는 사업가로서 그가 암에 걸렸다는 사실은 가까운 친지들에게만 알려졌다. 병문안이니만큼 근심스러운 표정으로 조심스럽게 들어서는 손님들을 그는 반색하며 잔칫집이나 되듯이 활달하게 맞이했다. 지금까지 그의 인생은 수없이 어려운 문제에 부닥치고 또 그것을 해결해내는 극복의 여정이라고 볼 수 있었다. 그는 자기 인생에 예정돼 있는 또 하나의 커다란 난관을 이번에도 거뜬히 이겨냈지 않았느냐는 의기양양한 태도로 하필이면 자기 몸에 기식했던 불행한 암세포와의 짧은 인연에 대해 들려주기를 즐겼다. 하마터면 무심히 스쳐 지날 뻔한 사소한 병의 예후에서부터 마취에서 깨어나 자기의 생명과 다시 직면하던 순간의 감동까지, 손님들은 워낙에 달변인 그의 입을 통해 한 편의 극적인 인간 드라마를 볼 수 있었다. 암의 조기 발견과 치료법, 특히 완치 케이스에 대해서도 거의 전문적인 강의를 들었다. 그러고는 이처럼 병원이 훌륭하니 의사들 기술이 얼마나 좋겠냐느니 처음 구경해보는 1인실이 정말로 호텔 같다느니 맞장구를 쳤다. 휴가를 내서 며칠 동안 병실을 지켰던 J는 그들로부터 저 나이에도 아버지가 경제적 능력에다 사회적 영향력까지 갖추고 있으니 아들로서 얼마나 행운이냐는 말을 수없이 들어야 했다. J의 나이도 곧 마흔이라는 사실은 고려되지 않았다.

며칠 후부터 그는 퇴원날만을 기다렸다. 이틀에 한 번꼴로 퇴근 후에만 들르던 그의 딸 N도 그날은 오전에 왔다. 간호사가 보호자 중 한 사람이 소강당에 가서 수술 환자의 병후 식사 관리 강좌를 들어야 한다고 알려주었다. J가 어머니에게 눈짓을 하자 그가 손을 내저어 막았다. 그는 N이 가기를 원했다. 내가 아버지 식사를 챙길 것도 아닌데요. 너희 엄마는 들어도 몰라. 부녀의 대화가 끝나기도 전에 그의 아내는 병실 문을 닫고 나가버렸다. 자식들과 함께 점심을 먹는 자리에서 그의 아내가 말했다. 너희 아버지는 정신이 온통 다른 데에 가 있어. 그리고 그가 다소 넉넉한 액수의 정해진 생활비를 제외하고는 돈 관리를 일절 맡기지 않게 된 지 오래라는 사실도 털어놓았다. 퇴원 수속은 그가 손수 했다. 수속을 마치자마자 그는 급한 약속이라도 있는 사람처럼 서둘러 현관 밖에 기다리고 있던 자신의 승용차에 올라탔다. 그의 아내로부터 보스턴백을 받아들면서 운전 기사는 그다지 공손하지 않게 고개를 까딱했으며 J와 N에게는 눈길을 주지도 않은 채 트렁크를 닫았다. J와 N은 나란히 서서 사라져가는 아버지의 승용차를 잠깐 바라보다가 서로 눈인사를 나누고는 각자의 차가 있는 주차장을 향해 갈라졌다. N은 길을 건너기 위해 잠시 멈춰 섰다. 어디를 가는지 고급 승용차들이 병원 안쪽으로 줄지어 들어가고 있었으므로 한참을 기다려야 했다. N은 화살표 아래 '장례식장'이라고 쓰인 안내판을 지나쳐서 봄 햇살이 가득 들어차 수많은 자동차 문들에 반짝반짝 빛을 내쏘고 있는 주차장 안으로 눈가를 약간 찡그리며 걸어 들어갔다.

새로운 세기

그후 4년 동안 변한 것은 그다지 없었다. 크고 작은 우여곡절이 있었지만 그의 회사는 그런대로 평탄하게 굴러가는 듯 보였다. 그는 체력이 회복됨에 따라 점점 운동 강도를 높이더니 예전처럼 다시 필드를 돌아다녔다. 2년 정도 지나자 완전히 수술 전의 건강을 되찾아 주말의 골프 여행을 즐겼고 4년째가 되면서부터는 다시 술도 마시기 시작했다. 아내가 운전 학원의 최고령자로서 면허 시험에 합격했으므로 그의 집 주차장에는 그가 타는 외제 차 외에도 흰색 소형차 한 대가 주춤거리며 드나들곤 했다. 그의 아들 J는 과장이 되었지만 월급이 크게 오른 것은 아니었다. 32평으로 아파트를 늘린 부담 탓에 J의 아내는 여전히 빠듯하게 살림을 꾸려야 했으며 아이가 초등학교에 입학한 것이 변화라면 변화였다. 그런 식으로 본다면 가장 큰 변화는 한 세기가 바뀌었다는 것일 테고 그의 딸 N이 서른을 넘긴 것도 변화라고 할 수 있었다. N은 거기에 의미를 두지 않는 듯했다. 제 힘으로 적은 돈을 벌어 오피스텔에서 혼자 간소하게 사는 생활 방식을 바꾸고 싶은 마음이 전혀 없었다. J는 규칙적으로 안부 전화를 했고 생일과 명절이면 자기 차에 아내와 아들과 선물을 싣고 꼬박꼬박 부모의 집에 내려갔지만 N은 언제나처럼 거의 연락이 없이 자기의 안위(安慰)를 무소식으로 대신 전했다. 이따금 어머니에게서 전화가 걸려오는 경우에도 N은 그다지 상냥한 편이 아니었다. 마치 점잖은 빚쟁이로부터 안부 전화를 받은 돈 없는 채무자처럼 N은 어머니 입에서 자식들이 전화라도 자주 해야 아버지가 가정에 더 관심을 갖는다는 따위의 하소연과 당부가 나올까 봐 부담스러워하고 있었다. N은 보수적이지도 않았고 감상적인 사람도 아니었다. 아버지가 어머니에게서 얻을 수 없는 것들이 있다는 사실은 인정했지만 어머니가 부당한 대우를 받고 있다는 것 역시 사실이었다. 그럼에도 N으로서는 자신이 아버지에게 뭔가 고언을 하고 더군다나 영향을 끼칠 수 있으리라는 건 잘 상상이 되지 않았다.

N은 아버지에게 각별한 감정을 갖고 있지 않았다. 대학 때 서울로 올라오면서부터 서로 만나는 일이 뜸해진 탓도 있겠지만 함께 살 때에도 언제나 바쁜 그와 N의 사이는 덤덤한 편이었다. N은 자신을 아버지의 인생에 갖춰진 여러 가지 단계별 구색 중의 하나로 여겼다. 성장하는 동안 자랑거리도 골칫거리도 아닌 특징 없는 자식으로 지냈고 학교를 졸업하자마자 독립해버렸기 때문에 아버지에 대해 유난한 애정도 치명적인 증오도 없었다. N은 약간 차가운 인상인 어머니와 많이 닮았다. 아버지를 닮았다는 말은 단 한 번도 들어본 적이 없었다. 그러나 만약 아버지인 그와 닮은 점이 있다면 자기 인생의 빛과 어둠을 자기 혼자서 누리고 감당한다는 점, 그리고 바로 그런 현실주의적인 체념이었다.

수술을 받은 뒤의 가장 큰 사건이라면 그의 혼절일 것이다. 사우나에서 나오다가 쓰러졌다는 사실을 그의 아내는 병원에서 걸려온 전화를 통해 알았다. 병실 번호를 묻자 원무과 직원은 보호자가 면회 금지를 요청한 상태라며 알려주기를 거부했다. 그의 아내는 곧

바로 아들 J에게 전화를 해봤지만 그는 뜻밖의 소식에 놀랄 따름이었다. 그날로 월차를 내고 서울에서 내려온 J와 그의 아내가 밤늦게 병원으로 찾아갔을 때 간호사들은 보호자를 자처하는 대리인의 권한을 내세우며 완강하게 병실 문을 가로막았다. 아내와 아들임이 확인되자 하는 수 없이 문을 열어주면서도 그들은 대리인의 존재는 환자 본인이 깨어나자마자 직접 지목하여 권한을 위임한 것임을 강조했다. 앰뷸런스를 불러 그를 후송해온 것도 그 대리인이라는 인물이었다. 병실 안은 어두운 편이었고 구김이 많은 흰 시트를 덮은 환자 혼자 죽은 듯이 누워 있었다. 아버지…… 나직한 J의 부름에 눈을 뜬 그가 아들을 알아보는가 싶더니 뜻밖에도 눈시울 아래로 눈물 한줄기가 흘러내려서 귓바퀴 속에 괴었다. 그는 J를 향해 힘겹게 한쪽 팔을 들어올리려 애썼다. 그러나 J가 급히 그 팔을 붙잡자 이상하게도 갑자기 뿌리쳐버리는 것이었다. 그의 입에서는 들릴락 말락, 가라, 하는 소리가 새어나왔다. 그것은 악마에게 영혼을 장악당한 인간의 무력한 신음을 연상시켰다. J는 아버지가 전혀 낯선 사람으로 보였으며 그의 몸에서 새어나오는 희미한 공포를 포착했다. 보이지 않는 대리인에게 등을 떠밀리기라도 한 듯 어머니와 함께 병실을 나왔고 다시는 가지 않았다. 열흘쯤 지난 뒤 집으로 돌아왔을 때의 그는 기력이 조금 떨어져 보일 뿐 전과 다를 바 없는 그 사람이었으며 이내 예전과 같은 생활을 되찾았다. J는 대리인이 아버지와 사우나에 같이 갔던 친구이거나 동업자일 거라고 짐작했다. 그러나 그의 아내는 생각이 달랐다. 그때부터 남편이 자기로부터 떠났음을 현실로서 받아들이려고 애쓰기 시작했다.

그의 혼절은 암 발병 전에도 두어 차례 겪었던 일이었다. 늘 새로운 것을 모색하고 도전하기를 좋아하는 그에게는 등산 · 야영 · 낚시 · 자동차 여행 · 사냥 등 각종 여가 활동을 두루 섭렵하고도 기회가 오면 취미를 또 하나씩 늘려가는 취미가 있었다. 한때 그는 볼링에 재미를 붙여 단골 볼링장의 동호회 회장을 맡아서 적지 않은 후원금을 쾌척했는데 그 무렵은 밤부터 새벽까지 지칠 줄 모르고 공을 굴렸다. 어느 늦가을 그는 철야 볼링을 이틀 계속하고 다음날 몇몇 호사가들과 함께 산에 올라 단풍을 구경한 뒤 밤나무를 두들겨서 생률 안주에 위스키를 몇 잔 마셨으며, 하산 후 사우나를 하고는 회사에 들렀다가 늘 하릴없이 그의 사무실에서 신문을 뒤적이는 허물없는 친구와 마주친 김에 대단한 집중력을 동원해가며 연거푸 바둑 여섯 판을 두었다. 그러고는 일곱 판째에 대마를 쫓다가 바둑판 위로 쓰러졌다. 새벽에 깨어난 그는 여덟 시간이나 혼수 상태였다는 사실을 전해 듣고도 픽 코웃음을 쳤다. 한동안 볼링을 삼갔지만 완전히 그만둔 것은 그로부터 몇 달 후 무리한 경기로 허리를 다친 뒤였다. 지나치게 몰두하는 기질에는 전혀 변화가 없었다. 그뒤로도 비슷한 소동이 한두 번 더 일어났지만 정도가 가벼웠고 혼수 상태도 길지 않았으므로 그의 딸 N에게까지는 알리지도 않고 지나갔다. 대리인을 자처하는 인물이 등장했던 마지막 혼절에 대해 N이 모르고 지나간 것은 당연한 일이었다.

그해 여름 N은 갑자기 꿈을 많이 꾸기 시작했다. 언제나 새벽에 깨어났는데 눈을 떠보면 창밖이 어슴푸레했고 위장이 쥐어뜯기듯이 아파서 날이 완전히 밝을 때까지 명치께를 움켜쥐고 엎치락뒤치락해야 했다. 꿈의 내용은 잘 기억나지 않았지만 아버지 꿈이었던 것만은 틀림없었다. 주로 가족이 함께 어딘가로 놀러 가는 꿈이었으며 꿈속의 N은 당연히 어린아이였다. 낮 동안에도 그 꿈들을 생각하면 위에 통증이 왔다. 혼자 사는 사람들이 으레 갖고 있는 가벼운 위장병이라고 하기에는 증상이 좀 심각하다고 생각한 N은 그러나 내시경 검사를 받을 때의 고통이 얼마나 심한지 여러 차례 들은 적이 있었으므로 인터넷에서 수면(睡眠) 내시경 시설을 갖춘 병원을 찾아내 주말에 내시경 검사를 받았다. 잠깐 잠을 잔 뒤에 깨어나보니 검사는 끝나 있었다. 그녀의 입가와 턱은 지저분했고 블라우스 앞섶도 심하게 얼룩이 져서 더러웠다. 젊은 의사가 위 사진 몇 장을 보여주며 궤양만 조금 치료하면 큰 문제는 없다고 낙관적인 소식을 전했지만 N의 표정은 시종 딱딱했다. 의식이 없는 동안 기구가 몸속에 들어와 이리저리 휘젓는 대로 침을 질질 흘리며 버둥거렸을 자신의 모습을 상상하는 것만으로도 N은 큰 충격을 받았다. 그것은 쉽게 설명할 수 없는, 낯설고도 예측하지 못했던 어둠과의 대면이었다. 꽁꽁 묶인 상태에서 아무렇게나 함부로 다루어지는 듯한 수치감이나 절망 비슷한 느낌이었으며 절대적으로 무력했다. N을 병원에 동행했던 남자는 제 육체를 통제할 수 없는 무력감에 대해 가벼운 논평을 던졌다. 다윈 때문에 인간들은 자기가 신의 창조물이 아니라 원숭이의 후예라는 걸 알고 자존심에 상처를 받았지. 거기다 또 프로이트가 무의식을 들고 나와서 인간이란 스스로를 통제할 수조차 없는 존재라고 주장하는 거야. 심각할 것 없어. 이젠 누구나 인정하는 일반 상식인데 뭐.

일주일 가까이 아버지 꿈을 계속 꾼다면 전화라도 한 통화 했어야 했고 N도 그럴 작정이었다. 그럴 리는 없지만 어떤 이들이 주장하듯 혈육끼리만의 본능을 통해 아버지가 교신을 시도한 거라면 분명 좋지 않은 일 같았다. 몇 달 전에 회사를 정리해서 넘기고 골프 스코어 줄이기에만 열중한다는 소식을 어머니에게 들었던 기억이 났지만 좋지 않은 일이 무엇일지 판단하기에는 N은 그에 대해 정보가 너무 없었다. 아버지를 잘 알지 못한다는 자각은 N의 마음을 무겁게 하는 한편 긴한 용건 없이 거는 전화를 더욱 망설이고 미적거리게 만들었다. 전화는 어머니에게서 먼저 걸려왔다. 아버지는 그날 S병원 2인실에 다시 입원했는데 수술 후 4년 5개월 동안 한 차례도 거르지 않고 정기 검사를 받았으며 한 달 전까지도 이상 없음을 확인했기 때문에 조금은 어리둥절하지만 그런대로 담담하다는 거였다.

점멸 사인

그는 재수술을 받기 위해 수술실로 들어갔다.

전날 저녁 수련의가 병실 밖에서 보호자를 찾았다. 그의 아내와 J가 함께 복도로 나갔다. 수련의가 내민 수술 동의서의 내용은 그가 받을 수술이 수없이 많은 불행한 사고의 가능성을 갖고 있으며 그중 어떤 것, 가령 사망과 같은 상황이 발생하더라도 의사들은 전혀 책임을 지지 않음을 당연히 받아들이라는 것이었다. 서명을 하면서 J가 수련의에게 물었다. 어떻게 될 것 같습니까? 일단 환부를 열어봐야지요. 수술 끝나면 주치의 선생님이 자세하게 설명해줄 겁니다. 수련의에게 J가 다시 물었다. 그런데 지난달 검진 때 환자가 출혈이 있다고 말했는데 주치의는 괜찮다고 했다면서요. 그건 어떻게 된 거죠? 수련의는 이 질문에 대해서는 아무 대꾸도 없이 동의서를 접어들고 가버렸다. 수술날 아침 그는 컨디션이 좋다고 말했다. 그를 실어갈 바퀴 침대가 도착하자 적극적으로 거기 올라가 누웠으며 그의 아내가 자신의 발에서 슬리퍼를 벗기는 것을 묵묵히 내려다보았다. 수술실 문이 닫히는 순간 그의 아내는 두 눈을 꾹 감았고, J가 바람을 쐬자며 어머니를 병원 밖 산책로로 데리고 나갔다. N 혼자서 수술실 앞에 마련된 보호자 대기실의 의자에 앉았다. 네 사람 정도 앉을 만한 긴 의자 여섯 개가 두 줄로 나란히 놓여 있었는데 N이 차지한 것은 맨 앞줄의 구석 자리였다. 고개를 들면 바로 수술 시작과 종료를 알려주는 전광판이 눈에 들어왔다. 두 칸으로 나뉜 전광판 한쪽에는 수술 중인 환자의 이름이, 다른 한쪽에는 수술이 끝나 회복실로 옮겨진 환자의 이름이 올라와 있었다. N은 수술 환자 쪽의 전광판에서 푸른색을 발하며 아버지의 이름이 반짝 등장하는 것을 보았다. 그것은 맥박처럼 힘차게 점멸하기 시작했다. 수술이 대여섯 시간은 걸릴 거라고 했으므로 N은 밤샘 공부를 시작하려는 수험생처럼 자판기 커피를 뽑아온 뒤 무릎에 책을 펴고 읽기 시작했다. 그러나 집중이 잘 안 돼 간간이 책에서 눈을 떼고는 별 의미 없이 전광판을 올려다보곤 했다. 무심히 고개를 들었던 N이 갑자기 얼어붙은 듯 전광판을 뚫어져라 쳐다본 것은 수술자 칸에 그의 이름이 등장한 지 채 한 시간도 지나지 않아서였다. 그의 이름은 이미 회복실 칸으로 이동해 있었다. 어머니와 J를 부르려고 자리에서 벌떡 일어나던 N이 조금 전 마셨던 커피가 위를 찌른다고 느끼는 순간, 하드 커버 책이 무릎 위에서 미끄러져 발등을 찍었다.

대리인

그에게 사실 그대로를 알려줘야 한다는 생각은 모두 같았지만 아무도 그 일을 자청하지 않았다. 그의 아내가 아들이 맡는 게 가장 적절하다고 말할 때마다 J는 한숨을 길게 쉬며 창밖으로 고개를 돌려버리곤 했다. 보호자로서 제일 먼저 회복실로 들어가 아버지를 만나본 것이 J였다. 갖가지 호스와 기구를 몸에 붙이고 짐승의 껍질처럼 늘어져 있는 아버지를 보자 어금니를 어찌나 세게 물었던지 아래턱에 각이 생긴 J에게 주치의는, 우리는 그냥 덮었습니다, 라고 미국 영화 속의 의사처럼 말했다. 사업가이신 걸로 알고 있는데 주변 정리를 하셔야 할 겁니다. 그런 다음 그의 머리맡으로 다가가서 약간 높은 목소리로 이름을 불렀다. 자, 눈 좀 떠보세요. 여기 아드님 얼굴 좀 보세요! 그러자 의사의 지시에 철저히 따르는 환자답게 그가 꿈결처럼 눈을 떴다. 망막에 맺히는 희미한 상이 J임을 알아보고는 가까스로 입술을 달싹였다. 나…… 살았냐? 회복실에서 나오자마자 J는 화장실로 들어갔고 그뒤로는 눈이 너무 충혈되어 누구의 얼굴도 똑바로 보지 못했다. 결국 아버지에게 절망을 전할 사람은 N뿐이었다. 재수술한 날로부터 이틀이 지난 아침에 그는 딸을 통해 자기에게 3개월 시한의 사망 선고가 떨어졌다는 사실을 알게 되었다.

N은 헛된 희망과 지나친 비관 양쪽 모두를 원치 않았다. 3개월

은 가장 나쁜 경우이고 사람에 따라서는 방사선 치료나 식이 요법을 통해 꽤 오랫동안 생명을 연장하는 경우도 있다고 수련의에게 들은 그대로를 옮겼다. 얘기를 듣는 동안 그는 환자 당사자가 아니라 임상 강의를 듣는 의대생처럼 계속해서 공부가 어렵다는 듯한 표정만을 짓고 있더니 N의 말이 끝나자 진지하게 질문했다. 무엇 때문에 단 한 달 사이에 칼도 못 대보게 퍼진 걸까? 아무도 대답하지 못했고 그는 혼자서라도 알아내고야 말 듯이 깊은 생각에 잠겼으며 조금 후 커튼을 다 내리라고 한 다음 한잠 잤다. 식사 시간에 일어난 그는 다른 날과 똑같이 밥그릇을 비웠다.

그는 더욱 바빠진 듯이 보였다. 눈에 띄게 기력이 떨어진 것은 사실이었지만 운동을 게을리 하지 않았으며 휴대전화를 갖고 나가 늘 어딘가로 전화를 걸었고 또 기다렸다. 어느 날은 지난 5년간의 모든 의료 기록을 복사하라고 지시했기 때문에 J는 신청서를 접수시켜놓고 오전 시간을 꼬박 자료실 복도에서 보냈다. 현실주의자답게 그는 의사에게 항의한다든지 하여 소득도 없이 품위만 해치는 감정적인 태도는 취하지 않았다. 그런 태도를 보면서 J는 그가 어떤 식으로든 방향을 잡아 출구를 찾고 있으며 이미 한두 단계 진행시켰음을 알았다. 낯선 손님들이 찾아오기 시작했다. 그들이 들고 온 개소주나 나무 수액 같은 것을 그의 아내는 반기지 않았을 뿐 아니라 첨단 시설을 동원해 최선을 다해준 병원 측에 대한 결례라고 말했다가 그로부터 큰 역정을 들었다. 그의 아내가 그 민간 처방들을 문병객 손에 들려 보낸 사람에 대해 의심을 품고 있다는 건 굳이 입 밖에 내지 않을 뿐 가족 모두가 알고 있는 사실이었다. 그런 종류의 의심과 질투로 부부 사이에 언성이 높아지는 것은 젊을 때나 늙었을 때, 또 죽음을 앞둔 때에도 그리 다르지 않았다. 손님들이 올 때마다 그의 아내는 자리를 피해 복도로 나갔지만 병실 안에서 흘러나오는 말소리에 신경을 곤두세웠다. 텔레비전에도 출연한 적 있는 어느 대학 병원의 암 권위자가 S병원의 진료 기록을 검토하고 있다는 얘기까지는 알아들을 수 있었다. 그 밖에는 나인 홀 골프장을 짓는 데에 드는 예산은 얼마 정도이며 허가를 받기 위해 몇 사람한테 각기 얼마씩의 차별된 액수로 로비를 해야 하나, 진정서는 어떻게 내야만 효과를 거둘 수 있나, 소송들은 어디까지 진행되고 있나 등등 알 수 없는 얘기들뿐이었다. 그의 아내가 확신할 수 있는 한 가지는 그 모든 일의 뒤에 그와 시시각각 긴밀히 연결된 어떤 존재가 있다는 사실이었다.

주치의의 충고가 아니더라도 주변을 모두 정리해야 할 시기였다. 새로운 사업을 추진하고 소송을 제기하고 자금을 모으는 그에 대해 J는 어리둥절했다. 원무과에 병원비를 알아보러 갔던 J는 자기가 모르는 사이 누군가가 일주일 단위로 병원비를 정산하고 있다는 사실도 알게 되었다. 어머니의 말대로 대리인이 아버지의 여자일지도 모른다는 생각이 들었으며 그것은 그의 상식을 거세게 교란시켰다. 죽음의 선고를 받은 자들은 욕망을 거세받은 처지이므로 겸허해질 수밖에 없다. 새로움을 받아들일 시간이 없으니 보수적이 되며 도덕적이다. 자신의 가족적 정체성에 대해 집착하게 마련이다. 그러나 그는 그렇지 않았다. 수술마저 불가능한 말기 암 환자라는 상황에서도 가족에게 비밀스러운 그만의 영역이 있었고 아버지나 남편으로서가 아니라 가족들이 잘 알지 못하는 누군가로서 생을 마치려 하고 있었다.

J는 아버지 삶의 명예와 진정을 의심하게 만들고 그의 아들이라는 위상을 여지없이 무력하게 만드는 그런 가정(假定)을 계속하고 싶지 않았다. 그가 입원한 동안 J는 『나는 이렇게 암을 정복했다』 『암, 알면 이긴다』 따위의 책을 열 권 가까이 독파했고 서너 번 정도 읽어서는 도무지 이해할 수 없는 의학 서적까지 사서 뒤적였으며 상황버섯 · 동충하초 같은 대체 의학에 대해 매일같이 주변 사람의 자문을 얻고 다녔다. 오래된 기와 지붕 위에만 서식한다는 희귀한 이끼를 구하러 전국을 돌아다녀야 할지도 모르기 때문에 한동안 팽개쳐두었던 등산화를 챙겨두는 그의 손은 가늘게 떨렸다. 우연히 교회 앞을 지나가다가 그 안으로 뛰쳐들어가 무릎을 꿇고 싶은 충동을 느낀 적도 한두 번이 아니었다. 그러나 아버지가 자신의 치명적인 병과 아주 조금밖에 남지 않은 여생의 조종간을 대리인에게 위임하고 있으리라는 의혹은 시간이 지날수록 커져갔다. J의 아내는 시아버지가 병원비나 간병 따위를 의존해오지 않는 데에 은근히 안심하는 기색이었다. J로서도 지속될 희망이 없는 아버지의 생명을 다만 하루라도 연장하기 위해서 얼마 되지 않는 전 재산을 털어 붓고 또 자신의 모든 밤낮을 다 바쳐 효자임을 증명해 보일 자신까지는 없었을지도 모른다. 그러나 그런 고민과 갈등의 기회조차 갖지 못하는 것이 J의 바람이 될 수는 없었다. J는 용기를 내보았지만 결국 아버지에게 아무것도 묻지 못했다. 늦은 시각 강변 도로를 달려 집으로 돌아가면서 한강 물에 뛰어들어 흔들리고 있는 현란한 불빛들을 충혈된 눈으로 바라다볼 뿐이었다.

가족들

더운 날씨와 함께 의료 파업이 지루하게 되풀이되고 있었다. S병원 역시 입원 환자들을 철수시키고 있었으므로 그는 일단 퇴원하여 신도시에 있는 J의 집에서 파업이 끝나기를 기다려야 했다. S병원은 그를 위해 암 치료의 마지막 단계인 고통스러운 항암 치료 프로그램을 준비하고 있었지만 의사들의 파업은 그의 몸 속에 암세포가 퍼져가는 것은 아랑곳없이 좀처럼 타결되지 않았다.

J의 아파트에서 그와 아내는 안방을 쓰고 있었다. 그가 아내와 함께 시간을 보내는 것은 거의 10년 만의 일이었다. 하루 종일 같이 지내는 일은 처음이라 할 수 있었다. 그들은 새벽이면 함께 아파트 뒤의 가까운 공원에 산책을 갔으며 낮 시간에는 택시를 타고 나가 신도시의 백화점에서 걷기 편한 새 운동화를 사거나 호수공원에서 낮잠을 청했다. 더운 날씨가 계속되어 사람들의 움직임은 느리기만 했고 도시 전체에 바람은 잠잠했다. 그는 묵묵히 아내를 대동하고 다니면서 인공 호수의 배수 시설에 의문을 품기도 하고 신도시의 조경과 도시 계획에 관심을 보이는가 하면 부동산 사무실에 들어가 공원 주변 오피스텔의 시세를 묻기도 했다. 겉으로 보면 신도시에 새로 정착하려는 노부부 같았다. 오랜 세월 그렇게 살아온 부부처럼 자연스러웠고 간간이 농담도 나누었다. 쉽게 지치고 신경이 예민해졌을 뿐 그의 모습도 눈에 띌 만큼 병색이 심한 건 아니었다. 그런 한시적인 평화는 그가 혼자서 서울로 누군가를 만나러 갈 때마다 깨어지곤 했다. 일주일에 한두 차례씩 그는 사업

을 구실로 외출했다. 늘 뭔가 생각에 잠겨 있고 휴대전화를 몸에 지니고 다니면서 누군가로부터의 소식을 기다렸다. 그리고 전과 달리 돈을 아끼는 눈치였다. 서울에 갈 때도 매번 지하철을 탔고 신도시에서는 1천 원을 얹어서 콜택시를 불러야 한다는 게 큰 불편 사항이라고 여러 번 말했다. 그의 아내는 그가 외제 승용차를 처분하여 현금으로 바꿨다는 사실을 짐작으로 알고 있었다. 그러나 며느리에게 꽤 넉넉한 돈을 내주어 시부모가 와서 머무는 일이 무리한 지출로 이어지지 않도록 배려한 것을 보면 돈이 없어서라기보다 특히 자신에게 인색하게 굴기 위해서 그런다는 게 그의 아내의 또 한 가지 짐작이었다. 그의 아내는 장기적인 치료를 위해서는 재산 문제를 정리하여 J에게 일임해야 한다고 여러 차례 말해왔지만 거기 대해서 그는 늘 침묵을 지켰다.

의사들의 파업이 끝나지 않자 그는 항암 치료를 포기하기로 결정을 내렸다. 노인의 몸 속에서는 병균 또한 생명력이 약해 빨리 왕성해지지 못하므로 암에 걸렸어도 천수를 다 누리고 죽는 경우도 많다며, 그런 식으로 본다면 항암 치료는 기력을 모두 빼앗아가 자연 수명을 단축하는 부작용이 있다는 논리였다. 아침 식탁에서 그 사실을 통보한 뒤 그는 J에게 다른 치료 기관을 찾아보라고 말했다. 그날 저녁 J는 입술이 트고 눈이 충혈돼 있었지만 기운 있는 목소리로 자기가 찾은 몇 가지 방안을 꺼내놓았다. 사상의학에 권위가 있는 서울의 한의원, 각종 매스컴에 소개되었던 지방에 있는 또 다른 한의원, 강원도의 산 속에 자리잡은 요양원 등이었다. 오지에 격리되어 죽을 날만 기다리는 요양원은 고려할 여지조차 없고 두 군데 한의원은 직접 방문해본 뒤 친구들과 상의하겠다는 그의 말에 J는 알겠다고 간단히 대답했다. J는 요양원 쪽의 쾌적한 자연 환경과 암만을 대상으로 하는 특화된 환자 관리법에 가장 호감을 가졌었다. 일어서서 방을 나오는 J의 등 뒤로 어머니의 조심스러우나 날카로운 목소리가 들려왔다. 병원도 그렇고 돈 문제도 그렇고 아들한테 맡길 일이지 친구가 무슨 소용이에요. 그 친구가 대체 누군데 우리한테 그렇게 쉬쉬하냔 말예요. J가 방문을 닫았으므로 아버지가 대꾸하는 소리는 들리지 않았다. 대리인의 정체를 물을 때마다 친구라고만 대답하고 입을 닫아버리는 남편 앞에서 환자의 아내는 속수무책일 수밖에 없었다. 자신에 대한 아버지의 불신을 묵묵히 수긍하며 살아왔던 J는 그날 밤 오랜만에 들른 N에게 자조적으로 말했다. 그래, 아버지 일은 아버지가 다 알아서 하시니까. J가 내뿜는 담배 연기를 물끄러미 바라보던 N이 중얼거렸다. 아버지 뜻이 뭔지 잘 모르겠어, 어쩌면 우리가 잘못 생각하고 있는지도 몰라.

이튿날 그는 첫번째로 서울의 한의원을 방문했고 다음날은 J의 차를 빌려 타고는 믿을 수 없게도 손수 네 시간 동안 운전을 하여 지방에 있는 두번째 한의원에 다녀왔다. 그중 그가 선택한 곳은 돈벌이에 급급하지 않고 학계에서 일정한 인정을 받고 있으며 특히 난치 환자의 치료에 성취욕이 강하다고 보여지는 서울의 한의원이었다. 그가 좋아하는 육식은 물론이고 파 · 마늘 같은 기본 재료조차 허용되지 않는, 도무지 지킬 수 없을 듯한 까다롭고 고통스러운 식이 요법도 흔쾌히 받아들였다. 합리적으로 일을 매듭지은 뒤 집으로 내려가는 그의 얼굴에는 굳은 의지가 엿보였다. 투병 의지와 자신감으로 인해 마치 만만찮고도 흥미로운 적에게 가치 있는 도전을 받은 사람처럼 호전적이기까지 했다. 배웅에 나선 J와 J의 아내는 대리인에 대한 의혹까지 포함하여 이 싸움이 아주 길어질 것이라는 데에 생각을 같이했다.

N의 육체

N의 생각은 그렇지 않았다.

수술실로 들어간 지 한 시간도 안 돼 회복실 쪽 전광판에서 그의 이름이 그녀를 쏘아보듯 점멸하고 있던 순간 N은 지금 자신이 대면하고 있는 것이 다른 무엇도 아닌 바로 아버지의 죽음이라는 사실의 엄혹함을 처음으로 깨달았다. 아버지의 자리가 너무 확고하여 죽음에 대해서는 상상조차 해본 적 없었던 N에게 태어나서 처음으로 감지된 아버지라는 존재의 상실은 무심히 기대고 있던 벽이 갑자기 무너져버리는 느낌과 비슷했다. 그전까지는 벽이 거기 있다는 것을 의식할 필요도 없었으며 그 벽이 자신에게 어떤 신변의 안전과 생활 동선을 제공하는지 생각해본 적도 없었다. 의식하지 않았을 뿐이지 실상은 그 벽 뒤에 늘 대기하고 있었을 어둠에 대해 N은 전혀 준비된 바가 없었던 것이다. 그날 N의 발등을 찍었던 책은 그러므로 N에게 끊어져 있던 통각의 신경을 이어준 셈이었다.

그 이후 자신은 잘 모르는 사이 N은 몇 가지 점에서 달라지고 있었다. 먼저 전화벨 소리에 필요 이상으로 예민해졌다. 독신인 N에게는 늦은 밤이나 새벽에 걸려오는 전화가 종종 있었는데, 전화기가 놓인 탁자를 향해 걸어가 수화기를 손에 들 때까지 N의 움직임에는 예전과 달리 불안이 있었고 손바닥에는 땀이 조금 배었다. 가족 중에 중환자가 있다는 사실은 결코 기다리지 않는 불길한 전화를 받기 위해 전화통 곁을 떠날 수가 없다는 뜻이었다. N이 긴 머리를 잘라 쇼트 커트를 하고 퇴근하는 길에 혼자서 영화를 보러 다니고 건전한 새 출발을 다짐하듯이 진지한 책을 읽기 시작하고 또 새 옷을 한꺼번에 여러 벌 장만한 것을 본 회사 동료들은 실연한 게 틀림없다고 생각했다. 그것은 아니었다. 「부에나 비스타 소셜 클럽」을 본 뒤 N은 시디를 구입해 쿠바 노인들의 연주를 자주 듣곤 했는데 영화의 내용은 거의 기억하지 못했고 감동을 받은 것도 아니었으며 단지 백 살이 다 된 나이에도 그토록 즐겁고 건강하게 살 수 있다는 사실이 마음에 들었던 것뿐이었다. N의 발등을 찍었던 하드 커버 책 『체 게바라』도 그렇지만 그 즈음 N이 통독하는 『백범일지』 『마르크스 평전』 『호치민』 같은 책들은 모두 선물받은 것이었다. 그 책들을 고른 남자는 초등학교 때 아버지를 잃은 뒤 위인전에 의지하여 시간을 보낸 경험이 있다며 N에게 말했다. 이 책들은 너를 강하게 만들어주는 데 분명 효과가 있을 거야. 얼굴이 창백한 편인 N은 무채색을 잘 입지 않았지만 이번 계절에 검은 옷을 세 벌이나 샀고 남자의 만류에도 불구하고 긴 머리를 잘랐다. N은 현실적인 사람이었으므로 그와 같은 형식이 반드시 사람을 경건하게 만들어주지는 않는다는 걸 알고 있었다. 그런데도 의식(儀式)은 필요했다. 그 의식 중 하나로서 N은 되도록 혼자 시간을 보냈다.

어느 주말 N은 아버지가 머물고 있는 J 집에 들르마던 약속을 어기고 남자와 함께 바다를 보기 위해서 남자의 고향에 갔다. 비행장에 내려서야 그곳 사천의 예전 이름이 삼천포라는 사실을 알게 되었다. 삼천포의 바닷바람에 너무 무방비했던 모양으로 어딘지 허약하고 지쳐 있던 N은 그날 밤 감기를 얻어 밤새도록 고열에 시달리며 앓았다. 지금까지의 독신 생활에서 때로 외로움은 피할 수 없었다. 그러나 타인의 배려를 아쉬워하거나 사람 몸의 온기를 그리워해본 적은 없었다는 게 N의 생각이었다. 그녀답지 않게 잠결일지언정 남자의 따뜻한 품속을 찾아 앓는 몸을 집어넣었던 N은 다음 순간 아플 때에 사람의 몸은 스스로 무력해진 나머지 방치되는 걸 두려워하며 그런 만큼 간절히 타인을 원하게 되고 특히 타인의 것 중 가장 위로가 되는 것은 몸의 온기라는 사실을 깨닫게 되었다. 그 온기는 섹스와는 전혀 다른 것이었다.

돌아오는 비행기 안에서 N은 멀미마저 겹쳐 뱃속이 정신없이 휘저어지고 금방이라도 머리통이 터져버릴 것 같은 고통을 겪었다. 남자는 N의 머리를 자기 어깨에 기대게 한 뒤 멀미란 직진 운동 감각의 착각으로 생기며 자율 신경 불안정증의 일시적 현상일 뿐이라고 말해주었지만 N에게는 남자의 설명보다 김포공항에 내리자마자 약을 살 수 있다는 사실이 위로가 되었다. N은 병을 적대시하고 고치려고 애쓰는 대신 그것을 몸의 일부로 받아들이고 더불어서 살아가는 노인의 이야기를 읽고 공감한 적이 있었다. 그러나 몸속의 모든 기관이 뒤틀리고 터져버릴 것 같은 극성스러운 통증 속에서 N은 만약 이 고통과 함께 평생을 살아가라고 한다면 그냥 죽는 편이 낫겠다고 생각했다. 아픈 사람이 밤을 견딜 수 있는 것은 날이 밝으면 병원에 갈 수 있고 고통에서 벗어날 수 있다는 희망이 있기 때문이다. 나아질 희망 없이 극심한 고통을 지속적으로 겪어야 하는 사람, 이를테면 위액을 토해내기 시작한 말기 암 환자의 경우에는 병에 익숙해지라는 말이 만리 밖의 목탁 소리일 뿐이다. N은 제 몸으로 겪어야만 비로소 깨치게 된다는 데에 인간의 육체가 얼마나 정확하고 직실하며 또한 비정한 학교인지를 실감했다.

김포공항에서 N은 남자에게 혼자 있고 싶다고 말했고 남자는 그녀를 한참 동안 노려보더니 그녀가 철저히 자기 위주에다가 변덕스러우며 자신을 향해 문을 열어준 적이 단 한 번도 없다고 내뱉은 뒤 택시를 타고 가버렸다. 그날부터 N은 신경성 위궤양이 도져 병원을 찾아야 했는데 수면 내시경 검사를 받았던 그 병원이었다. 스스로 통제할 수 없는 상태에 놓인 육체를 생각하자 다시금 그녀는 공포를 느꼈다. 어쨌든 N은 자신의 육체 안에도 아버지 몸의 일부가 어떤 식으로든 깃들어 있고 그것을 다름아닌 바로 자신의 육체로 느낄 수 있다는 생각을 하기 시작했다. N은 확실히 달라졌다. 한 사람의 육체가 생겨나기까지 자신이 알지 못하는 수많은 사람들의 육체가 시간 속에서 생멸을 거듭해왔다는 것도, 제 몸 속에 죽음이 들어 있다는 사실도 처음 깨닫는 일이었다. 어느 저녁 N은 텔레비전 뉴스에서 한시적으로 만났던 남과 북의 가족이 헤어지는 장면을 보았다. 다시 만날 가능성이 없는 이산가족의 이별은 상대의 죽음과 마찬가지였다. 어딘가에 잘 있다고 믿음으로써 존재하던 부모의 상실은 먹이고 입히는 생활의 부모를 잃는 것만큼 삶을 뒤엎지는 않지만 훨씬 근원적이며 보다 슬픔에 근접해 있었다. N은 매 시간 곳곳에서 아버지의 상실에 대한 상상이, 한 번도 자기 인생의 정면에 놓인 적 없었던 아버지라는 존재를 오히려 자각하게 한다는 사실을 학습해가는 중이었다.

아버지가 J의 집에 있는 동안 N은 두 번밖에 가지 않았다. 두번째 갔던 날 J는 아버지를 조금이라도 오래 사시게 해야 하는데 누가 그 일을 할 수 있을지 모르겠고 아버지 생각에나 자신의 생각에 그 사람이 자기는 아닌 것 같다고 괴롭게 말했다. J의 아내가 N의 곁으로 다가왔다. 바빴니? 통 얼굴을 볼 수 없더라. 우리 동창 중에 걔 누구지? 중풍 시어머니를 5년이나 모시던 애 있잖아. 세 번까지 쓰러지면 가망 없다는 말을 들어서 세번째 의식을 잃었을 때는 병원에도 안 옮기고 그냥 임종을 맞으려고 했나 봐. 근데 시누이가 달려와서는 펄펄 뛰면서 앰뷸런스 불러 도로 살려냈대. 환자도 고생인데 그냥 돌아가시게 하는 편이 낫다는 건 며느리 입장이고, 숨만 붙어 있더라도 살아만 계셨으면 하는 게 딸의 마음이라더라. 너는 딸치고는 좀 특이한 것 같아, 안 그러니? N은 아무 대꾸 없이 J의 아내를 바라보았다. 살아 있는 사람들은 살아 있는 사람들에 대해서만 이야기한다.

가을 뒤에 겨울

J가 어머니의 전화를 통해 듣는 아버지 근황을 한마디로 정리하자면 그것은 혼란이라고 말할 수 있었다. 처음에 그는 스스로 선택한 한의원으로부터 택배로 부쳐져 오는 약을 정기적으로 먹었고 식이 요법에도 잘 적응하는 듯 보였다. 그런데 외출이 잦아지면서부터 조금씩 달라지기 시작했다. 점퍼에서 고기 냄새가 났던 어떤

날 이후 한동안은 집에만 누워 있었다. 기운을 차리고 나가더니 다시 운동을 시작했다고 흥분하는가 하면 나인 홀을 돌았다는 믿어지지 않는 소식을 전하기도 했다. 자신의 병을 누구보다 잘 아는 스스로의 진단에 따르면 '기분이 좋아야만 낫는 병'이라서 순전히 치료 목적으로 한 달쯤 전국 곳곳을 여행하고 돌아오겠다고 선언한 것은 그 며칠 뒤였다. 식이 요법 때문에라도 불가능한 일이었다. 그러던 어느 날은 한의사를 욕하고 약들을 집어던졌고, 어딘가에 전화를 걸어 "나는 요새 너무 건강하다니까. 암만 빼고 말야!" 라고 돌연 큰 소리로 웃으며 농담을 했다. 결국 한약은 값이 비싸다는 이유로, 식이 요법은 사람이 즐겁게 살지 못할 바에야 무엇 때문에 살겠냐는 이유로 두 달 만에 중단되었다. 그때부터는 점점 다른 사람이 되어가기 시작했다. 아내가 달여준 느릅나무 수액에 코를 박고 킁킁대면서 상한 것을 주었다고 소리를 질렀다. 밥상 앞에서는 아내가 먼저 식사하기를 기다려 그녀가 먹는 반찬만을 따라서 집어 먹는 일도 있었다. 빨리 죽기를 바라는 환자 가족들이 남몰래 음식 속에 약을 탄다는 얘기를 누군가에게 들었다고 했다. 특히 외출에서 돌아오면 극도로 기분이 좋거나 우울해 있었는데 하루하루 기분이 천지 차이로 종잡을 수 없었다. S병원의 명백한 과실에 대한 전문가의 증언을 확보했다며 소송을 제기하러 나서기도 하고 그의 친구가 새로운 의사와 상담을 한 결과 곧 외국에 나가 재수술을 받게 되었다고 싱글거리며 들어오는 날도 있었지만 모두가 믿기 어려운 일이었다. 그는 또 정기적인 생활비 이외에는 환자 수발에 필요한 비용조차 일절 모른 척했다. 돈 얘기만 꺼내면 심한 역정을 냈고 집 안에는 통장은커녕 도장 하나 놔두지 않는다는 거였다. 그의 아내를 가장 분노하게 만드는 것은 말할 것도 없이 이 모든 일의 배후에 있다고 짐작되는 대리인의 존재였다.

상황을 해석하려고 애쓸수록 J는 머릿속이 복잡했다. 이것이야말로 지금까지 아버지가 자신에게 내주었던 수많은 인생의 문제 중 가장 난해하고 악의적인 최종 완결판이었다. 그는 먼저 대리인이라는 특정 인물이 존재하느냐 아니냐로부터 추측해보기 시작했다. 아버지는 외출이 잦고 끊임없이 전화를 기다렸고 모든 일을 누군가와 일일이 상의했다. 그럴 만한 대상이 존재한다는 것은 사실이다. 집으로 내려간 뒤의 행적이 특히 그것을 뒷받침한다. 아버지의 외출은 대리인과의 만남을 뜻하며 그 만남에 따라 아버지가 희망과 절망 사이를 오락가락하는 것 또한 명백하다. 대리인은 마지막 혼절 때에 그를 병원으로 옮긴 사람과 동일인일 것이다. 그 지점이 바로 이 혼란행 난코스의 분기점이었다. J는 사람을 잘 믿지 않아 철저히 보스 단독 체제로 밀어붙이는 아버지의 사업 스타일을 알고 있었다. 그가 모든 일에 독선적이라 할 만큼 강인한 사람임은 주변 사람 모두가 아는 일이다. 그런데 왜 대리인이라는 존재에게 그토록 의존하게 되었을까. 대리인이 여자라는 어머니의 추정은 바로 그 점에서 설득력이 있었다. 오랫동안 부부로 지내지 않은 것은 그렇다 쳐도 가족이 지키는 병실로 개소주 따위를 챙겨 보낸 일은 보통의 친밀을 넘어섰다. 그러나 그 약을 들고 온 것은 새로운 사업을 도모하는 손님들이다. 대리인이 아버지의 모든 사업에 간여해왔으며 아버지의 사업 파트너들을 쉽게 움직이는 위치에 있다는 증거이다. 그런 여성이 아버지 주위에 있다는 것은 금방 납득이 가지 않는다. 혼절 후 병원으로 옮겨졌을 때 아버지가 사우나에 있었음을 생각하더라도 J의 처음 짐작처럼 동업자나 친구일 가능성이 많다. 아버지가 골프에 과도한 집착을 보이는 걸로 미루어 골프 멤버 중 하나일지도 모른다. 또 J의 집에 있을 때 아버지는 어머니와 사이좋게 지냈다. 애정이 있지 않고는 그 평화로운 모습을 만들어내기 어렵다. 그때는 중환자로서 다른 선택의 여지가 없기 때문이었고 대리인의 영역으로 돌아가자마자 다시 어머니와의 관계가 어그러지기 시작한 것일까. 그렇게 치졸하고 비열하다고 생각하기에는 주변에 검증된 아버지의 인품이 호락호락한 게 아니었다. 하지만 아버지의 인품을 고려한다면 처음부터 대리인이 여자라는 가정을 하지 않았어야 했고 모든 것은 다시 원점으로 돌아온다.

J는 돈 문제에서부터 다시 시작해보았다. 승용차를 팔고 돈을 아껴 쓰는 걸로만 본다면 아버지가 손안에 갖고 움직일 수 있는 현금이 많지 않다고 여겨졌다. 그러나 아버지는 J의 집에 머무는 동안 며느리에게 두둑한 봉투를 주어 부자간이라 해도 경제적 부담을 끼치지 않겠다는 평소 생각을 확인시켰다. 그것은 이후 치료비와 관련된 비용을 혼자 해결한다는 뜻도 되었다. 아무튼 수중에 돈을 지니지 않고는 할 수 없는 일이었다. J가 추측하기로 아버지의 회사는 오랫동안 흑자였으며 사옥까지 포함해 회사를 인도할 때 적지 않은 이득을 남겼다. 그 돈의 향방은 틀림없이 대리인과 관계가 있었다. 대리인에게 모든 돈 관리를 위임했기 때문에 이제는 그 돈을 움직일 실권이 없이 대리인의 조종에 따라야 하게 돼버렸는지도 모른다. 그런데 만약 그런 돈이 있다면 왜 죽음을 코앞에 두고 새로운 사업을 시작하는 걸까. 어쩔 수 없이 꿰어 대리인에게 이용

당하는 것은 아닐까. J는 눈앞에 희뜩 불길이 지나가는 것을 느꼈다. 그 여자는 아버지의 사업과 운동, 여행, 모든 것에 동반해왔다. 아버지가 암 수술 후 절제된 생활을 해야 함에도 무리하게 즐기고 술까지 마신 것 역시 그런 환경과 무관하지 않다. 아버지의 생명을 단축하고 어머니와의 사이를 이간질한 걸로 모자라 아버지의 돈줄을 틀어쥐고 어머니에게 경제적 압력을 가함으로써 실컷 어머니를 조롱하고 아버지에 대한 영향력을 과시하는 사악한 여자이다. J는 이미 대리인이 여자라고 결론을 내리고 있었다. 그러나 다음 순간 아버지가 생의 마지막 지점에서 아들을 제치고 여자에게 모든 것을 의탁했다는 사실을 도저히 받아들일 수가 없었다. 제 꼬리를 쫓아 빙빙 돌다가 나가떨어진 똥개처럼 J는 터져나갈 듯한 머리를 붙들고 헐떡거리며 가까스로 결론을 내리곤 했다. 자기는 아버지의 치밀하고 논리적인 면을 도저히 따라갈 수 없다는 것이었다.

12월 어느 날 J는 아버지가 응급실에 실려갔다는 연락을 받았다. 요즘 들어 자주 머리가 아프고 어지러워서 똑바로 서 있을 수 없다고 호소하더니 뭔지 모를 골똘한 궁리에 빠져 며칠 밤잠을 못 이루다가 마침내는 쓰러지고 말았다는 거였다. J로부터 전화를 받고서야 N은 아버지가 여러 번 실신한 적이 있다는 사실을 처음 알았다. 전화기를 내려놓은 뒤 컴퓨터 화면으로부터 얼굴을 쳐든 N의 안경알 속으로 조금 전부터 하얗게 눈발이 흩날리기 시작한 창밖의 세계가 그대로 반사되어 비쳤다. N이 피곤한 듯 안경을 벗었으므로 그 속으로 맹렬하게 쏟아지던 눈발은 갑자기 멎어버렸다.

응급실

엄지와 검지로 미간을 모아 누른 채 한참 동안 눈을 감고 있던 N은 다시 안경을 쓰고 일어나서 커피를 한 잔 가져와 마셨다. N은 작업 중이던 파일을 닫은 다음 바탕 화면에 있는 엔사이버라는 백과사전 아이콘을 클릭했다. 검색 항목에 실신이라고 입력하자 모니터 화면에 글자가 떠올랐다.

실신: 뇌의 혈행 부족, 즉 뇌빈혈로 인해 일시적으로 의식을 잃는 일. 인사불성 또는 기절이라고도 한다. 피로나 수면 부족 외에 장시간 서 있거나 히스테리 · 간질 · 임신 초기 · 동맥 경화증 · 쇼크 · 가스 중독 · 자율 신경 실조증 등이 원인이 된다.

기립성 실조: 앉아 있거나 서 있을 때 위치와 자세를 가누지 못하는 상태. 주요 원인은 소뇌 및 뇌간의 질환, 뇌 순환 장애 등.

다시 일을 계속하기 위해 작업 내용을 불러오기 하려던 N은 그제야 창밖에 쏟아지는 눈을 발견했다. 눈은 격렬한 환희를 전파하러 온 춤의 전도사들처럼 서로 엉켜 현란한 군무를 추고 있었다. 정연한 도시의 풍경을 일시에 흩어놓아버리는 불길한 낙서꾼 무리 같기도 했다.

J는 쉴 새 없이 와이퍼를 작동시키면서 운전을 했다. 날이 어두워지기 시작해서야 아버지가 있다는 지방 대학 병원의 응급실에 도착했다. 그는 코와 요도에 호스를 꽂고 산소 호흡기와 뇌파계에 둘러싸여 두 개의 링거를 맞고 있었다. 의식은 있었다. 잔뜩 늘어

진 눈꺼풀 밑의 흐리멍덩한 눈동자를 움직이며 J를 향해 초점을 맞추려 애를 썼다. 어머니로부터 구토나 황달 같은 말기 병증이 아직 나타나지 않았다는 말만 들어왔던 J로서는 예상치 못한 쇠약한 모습이었다. 저녁은……? 괜찮아요. 부자의 대화는 그뿐이었다. J는 침대 옆의 의자에 말없이 앉아 있었다. 한참의 침묵이 흐른 후에 그는 말라붙은 입술을 힘겹게 열어 이런 꼴을 보여서 미안하다고 띄엄띄엄 말했다. 그날 밤 J는 밤새 그를 곁에서 지켰다. 연말의 응급실에서 지내는 밤은 끔찍했다. 신음과 고함 소리가 끊이지 않았고 간간이 앰뷸런스 소리와 함께 여러 사람의 급한 발소리가 그렇지 않아도 얕은 잠을 깨워놓았다. 시비 끝에 피투성이가 되어 들어오는 청년들, 밤샘 작업을 하다가 기계에 끼인 채로 그 기계와 함께 실려오는 공장 노동자. 산통을 호소하는 한 부인 곁에는 자지러질 듯한 아이의 울음소리가 따라다녔다. 어느 병상에선가는 정신병력이 있는 교회 장로라는 남자가 침대에 앉은 채 밤새 목쉰 소리로 설교를 했다. 조용히 숨을 거두어 가족들의 울부짖음 속에 실려가는 사람까지 있었다. 그런 북새통 가운데에서도 깜빡깜빡 잠이 들었던 J가 이따금 눈을 떠보면 아버지는 거의 언제나 천장을 쳐다보거나 감긴 눈꺼풀 밑으로 눈동자를 이리저리 움직이며 생각에 잠겨 있었다. 거의 잠을 자지 못한 듯했다.

다음날도 N은 일이 손에 잡히지 않아서 서랍을 정리하고 연필을 모조리 꺼내 깎고 커피를 몇 잔째 마시다가 다시 백과사전 아이콘을 클릭했다.

뇌: 동물의 신경계를 통합하는 최고의 중추. 뇌의 작용은 매우

활발하고도 정교하므로 신체의 어떤 부분보다 물질대사가 왕성하다. 특히 뇌간—척수계는 생명의 자리로서 생명 현상을 관장한다.

J는 공동 세면장에서 세수를 하고 왔다. 그사이 밥을 싸들고 온 어머니가 수련의와 얘기를 나누고 있었다. 수련의는 그의 뇌 혈관 질환이 심각한 상태이며 특히 뇌간 쪽을 자세히 검사하기 위해 동맥 촬영을 할 거라고 말했다. 환자가 워낙 노쇠하여 검사 중에 사고를 당할 수 있다는 말도 덧붙였다. 사고라니요? 얼떨떨한 J의 물음이었다. CT 촬영은 캡슐 같은 데에다 환자를 넣고 뚜껑을 덮은 다음에 이리저리 굴리잖아요. 노인들은 가끔 그 상태에서 쇼크로 숨지기도 하니까요. 아, 예. 아버지가 깨어 있다는 것을 아는 J는 황급히 의사의 말을 막았다. 그러고는 잠시 후 복도로 그를 뒤따라 나갔다. 아버지는 위암이신데 왜 뇌를 검사하는 거죠? 벌써 거기까지 전이됐습니까? 들고 있던 볼펜을 가운 윗주머니에 꽂은 뒤 걸음을 옮기는 수련의의 얼굴에는 성가신 기색이 역력했다. 환자분은 지금 암보다 뇌경색 쪽이 더 급해요. 어느 쪽이든 간에 어차피 얼마 안 남았다는 건 알고 계시죠? J의 귀에 그 말은 치료해봤자 얼마 살지 못할 목숨에 매달리기에는 자기들이 너무 바쁘다는 뜻으로 들렸다. J가 응급실로 돌아오자 어머니가 아버지의 말을 전했다. 검사 같은 건 절대로 안 받겠다고 하신다. 때가 되면 그냥 가시겠대. 아버지 쪽을 보니 그는 눈을 굳게 감고 있었다. 어머니가 J의 귀에 대고 작은 목소리로 속삭였다. 아버지는 S병원 검진 때에 혼자 CT 촬영을 받은 적이 있었는데 구르는 통 안에서 똥을 누어버린 게 너무 수치스러워 그후 정기 검진을 석 달이나 빼먹었다는

거였다.

N의 모니터. 뇌경색: 뇌의 혈관이 막혀서 그 앞의 뇌 조직이 괴사한 상태. 뇌경색은 뇌연화증(腦軟化症)이라고도 한다. 뇌의 혈관이 완전히 막히거나 강한 협착(狹窄)을 일으켜 혈류가 현저하게 감소되면 그 부분의 뇌 조직이 괴사하여 마침내 융해된다.

오전 열시쯤 되었을까, 갑자기 그가 눈을 뜨고 J를 찾았다. 얼굴색은 눈에 띄게 창백해 있었고 기운이 달려 입술을 움직이는 것조차 몹시 힘들어 보였다. J가 그의 얼굴에 귀를 가까이 가져갔다. 집에 가야겠다. J는 눈을 껌벅거리며 우두커니 서 있을 따름이었다. 아버지가 한참 뒤에 힘을 모아 다시 입을 열었을 때는 목소리가 조금 또렷했다. 여기 분위기가 안 좋아, 죽고 싶은데 시끄러워서 죽을 수가 없다. 어머니가 대답했다. 그냥 집에 가면 어떡해요. 검사도 받고 어서 일어날 궁리를 해야지요. 그러자 그는 몹시 화난 표정을 짓더니 갑자기 있는 힘을 다 짜내 버둥거리며 몸을 일으키려 하는 것이었다. 자신의 상체를 이리저리 결박하고 있는 링거 바늘과 뇌파계의 흡판 쪽으로 더듬더듬 손을 가져가 그것들을 떼어내려 하기까지 했다. 간호사들이 와서 말렸지만 수그러드는 것도 잠깐이었다. 또다시 링거 줄을 흔들며 몸을 일으키는 그의 눈에 핏발이 서 있었다. 수면제를 맞고야 겨우 잠이 들었던 그가 다시 눈을 뜬 것은 늦은 오후였다. 잠에서 깨어 한참 동안 불안하게 눈동자를 움직이고만 있던 그의 시선이 아내에게 닿았을 때였다. 그의 아내는 그가 자신을 향해 입을 달싹거리며 뭔가 말하려 애쓰는 것을 알았다. 그런데 입이 잘 움직여지지 않는 모양이었다. 왜요? 나한테 할 말이라도 있어요? 그의 아내가 상체를 그에게로 기울였다. 그는 안타까운 표정을 지을 뿐 소리를 내놓지는 못했다. 눈동자가 조금 번들거렸다. 그날 밤부터 그의 말문은 완전히 닫혀버렸다. 왼손과 고개를 조금 움직일 수 있을 뿐 나머지 사지도 모두 마비되었다. 그 혼자만 알고 있던 그의 인생은 거기에서 정지되었다.

N의 모니터. 실어증: 대뇌의 손상에 의해 언어의 표현 또는 이해가 장애되는 현상. 발어(發語)하는 근육은 정상이지만 언어 중추에 장애가 있어서 일어난 언어 장애이다. 노년기에 많은 뇌출혈이나 뇌연화로 인해 오른쪽 수족에 마비를 일으켰을 때 실어증을 일으키는 경우가 많다.

이틀 동안 그는 대학 병원의 응급실에 완전히 방치돼 있었다. 사흘째 되던 날 의사가 와서 노골적으로 퇴원을 종용했다. 잘린 나무토막처럼 침대 위에 부려져 있는 그의 육신은 거두어줄 다른 거처를 찾아야만 했다. 오래전부터 출신지를 떠나 살아온 J나 10년 가까이 아버지의 인생에 동반하지 않은 어머니나 도움을 청할 만한 그의 인맥에 대해서는 아는 바가 없었다. 이제 철저히 혼자만의 힘으로 아버지를 돌봐야 하는 쉽지 않은 현실이 발등에 떨어졌음을 제대로 실감하기도 전에 J는 병원을 수소문하느라 정신이 없었다. 초등학교 동창으로부터 조그만 개인 병원을 소개받아 가까스로 아버지를 옮기던 날이 바로 크리스마스 이브였다. 거리 곳곳에는 금색 은색으로 장식된 트리가 서 있었고 높은 지붕 위에서 교회 십자가들이 반짝거렸다.

중풍: 전신이나 반신 또는 사지 등 몸의 일부가 마비되는 병을 이르는 한의학상의 병증. 원인에는 동맥이 파열되어 뇌 속에 출혈을 일으키는 뇌출혈과, 뇌의 동맥 속에 핏덩어리가 막혀서 혈액이 더 이상 흘러갈 수 없게 된 뇌경색이 있다. 중풍을 뜻하는 현대 의학의 용어로는 뇌졸중(腦卒中)을 들 수 있다.

뇌졸중: 졸중이라는 말은 무엇에 얻어맞아서 나가떨어진 상태라는 뜻으로 졸중풍(卒中風)의 준말이다. 뇌출혈의 경우 운동 마비가 회복되는 비율은 비교적 높지만, 뇌경색일 때는 완전히 회복되거나 아니면 전혀 회복되지 않는다.

마지막 풍경들

왜 이렇게 어두울까, 그는 생각한다. 밤이라서 그렇겠지. 무거운 눈꺼풀을 간신히 들어올리자 그의 눈이 천천히 어둠에 익숙해지기 시작한다. 아직 죽은 건 아니다. 어렴풋이 천장의 윤곽이 눈에 들어왔고 이어서 벽 · 전기 콘센트 · 링거 병 등도 희미하게 모습을 드러낸다. 그러나 곁에는 아무도 없었다. 아내는 매일 오전 열한시에 병원에 도착하여 오후 다섯시에 돌아간다. 그리고 중환자실이 이처럼 어두운 것은 보호자 중 누군가가 제멋대로 실내등을 꺼버렸기 때문이다.

그가 누워 있는 4인실에는 3교대로 일하는 간병인들이 있다. 그들이 그를 씻기고 욕창이 생기지 않도록 오전 · 오후 한 번씩 위치 조정을 해주며 가래를 뽑아내고 오줌 주머니를 비우고 기저귀를 갈아 채운다. 세 간병인 중 얼굴이 납작하고 점이 있는 뚱뚱한 아줌마가 가장 친절하다. 그녀는 가래를 뺄 때 호스를 함부로 목구멍 깊이 집어넣어 고통스러운 기침이 터져나오도록 만들지 않는다. 자세를 바꿔줄 때에도 팔이나 다리가 겹질리지 않도록 조심한다. 그녀가 밤 시간 담당인 날에는 아내도 훨씬 안심이 되는 얼굴로 집에 돌아간다. 밤은 어떤 환자에게나 가장 두려운 시간일 테지만 매일 밤 죽음과 한차례씩 겨뤄야 하는 중환자실의 불침번은 특히 중요하다. 이곳은 층마다 따로 간호 데스크가 두 개씩 갖춰진 S병원이 아닌 것이다.

아내는 버스로 한 시간 가까이 걸리는 거리를 매일 왕복하고 있다. 아침마다 원기 회복에 좋은 죽을 새로 끓여 보온병에 담아 가져온다. 주사기처럼 생긴 유리관을 소독하고 환자의 코에 끼운 호스에 연결시킨 뒤 거기에다 죽을 부어 식도로 주입하는 것은 간병인들의 일이었지만 점심과 저녁 식사 때는 아내가 직접 그 일을 맡아 한다. 달고 뜨거운 커피를 좋아하는 아내는 복도에 나가 혼자 인스턴트 커피를 마시고 들어온다. 그러고는 깨끗한 거즈에 생수를 적셔서 그의 입술에 대주곤 한다. 대부분의 시간은 그의 곁에 그냥 앉아 있다. 아내는 같은 병실에 들락거리는 보호자들과 친해지려고 애쓰지만 잘 되지 않는 눈치이다. 변두리 시골 병원의 중환자실에는 주로 농사일이나 막노동을 하고 형편도 좋지 않은 사람들이 입원해 있다. 병에서도 막다른 단계에 이른 암 말기나 중풍 환자들이다. 가족들이 병원비나 간병을 서로 미루는 말다툼 소리가 사나흘에 한 번씩은 복도를 시끄럽게 한다. 영세한 시설에 많은 사람들을 수용한 탓에 공동 냉장고는 물론 변기나 세면대 사용을 두고도 자주 욕설이 오갈 수밖에 없다. 사업가의 아내로 살아오면서 우울할 때면 백화점에 가고 죽을병을 앓더라도 S병원과 같은 장소만을 연상하던 아내에게는 낯선 환경이다. 아내는 거기 속하게 된 남편과 자신의 처지에 적응해야 한다는 걸 알고 있다. 두 달 남짓 사이에 다섯 명이 죽어서 이 병실을 떠났다. 코에는 식사 줄을 요도에는 오줌 줄, 팔이나 손등에 링거 줄, 그리고 엉덩이에는 종이 기저귀를 차고서 숨을 헐떡거리며 그와 함께 기나긴 밤을 넘기던 그들은 어느 날 시트로 얼굴이 덮인 채 실려나간다. 창가 쪽에 누워 있는 의식 불명의 노인은 숨은 붙었어도 팔다리가 쭉 뻗어버린 지 오래였다. 이미 발끝의 방향조차 천장을 향하지 않고 죽은 사람과 마찬가지로 아래로 내려뜨려져 있다.

그사이에 J는 얼굴이 많이 수척해졌다. 아내는 J에게 자신의 소형차를 처분했고 벽에 걸려 있던 그림과 글씨들, 그리고 패물도 몇 가지 팔았다고 말한다. 이런 식으로 몇 달이나 생활비와 병원비를 댈 수 있을지 모르겠다는 아내에게 J는 아무 대꾸도 하지 않는다. 그동안 J가 그의 회사를 인수한 사람, 최근까지 그와 가까웠던 골프 멤버들, 그가 거래했던 은행의 담당자, 그와 새로운 사업을 도모했다던 친구들을 만나려고 동분서주했다는 걸 그는 알고 있다. 그의 재정 상태를 알 수 있는 서류를 떼기 위해 관공서를 돌아다니기도 했다. J가 무엇엔가 충격을 받은 사람처럼 다급하고도 허탈한 표정으로 병실에 들어섰던 날 그는 눈을 꾹 감고 말았다. J의 목소리가 귓속으로 스며들었다. 아버지가 수십억 보증을 섰다는데, 어머니는 그걸 몰랐단 말예요? 그의 가슴이 빠개질 듯 아파왔고 갑자기 격렬한 기침이 터져나와 한동안 멈춰지지 않았다. 뇌파계의 눈금이 신경질적으로 뛰어올랐다 내려갔다를 반복했다. 아내가 급히 간호사를 부르러 갔다. 그 이후 아내와 J는 돈에 관련된 이야기를 할 때면 복도로 나간다. 보증을 서주었던 사람은 오랜 사업 파트너였다. 그 사람이 부도를 내버리는 바람에 감당할 수 없는 빚을 대신 떠안았다. 그 사람은 종자 돈을 빼돌리고 나머지 빚만을 수감 생활로 때우고 있었다. 보증빚에 몰려 불리한 거래 조건을 감수하면서 회사를 처분할 수밖에 없었던 그때에 그는 배신감보다는 피로를 느꼈다. 복도로 나간 아내와 J 사이에 어떤 얘기들이 오가는지 짐작할 수 있다. 부동산까지 모두 다 경매에 들어갔음을 이젠 그들도 알게 되었을 것이다. 회사가 적자에 허덕이기 시작한 것은 꽤 오래 전부터였다.

잠결에 그는 주위에 떠다니는 어렴풋한 빛을 느낀다. 귓가에는 끊어진 대화들이 나직하게 맴돌고 있다. 아직은 아니구나. 살아 있어. 잠에서 깨어나는 순간마다 그는 절실하게 삶을 실감한다. 먼저 시야에 들어온 것은 그의 곁에 옆얼굴을 보이며 혼자 앉아 있는 J이다. 지금 J가 바라보고 있는 치매 노인은 땟국이 줄줄 흐르는 환자복을 갈아입지 않으려고 간병인과 실랑이를 벌이는 중이다. 만 원짜리 몇 장이 든 주머니를 환자복에 꿰매서 입고 다니는 그 노인은 며느리를 볼 때마다 돈을 뺏길까 봐, 도둑이야, 라고 소리친다. 그 노인의 앞 침대에 누워 있는 건 전신 마비 노인이다. 전날 밤 술 취한 아들이 찾아와 자기 몰래 형들에게만 재산을 나눠줬다고 억지를 쓰고 행패를 부렸다. 그 아들이 의식이 가물거리는 노인을 향해 "아버지는 지금 여기 누워 있을 자격도 없어요!"라고 소리칠 때에도 J는 병실에 있었다. 그런 장면을 볼 때마다 J는 마치 자신이 모욕을 받은 것처럼 얼굴이 붉어져 외면하곤 한다. 아내는 J가 간병인들에게 퉁명스럽고 담당 의사조차 만나보지 않는 걸 못마땅하게 생각한다. 하지만 그것은 아버지가 초라한 시골 병원 4인실의 환자로서 죽어가는 것을 못 견뎌하기 때문이란 걸 그는 알 수 있다. 모처럼 병실 안이 조용하고 아내도 나가 둘만 있을 때에 J는 뭔가 묻고 싶은 눈으로 그를 바라보곤 한다. 살덩이에 불과한 몸뚱이를 이처럼 결국 가족에게 의탁하게 될 거면서 그토록 호방하게 혼자의 인생을 고집했냐고 그를 비난하고 싶을 것이다. 말문을 닫음으로써 그 비난조차 교묘하게 피해버렸다고 분노하는지도 모른다. 그런 때에 그는 한없이 간절하고 복잡하기만 한 J의 눈 속과 정수리의 반을 덮을 만큼 많아져버린 흰머리를 아무 생각 없이 바라만 보는 건 아니었다. 그에게는 아들에게 해줄 말이 있었다. 그래서 유일하게 신경이 살아 있는 왼손을 한사코 움직이려고 애쓰는 것이다. 하지만 J는 눈치채지 못한다. 간병인이 그의 팔을 시트 밑에 깊이 집어넣어놓았기 때문이다.

인간을 존엄하게 하는 것

N은 J의 전화를 받고 점심 시간에 만나 함께 파스타를 먹었다. 메뉴판에서 가장 먼저 눈에 띄는 대로 별 생각 없이 엔젤 헤어를 주문했던 N은 자기 앞에 김이 모락모락 나는 접시가 놓이고서야

그것이 예전 남자가 좋아하던 파스타임을 기억했다. 그의 소식이 궁금해졌다. 그사이 계절이 바뀌어 있었던 것이다. 맞은편 자리의 J가 포크를 들고 성의 없이 스파게티를 말기 시작했다.

J는 용의주도한 사업가인 아버지가 최소한의 재산은 따로 챙겨놓았을 거라고 믿었다. 압류가 들어와 금융 기관의 통장을 소유하지 못하게 되자 마지막 남은 재산을 서류상 대리인 앞으로 해놓고 관리를 맡겼을 것이다. 그러나 이제 그걸 찾을 수 있는 방법은 대리인이 산타클로스처럼 돈자루를 메고 제 발로 나타나는 것뿐으로 전혀 희망이 없었다. 크리스마스가 두 달이나 지났기 때문이 아니었다. 얼마 전 누군가 몰래 병원에서 아버지를 만나보고 간 일이 있고부터 대리인이라는 자가 돈을 돌려줄 만큼 선량하고 신의 있는 바보가 아님은 더욱 명확해졌다. 대리인은 미리 어머니의 일과를 체크하여 병원을 비우는 시각을 알아냈고 아버지를 면회한 뒤에 병원으로부터 진단서까지 떼어갔다. 진단서는 자율 능력을 상실한 중환자의 재산권을 대리 행사하기 위해서 반드시 필요한 서류였다. 진단서를 떼간 자의 인상착의가 아버지의 운전 기사와 비슷하다는 걸 안 어머니는 몹시 흥분했다. 아버지가 대리인의 영역 밖으로 벗어나지 못하도록 하는 감시역이자 연락책이 틀림없다는 거였다. 무엇보다 가족들이 지키는 병실까지 버젓이 손길을 뻗치는 대리인의 방약무인에 어머니는 자존심이 크게 상해 있었다. 여기까지가 N이 파스타 집에서 만나기 전 J와의 통화로 알게 된 내용이었다.

N과 J는 음식을 다 먹을 때까지 거의 아무 말도 나누지 않았다. N이 포크를 내려놓고 J를 건너다보았을 때 J는 접시에 남아 있던

식은 스파게티를 한꺼번에 말아서 입 속으로 밀어넣고 있었다. 그러고는 갑자기 그것을 마구 씹으면서 큰 목소리로 얘기를 시작했다. 발음은 불분명했고 뺨이 부풀려져 얼굴 표정도 무척 심술궂었다. 아버지 병원비를 대려면 돈이 필요해. 돈을 찾아내야 한다구. 우리한테는 아버지가 누구랑 어떻게 지내왔는지 아무런 정보가 없어. 솔직히 말하면 살기 바쁘다는 핑계로 부모 문제에 무관심했던 거지. 어쨌든 돈을 맡겨놓은 사람은 아버지만 알아. 근데 갑자기 말문이 닫혀버린 거야. 알겠니? 이건 추리소설이다. 아버지가 왜 죽음의 문턱에서까지 모든 것을 가족에게 털어놓지 않았는가, 그게 사건 해결의 열쇠가 되겠지? 한마디로 무능한 아들을 믿을 수가 없었던 거야. 그동안 입 속의 파스타가 거의 다 씹혀 목구멍으로 넘어갔으므로 마지막 말은 N의 귀에 또렷이 들려왔다.

회사로 돌아오자마자 J의 아내로부터 전화가 걸려왔다. J가 집을 내놓았다는 것도 그의 폭음으로 부부 사이에 말다툼이 잦아진 것도 N으로서는 처음 알게 된 일이었다. J의 아내는 마지막에 용건을 말했다. 아버지의 병원비를 분담하자는 거였다. 나을 수 있는 병도 아닌데, 우리집까지 팔 수는 없잖아. 그 말에 사려라고는 없었지만 틀린 말은 아니었다. J의 아내는 병이 길어지면 누구보다 환자가 고생일 텐데 큰일이라고 짐짓 한숨을 내쉬었다.

N이 병원을 향해 출발한 토요일은 더없이 황량하고 흐린 겨울 날씨였다. 하늘은 회색으로 낮게 내려앉았고 대기 속으로 차갑고 마른 바람이 이리저리 쓸려다녔다. 고속도로를 세 시간 달린 뒤 국도로 접어들자 N은 갓길에 차를 세우고 지도에서 병원이 있는 읍의 지명을 찾았다. 신설 대학이 하나 있어 찾기 쉬운 곳이었다. 얼

마 안 가 표지판에 그 지명이 나타나기 시작했다. 군데군데 오래전 시효가 지난 듯한 낡은 플래카드에 딸기 축제라는 글씨가 눈에 띄었다. 딸기가 많이 나는 고장인 모양이었다. N은 지저분한 닭털이 날리고 궤짝들이 쌓여 있는 시장을 끼고 돈 다음 조그만 우체국을 지났다. 사거리에서 우회전하자마자 시외 버스 터미널 건너편에 서 있는 4층 건물과 그 건물 외벽에 걸린 병원 간판이 눈에 들어왔다.

병실에 들어선 N은 아버지를 금방 찾지 못했다. 안쪽 침대 옆에서 어머니가 일어나 손짓을 해서야 거기 누운 쇠약한 노인이 아버지임을 알았다. 어머니 얼굴도 퍽 여위어 있었다. 아직 왼손은 움직일 수 있어. 어머니가 말했다. 그러고는 아버지의 왼손을 잡고 그의 귀 가까이로 입을 가져갔다. 여보, 내 말 들려요? 들리면 내 손 한번 잡아보세요. N과 어머니가 한참을 내려다보았지만 그의 손은 힘없이 늘어진 채 움직이지 않았다. 네가 한번 해봐. 어머니에게 이끌려 아버지의 손바닥 위에 올려놓아진 제 손을 N은 어색하게 내려다보았다. 아버지의 손을 잡는 건 너무 오랜만이었다. 그의 손은 혈행이 좋지 않아 뻣뻣하고 온통 각질이 일어나 있었지만 따뜻했다. N이에요, 아버지. 알겠으면 손 잡아보세요. N의 목소리에 그는 아내를 바라보던 흐리멍덩한 시선을 거두어 천천히 N 쪽으로 눈동자를 움직이기 시작했다. 그리고 N의 눈길과 닿자 얼마 동안 딸을 그렇게 바라본 채로 가만히 있었다. 그의 눈가가 조금 번들거린다고 느껴진 순간 N은 아버지의 손바닥이 자신의 손 쪽으로 천천히 오므라들며 전해지는 미미하고 친근한 움직임을 감지했다. 그것은 N을 희미하게 전율시켰다. N보다 조금 늦게 출발한 J가 병실로 들어선 것이 그때쯤이었다. J를 보자 아버지의 입에서는 사레라도 걸린 듯 커억, 소리가 나더니 심한 기침이 터져나왔다. J가 오면 항상 저러셔. 그것이 바로 아버지가 표현할 수 있는 가장 강렬한 감정적 반응이기도 하다는 게 어머니의 설명이었다.

주말인데도 다른 환자의 침대 쪽으로는 방문객이 전혀 없었다. 각기 침대 하나씩을 차지한 환자들만 창을 통해 비스듬히 들어오는 겨울 오후의 잔양 아래 죽은 듯 누워 있을 뿐이었다. 어머니가 침대 옆에 딸린 작은 철제 캐비닛에서 종이컵과 커피믹스를 꺼냈다. N과 어머니는 복도에 나가 냉온수기 앞에서 커피를 마셨다. 화장실 냄새가 조금 났지만 병실 안의 찌들고 썩는 듯한 역겨운 냄새보다는 나았다. 그사이 병원 생활에 익숙해진 어머니에게는 병원 안에서 일어나는 일들이 자신의 일상인 셈이었다. 아버지 병실에서 스스로 일어나 앉을 수 있는 환자는 가끔 간질 발작을 일으키는 정신박약 소년 혼자였다. 소년의 아버지는 농사일을 하러 나갈 때마다 어머니 없는 어린 아들을 방 안에 묶어놓곤 했는데 이제는 열여덟 살이나 되어 방 대신 병원에다 가두고 있었다. 밥 먹는 시간을 빼고는 헤벌린 입가로 침을 질질 흘리며 긴 팔을 내려뜨리고 멍하니 앞만 보는 게 소년의 일과였다. 소년의 옆 침대에 누워 있는 환자는 중풍 노인이었다. 환갑 넘어 재혼한 새 아내가 퇴직금과 재산을 가로채 사라지자 충격을 받아 쓰러진 노인이었다. 평생 교편을 잡아온 존경받는 영어 교사였지만 자식들에게 버림받아 이 병원까지 흘러오게 됐다는 거였다. 나직한 목소리로 환자들의 이런 저런 내력을 들려주더니 어머니가 말을 멈추고 손안의 종이컵만 한참 동안 내려다보았다. 다시 입을 열었을 때는 목소리가 떨려나왔다. 그래도 내 마음은…… 어찌 됐든 네 아버지를 내 손으로 보내게 돼서…… 내 마음은 편하다. 빈 종이컵을 들어 마시는 척하며 고개를 뒤로 젖혔지만 눈물은 어머니의 뺨으로 흘러버렸다.

짧은 겨울 해가 기울어 병실 안으로 긴 그림자를 드리웠다. N은 묵묵히 텔레비전만 올려다보던 J가 아버지의 침대 곁으로 다가앉는 걸 보았다. J의 손이 아버지의 왼손을 굳게 붙잡고 있었다. 아버지, 제 말씀 들어보세요. N도 침대 곁으로 한 걸음 다가섰고 캐비닛을 정리하던 어머니도 허리를 펴고 일어나서 벽에 등을 기댔다. J가 다시 입을 열었다. 아버지, 병원비 걱정은 마세요. 저희가 다 알아서 할 수 있어요. 하지만 아버지 재산이 남의 손에 있다면 찾아와야 할 거 아녜요. 제 말이 맞으면 손을 잡아보세요. 어머니와 J와 N의 시선이 집중되었고 아버지의 손이 스르르 쥐어지는 듯했다. 돈이 있다는 말씀인가요? 그럼 그렇다고 손 한번 잡아보세요. J가 어머니를 올려다보며, 잡으셨어, 라고 말했다. 그 돈 어디 있어요? 통장에 있으면 잡아보세요. 잡으셨어! 그럼 누구 이름으로 되어 있죠? 먼저 아버지 이름부터 시작할게요. 아버지 이름으로 돼 있으면 손 잡아보세요. 아니에요? 그럼 어머니 이름인가요? 아닌 모양이군. 아니야 이 정도 움직였으면 잡으신 건가? 아버지, 다시 한번 여쭤볼게요. 어머니 이름으로 된 통장이 있다, 맞아요? 틀려요? 손 잡아보세요. 잡으셨어요? 아니에요? J의 등 뒤에서 어머니의 목소리가 끼어들었다. 그것보다 먼저 어느 은행에 있는지를 물어봐야 되는 거 아니냐? 그러잖아도 께름칙하고 어설프고 떳떳치 못한 수수께끼 놀이를 끝내고 싶었던 J는 어머니에게 의자와 그리고 아버지의 손을 넘기고는 한 발짝 물러섰다. 여보, 그럼 은행, 보험 회사, 투자 금융 순서로 물어볼 테니까 맞으면 손을 잡는 거예요, 내 말 알겠어요? 그러나 무슨 영문인지 그는 아내의 질문에는 전혀 반응하지 않았다. 어머니의 재촉으로 다시 J가 나서서 몇 번 더 질문을 던져보았는데 이번에는 뭘 묻든 무조건 긍정의 뜻으로 손을 잡았고 그들은 완전히 혼란에 빠지고 말았다. 간병인이 문을 열고 들어서는 바람에 그들의 대화 아닌 대화는 거기에서 끊겼다. 아버지는 무척 지친 듯 눈을 감아버렸다.

환자들의 기저귀를 갈고 욕창을 소독하는 시간이었다. 먼저 영어 교사에게로 다가간 간병인은 거침없이 시트를 젖히고 환자의 아랫도리를 활짝 벌려놓았다. 어휴, 냄새야! 먹는 것도 없는데 웬 똥은 이렇게 자주 누어요. 자식들은 영영 안 올 모양이네. 갈아줄래도 기저귀가 있어야 말이지. 투덜거리는 걸로 모자라 거죽만 남아 흐물거리는 노인의 엉덩이를 한 대 때렸는지 혀 차는 소리 뒤에 찰싹 소리가 들려왔다. 얼굴을 잔뜩 찌푸린 J는 아버지 차례가 되자 얼른 일어서서 창 쪽으로 비켜났다. 간병인이 아버지의 아랫도리를 벗기고 물휴지로 엉덩이를 쓱쓱 닦기 시작했다. 오래전에 운동을 멈춘 아버지의 다리는 근육이 빠져나가 앙상한 나뭇가지 같았다. 탄성을 잃어 아래로 늘어진 마른 살갗은 희끄무레했다. 엉덩이는 오로지 뼈만으로 겨우 엉덩이의 형태를 유지하고 있었으며 욕창이 생긴 부분은 살이 깊이 패어 속에서부터 시커멓게 썩어들어가는 중이었다. 간병인이 반대쪽을 닦기 위해 아버지의 성기를 한 손으로 훌떡 밀어내자 더 이상 참지 못한 J는 복도로 나가버렸다. N은 간병인이 손을 놀리는 대로 그 반동에 의해 힘없이 흔들거리는 아버지의 성기를 천천히 바라보았다. 그것은 검고 시들고 지쳐 보였으며 주름투성이였다. 그러나 모든 일을 끝마친 뒤의 엄숙한 침묵 같은 것이 깃들어 있었다. 아버지의 성기는 N이 지금 갖고 있는 육체의 시작이었다. 그렇게 시작된 N의 육체의 모든 안팎은 농부가 땅을 경작하듯 아버지가 몸을 부려 세월 속에 거두어온 것이었다. 할 일을 마친 육체의 휴식은 존엄하다고 N은 생각했다.

그날 밤 J와 N은 부모의 집에서 잤다. 그 집은 N이 고등학생 때 아버지가 손수 설계한 집이었다. 그 시절처럼 N은 자기 방으로 들어갔고 맞은편 방에 J가 들어갔다. 안방에는 어머니 혼자였다. 어머니가 아버지의 여권 사진을 떼어서 준비해놓은 영정이 거실 벽을 향해 세워져 있었다.

아들에게

그는 자신이 아무래도 명(命)의 끈을 놓친 것 같다고 생각되었다. 살아온 여정도 쉽지 않았는데 마지막 가는 길의 고통까지도 피할 수 없게 되어 있었다니 자신의 삶은 분명 고귀한 것은 아니었다. 그는 스스로 조야(粗野)한 그릇임을 알고 있었다. 주어진 용적 이상의 것을 담기 위해서 그는 한순간도 쉬지 않았다. 지난 삶에 부끄러움은 없었고 지금의 처지에서는 그것이 단 하나 남은 그의 명예였다.

가족들이 궁금해하는 게 뭔지 그는 잘 알았다. 그들을 괴롭히고 있는 일들 때문에 그 역시 오랫동안 고통받았다. 이제는 늦어버린 일들이다. J에게 꼭 해주고 싶었던 이야기들도 이젠 그냥 지니고 떠나게 되었다. 그는 몇 년 전 어둠침침한 병실 안에서 J에게 눈물을 보이고 말았던 일을 떠올렸다. 사우나의 뜨거운 수증기 속으로 까무룩하게 쓰러지는 순간 그가 본 것은 무서운 어둠이었다. 정신을 차렸을 때는 손발이 축 늘어지고 머리가 조각조각 깨져나가는 듯했다. 함부로 굴려 막 균열되기 시작한 막사발로서 그는 너무나 무력했다. 그 끔찍한 무력감은 그로 하여금 자기 삶의 주인으로서의 패기를 완전히 상실하게 만들었다. 머리맡에서 그가 깨어나기를 기다리고 있던 사람에게 그는 자신을 맡아달라고 간절히 애원했다. 허약한 사람으로 다루어지자 비로소 그에게 휴식이 왔다. 비겁하고 안이했으며 떳떳하지 못한 선택이었다. 그러나 후회하지는 않는다.

처음 죽음이 문턱을 넘어서 한 걸음 다가왔을 때였다. 그는 어떤 암흑과 손을 잡더라도 반드시 살고 싶었다. 시간을 벌기 위해 먼저 돈 문제를 해결해야 했다. 잘못 선 보증으로 빚을 떠안은 것은 법적으로 그 개인이 아니라 그가 대표이사로 있는 회사 법인이었다. 회사를 내놓았지만 과중한 부채 탓에 쉽게 임자가 나타나지 않았다. 그는 인수자로 하여금 우선 자신의 개인 재산을 담보로 은행 융자를 받아 회사 부채를 갚게 해주고, 회사의 양도가 완전히 끝난 뒤에 인수자가 융자금을 은행에 갚도록 한다는 단서 조항에 사인해야 했다. 그러나 상대는 약속을 지키지 않았다. 상대가 은행 융자금을 갚지 않아서 담보로 잡힌 그의 부동산은 결국 경매를 기다리게 되었다. 그 일은 소송으로 이어졌다. 소송에서 이기지 못할 경우 막다른 처지에 몰린 그가 앞으로의 생활비와 치료비를 구할 방법은 새로운 사업을 일으키는 것뿐이었다. 두 가지 다 몹시 불리

한 싸움이었고 3개월을 선고받은 그의 몸 속에서 암세포는 그동안에도 끊임없이 증식을 계속하고 있었다. 가족에게 고통을 분담시킬 마음은 전혀 없었다. 도움은 다른 사람에게 청해야만 했다. 그것은 양쪽 모두에게 다 부당한 일이었다. 때로 가족들로부터 너무 멀리 떠나왔다는 느낌이 들 때 그는 자포자기하곤 했다.

그는 검은 물방울을 머금은 먹구름이 평생 자신의 머리 위를 떠난 적이 없다고 생각했다. 그것들은 그의 얼굴로 쏟아질 기회를 엿보며 그를 따라다녔다. 더 이상 저항할 힘이 없어진 그의 머리 위에서 점점 세력이 커지더니 결국은 검은 물방울의 무게가 구름의 내벽을 찢은 것이다. 음산한 폭우가 쏟아지고 있었다. 그는 잠깐 남의 우산 아래에 설자리를 빌려 비를 피할 작정이었다. 그가 등을 떠미는 대로 계속 걸음을 재촉한 J가 비가 그치는 순간에 안전한 곳에 당도해 있으리라는 생각만이 그에게 오한을 견디게 해주었다. 시우쇠를 달구기 위해 쉬지 않고 바람을 일으켜야 하는 풀무처럼 그의 머리는 오랜 세월 한 번도 차가워진 적이 없었다. 그는 궁리하고 궁리했다. 스스로 풀무질을 해서 도끼를 벼려 숲으로 가려 했다. 자신의 관을 짜기 위한 나무를 제 손으로 베려 하다가 그만 차가운 바람 한 줄이 이마를 찍어 눌러 쓰러져버린 것이었다. 그때 그의 귓속을 파고들던 폭우 소리는 혀가 오그라드는 저주의 주문이었다. 그에게는 거의 아무것도 남아 있지 않았다. 남아 있는 돈을 맡은 사람의 이득은 사소한 것이었다. 그것을 두고 시비할 마음은 없었다. 남녀의 정염이 남았기 때문이 아니라 처음부터 거래였기 때문이다. 그의 암을 처음 발견해준 내과의도 알고 있듯이 그의 몸은 성적으로 쓸모없게 된 지 10년 가까이 되었다. 그의 피가 탁해져 머리끝까지 흘러가 닿지 못하고 곳곳에서 막히면서부터였다. 이제 그런 일들은 일일이 기억하고 싶지 않았다.

며칠 사이 그의 머리 속에는 같은 장면이 반복되어 떠올랐다. 생시의 기억이 아니라 꿈인지도 모른다. 요즘 그에게는 모든 경계가 그다지 뚜렷하지 않기 때문이다. 어느 젊은 날이었다. 오랫동안 객지로 분주히 떠돌다가 설날이 가까워져 집으로 돌아오는 길이었다. 겨울 해가 뉘엿뉘엿 지고 있었다. 골목을 들어서는데 길다란 그림자가 따라 들어오던 기억이 났다. 지치고 피곤한 자신 못지않게 그림자도 구부정하고 느릿느릿 그를 뒤따랐다. 대문을 들어선 그는 마루 바깥의 유리문을 열려다 말고 문득 타일 바닥에 놓인 J의 작은 신발을 보았다. 그의 손바닥만한 크기의 파란색 천 운동화였다. 그는 불현듯 허리를 곧게 펴고 드르륵 소리가 나게 마루문을 열었다. J의 이름을 크게 부르면서 성큼 마루로 올라섰다. 급히 올라가느라 그의 발 밑에 아들의 작은 신발이 밟히는 것도 몰랐다. 부엌문이 열리면서 한복 치마 위에 흰 앞치마를 두른 웃는 얼굴의 아내가 먼저 나왔고 아내가 열어놓은 문을 통해 부침개 부치는 기름 냄새가 솔솔 뿜어져나오고 있었다.

그는 죽음 다음의 어두운 무(無)가 몸서리쳐지게 두려웠다. 그러나 그 밖에는 무엇도 그다지 아쉽지 않았다. 그가 이 생에서 하지 못한 일은 단 한 가지뿐이었다. 그는 아내에게 미안하다는 말만은 했어야 한다고 생각했다.

그날이 일요일이란 걸 그는 알고 있었다. 일요일 오전은 유난히 병실 안이 적막했다. 그의 아내도 일요일에는 오지 않는다. 병실 문이 열리는 것을 그는 아무 생각 없이 바라보았다. 들어온 것은 그의 딸 N이었다. 그는 N이 그의 눈 속에서 그가 평생을 두고 그토록 피하고자 했던 자기 불신과 고독의 짙은 어둠을 볼 수 있다는 걸 알았다. N은 모든 면에서 그의 기질을 물려받았다. 캐비닛에서 작은 대야를 꺼내 물을 떠온 뒤 수건을 적시는 N을 그는 물끄러미 바라보았다. N이 그의 몸을 조심스레 닦기 시작했다. 발가락 틈새의 흰 때를 닦아내고 눈곱을 불려 떼어내고 입술을 가만가만 눌러 닦았다. 똥이 조금 묻어 있는 기저귀를 새걸로 바꾼 다음 사타구니와 엉덩이도 닦기 시작했다. 모로 눕혀진 그는 무렴하고 쇠잔한 눈으로 건너편 벽을 바라본 채 딸에게 몸을 맡기고 있었다. 그는 말하고 싶었다. 편안하구나, 얘야. 이젠 정말로 쉬어야겠어.

J의 꿈

그의 몸을 닦은 뒤 아버지의 침대 옆에 앉은 N은 창가 쪽 노인의 자리가 깨끗이 치워진 것을 보았다. 토요일 밤을 넘기지 못한 모양이었다. N은 아버지 침대 밑에 달린 바퀴의 고정 장치를 풀고 그의 가슴에 붙어 있던 뇌파계의 흡반도 모두 떼어냈다. 그리고 아버지를 창가 자리로 옮겼다. 그는 잠시 혼곤한 잠에 빠져들더니 얼마 지나지 않아 긴 숨을 후욱 들이마시며 눈을 떴다. 잠에서 깨어날 때마다 그의 시선은 잠든 동안 놓쳤던 현실의 장면을 붙잡으려는 듯 병실 안의 사물들 위에 잠깐씩 머무르곤 했다. 그런 뒤에 안심한 낯빛으로 기운 없이 도로 눈을 감는 것이다. 그런데 웬일인지 그가 무엇에 홀린 듯 눈도 깜박이지 않고 한군데를 뚫어지게 바라보고 있었다. 얼굴이 크게 밝지는 않았으나 씻은 듯 맑았다. 오래전 헤어진 근친의 얼굴이라도 본 것처럼 편안하면서도 조금은 천진한 표정이었다. 무엇을 보는 것일까. N은 몸을 구부리고 그의 시선이 가는 방향을 좇았다. 그것은 햇빛이었다. 일요일 오전 병실의 유리창을 통해 들어온 겨울 햇빛이 창턱 위에 떨어져서 마치 희고 환한 물이 괴어 있는 것 같았다. N은 그의 중얼거리는 소리를 들었다. 그래, 이 햇빛, 이 일요일, 다시는 볼 수 없겠지. 하지만 괜찮아. 이젠 괜찮아. 무엇 때문인지 몰라도 N의 얼굴에서 갑자기 안경이 미끄러져 떨어졌다. 알이 깨진 안경은 그녀의 발 밑에 죽은 듯 엎드려버렸다. N은 그것을 집어올렸다. 조금 전까지 분명 제 얼굴의 일부였는데도 생소하기만 했다.

J는 다음 주말에 아버지를 다른 병원으로 옮기겠다고 어머니에게 말했다. 돈을 변통했던 것이다. 그러나 아버지는 갑자기 상태가 악화되어 다음 주말에는 J와 N을 알아보지조차 못했다. 깨어 있을 때에도 그의 눈은 사물의 움직임을 따라가지 않은 채 그저 열려 있었다. 출혈이 일어나기 시작하면 온몸의 피라는 피가 다 빠져버리는지 얼굴은 물론이고 눈꺼풀 속까지 새하얘졌다. 수혈로도 감당할 수 없게 되었다. 혈관의 움직임이 더욱 둔해지면서부터 무서운 속도로 손발이 붓기 시작했다. 팔다리에 붙은 것이 손발이 아니라 희뿌옇고 커다란 얼음 장갑에 얼음 장화 같았다. 부어오른 물 주머니 같은 피부는 얼음처럼도 보였지만 손으로 누르면 모양을 만들기 전의 반죽 덩어리처럼 움푹 들어간 채 언제까지나 그대로 있었다. 나중에는 퉁퉁 부풀어오른 살갗 위로 축축한 물기가 배어나왔다. 반대로 다리와 팔은 점점 앙상해져 눈을 두기에도 민망했다.

뼈가 완전히 드러나기 시작한 얼굴에는 살집이 모조리 빠져나가 마치 검버섯투성이의 얇은 피부를 간신히 입혀놓은 듯했다. 사람의 몸이라고 하기에는 너무나 기이했다.

J의 꿈: 추운 겨울 밤 어린 J는 아버지의 등에 업혀 꽁꽁 언 들판을 가고 있다. 큰집에서 제사를 지내고 돌아오는 길이다. 아버지의 발 밑에서 이따금 얼음 바스러지는 소리가 정적을 깰 뿐 사방이 어둡고 조용하다. 찬 바람이 한 번씩 몰아칠 때마다 J는 아버지의 목에 두른 팔에 힘을 주며 얼굴을 등판에 꼭 붙인다. 언제부터인지 옆에서 함께 걷고 있는 사람이 있다. 아기를 업은 여자이다. J가 바라보자 여자는 도망치듯 걸음을 빨리 하기 시작한다. 여자의 등 뒤에서 남자 아기가 J를 빤히 바라본다. 누구일까. 전혀 본 적이 없는 아기인데도 마치 자기 자신의 얼굴처럼 낯이 익다. 자꾸만 잠이 쏟아지고 추워져서 J는 아버지의 등에 더욱 달라붙는다. 그러나 어느 순간 아버지는 사라지고 J 혼자서 걷고 있다. 아기도 사라졌다.

N의 모니터. 뇌파: 뇌의 활동에 따라 일어나는 전류 또는 그것을 도출, 증폭하여 기록한 것. 뇌파 정지는 죽음을 의미한다.

그의 아내는 하루 사이에 그의 몸을 무섭게 부풀리던 부기가 싹 가신 것을 발견했다. 손발이 원래 모습대로 돌아와 있었던 것이다. 언제나처럼 복도에 나가 커피를 마시고 돌아와보니 전에 없이 그가 입을 벌리고 있었다. 손바닥으로 턱을 밀어보았지만 도로 벌어졌다. 그의 아내는 수건을 말아서 턱 밑에 괴어 그의 입을 다물게

한 뒤 물휴지로 얼굴을 닦기 시작했는데 한순간 이상하게도 손끝이 짜릿했다. 그는 눈을 뜨고 있었지만 뇌파계는 평행선을 흘려보내고 있었다. 눈을 감기고 의사를 부른 다음 캐비닛에서 깨끗한 옷을 꺼내 갈아입혔다. 두 손이 말할 수 없이 떨려왔다. 막 생명이 떠나간 그의 몸은 아직 따뜻했다.

양식당 플로렌스

그가 J의 집에서 떠나기 전날 가족 모두는 양식당에 갔었다. 그와 그의 아내, J 부부, J의 아들, N까지 모두 여섯 명이었다. 신도시에서도 30분쯤 더 들어가는 한적한 농가 뒤 언덕에 자리잡은 그곳은 이태리풍의 흰색 3층 목조 건물이었다. 창문마다 꽃을 매달았고 정갈한 테이블보 위에는 촛대가 놓였다. 테라스 자리에 앉으면 조금 멀리로 강이 흐르는 것도 내려다볼 수 있었다. 저녁나절 언덕 위의 건물에서 새어나오는 은은한 불빛은 막 당도한 사람들에게 강렬한 이국적 첫인상을 남겼다. 그들이 들어서자 정장 차림의 프런트 담당 매니저가 일어나 예약 손님인지 물었다. 아닌데요. 매니저는 대기 손님 명단에 J의 이름과 휴대전화 번호를 적은 다음 번호표를 내주었다. 자리가 나면 곧 전화를 드릴 테니 잠깐 산책이나 하다 오세요. 밖에도 돌아볼 곳이 많습니다. 세련되고 정중한 태도였다. 여름 저녁의 대기 속으로 상쾌한 바람이 돌아다녔고 가까운 숲에서 뿜어나오는 소나무 냄새가 온몸을 부드럽게 감쌌다. 덩굴장미 아치를 지나면 등나무 아래 하얀색 벤치가 놓였으며 허브가 자라는 향기로운 뜰도 있었다. 헛간 선반에는 그득히 쌓인 화려한 도자기 접시와 화분들이 보였다. 벤치에 앉은 그는 기분이 좋아 보였다. 손자에게 피렌체를 여행한 이야기를 들려주는 그의 목소리는 나직하고 다정했다. 할머니도 함께 갔었지. 근데 피렌체가 바로 플로렌스라는 거, 네 할머니는 아직까지도 모를 거다. 그의 아내는 모처럼 큰 소리로 웃었다. J와 J의 아내도 함께 외출하는 것은 오랜만이었다. 아들을 할아버지에게 맡기고는 조금 떨어진 나무에 기대고 서서 작은 소리로 얘기를 나누고 있었다. N 혼자 언덕을 내려와 건물 뒤쪽으로 천천히 산보를 했다. 플로렌스는 N이 지난봄에 자주 왔던 장소였다. 강변 도로에 이어진 자동차 전용 도로를 달려 N을 이곳까지 데려오곤 하던 남자는 플로렌스의 저녁 공기를 좋아했다. 심하게 다툰 날에도 이곳으로 차를 몰았다. 플로렌스는 세상으로부터 단절된 인공 낙원 같은 장소였다. 시간을 정지시켜놓은 채 서로 화해하고 사랑의 지속을 맹세하기에는 안성맞춤이었다. 그것이 양식당 플로렌스가 제공하는 가장 흥행성 높은 메뉴, 바로 환상인 것이다. 언덕 위에서 J가 N의 이름을 부르며 손짓을 하는 게 보였다. 날이 어두워져서 한 손을 쳐들고 있는 J와 그 뒤에 선 가족들은 검은 실루엣 같았다. N이 있는 쪽으로 걸어 내려오던 그림자들 가운데 가장 작은 그림자가 손으로 무언가를 가리켰다. 할아버지, 저게 뭐예요? N은 건물 뒤편에 쇠사슬로 울타리를 친 작은 무덤이 있다는 걸 알고 있었다. 왜 여기 무덤이 있어요, 할아버지? 짧은 순간 그림자들은 정지 화면처럼 모두 멈춰 섰고 들어서는 안 될 불길한 죽음의 풍문이라도 들은 듯 서늘한 긴장이 그들을 둘러쌌다. 글쎄다, 아마 이 식당 주인이 돈이 모자라서 이

땅은 사지 못했나 보다. 그가 재미있게 대꾸하자 가족들은 기다렸다는 듯이 일시에 크게 웃었다. 자칫 깨지는가 싶었던 화해와 행복의 환상이 복구되는 아슬아슬한 순간이었다. 그것이 연출된 것이고 또 이 시간만 지나면 사라지리란 걸 알고 있었지만 환상이란 그래도 필요했다. 환자 본인인 그에게도 역시 마찬가지였다. 플로렌스에는 손님들이 원하는 경우 폴라로이드 사진을 찍어주는 서비스가 있었다. J는 기꺼이 그것을 받아들였고 잠시 후 사진기를 든 종업원이 테이블로 왔다. 유쾌하게 웃는 표정의 그가 중심이 되었다. 왼편의 아내는 그에게로 몸을 기울였고 오른쪽에서 J 역시 활짝 웃고 있었다. 맞은편 자리에서는 아들의 어깨를 감싸안은 J의 아내가 미소지었으며 N도 애써 부드러운 표정으로 렌즈를 바라보았다. 기다리는 동안 배가 적당히 고팠던 그들은 즐겁게 얘기를 나누면서 따뜻하고 맛있는 음식을 먹었다. 그는 특히 스테이크를 칭찬했다. 후식으로 나온 과일 중에서 가장 탐스러워 보이는 딸기를 포크로 찍어 손자에게 주었다. 가족들이 먼저 나간 뒤 J가 프런트에서 계산을 했다. 폴라로이드 사진은 J 옆에 서 있던 N이 받아들었다. 이마를 약간 찡그리고 사진을 유심히 내려다보고 있는 N을 향해 J는 변명하듯 말했다. 거짓이라는 거지? 그래도 이게 마지막 사진이 될 거 아니냐. 하지만 N은 J의 모습이 너무나 아버지와 비슷해서 오래 보았던 것뿐이었다. 조금 뒤 두 대의 차가 플로렌스를 출발했다.

그의 가족들

장례는 그가 CT 촬영을 거부했던 바로 그 대학 병원의 영안실에서 치러졌다. 염을 한 다음에야 그의 가족 모두는 상복으로 갈아입었다. J의 곁에서 J의 어린 아들이 흰 두루마기 차림으로 함께 빈소를 지켰다. 친척을 빼고 조문객은 그리 많지 않았고 그가 후원했던 단체라거나 오랜 동업자들, 그를 평생 은인으로 삼겠다던 수많은 사람들은 전혀 보이지 않았다. 한 친척은 S병원에 대해 욕설을 퍼붓고 소송을 제기하지 않는 J를 꾸짖다가 취기를 이기지 못해 구석에서 잠들었다. 여든이 다 된 그의 큰누나가 가장 큰 소리로 곡을 했다. 어린 시절 그는 내성적인 소년으로 몸이 몹시 허약한데다 말까지 더듬었고 책상 앞에는 언제나 '좀더 나은 인간이 되자'라는 글귀가 붙어 있었다고 했다. 그의 아내 쪽으로는 친구들이 많이 찾아왔다. 그들은 그의 아내를 위로하기 위해서 부부의 공방살과 망자의 마지막에 대해 허물없고 악의 없는 농담을 던졌다. 살아 있을 때는 평생 마누라 호강시켜주고, 갈 때는 지긋지긋한 정까지 싹둑 떼어버리고, 이게 얼마나 좋은 남편이냐. 그것도 네 복인 줄 알아라. 밤이 깊어 J의 얼굴에 그늘이 짙어갈 때쯤 술 취한 문상객 하나가 빈소로 들어왔다. 부조금도 내지 않고 다짜고짜 영정 앞에 엎드려 아무렇게나 절을 한 뒤 J 앞으로 한 걸음 다가섰다. 그의 운전기사였다. 그가 전에 지시한 일이 있어서 그 일로 상의를 하기 위해 병원에 찾아갔었다고 말했다. 말씀을 못 하게 되신 줄은 몰랐어요. 운전 기사는 갑자기 머리를 숙였다. 미안합니다. 사장님이 시키신 일, 해결이 안 됐어요. 재판도 그렇고. 아마 상속권 포기를 하셔야 할 겁니다. 바로 그때 서울로부터 출발한 회사 동료들이 들이닥쳤고 J는 상주의 자리로 돌아갔다. 이틀 뒤 그는 선영에 묻혔다.

그의 아내는 다시 예전처럼 자주 친구들과 어울렸다. 칠순을 눈앞에 둔 그들은 스스럼없이 죽음에 대해 얘기했다. 오래 앓다 죽는 게 가장 큰 문제라고 입을 모았다. 딱 사흘만 누워 있다가 죽었으면 좋겠어. 그것도 안 하면 자식들이 서운하니까. 동의하는 웃음이 터졌고 쓰러진 지 석 달 만에 떠난 그도 제법 양심적인 편이라고 누군가 말해 웃음소리는 더욱 커졌다. 남편 생각이 많이 나느냐는 물음에 그의 아내는 아니라고 대답했다. 별로 모르겠어. 그래? 그럼 할 일 다하고 간 거네. 인생 한바탕 잘 놀고 툭툭 제대로 털어버리고 갔어. 실제로 그는 가족들에게 피해와 이익 양쪽에서 거의 아무것도 남긴 것이 없었다. 인간은 세상에 손님으로 왔다 가는 거라던 그의 말이 기억났다. 그는 농담을 잘했다. 내가 살아오면서 재미있는 건 다 해봤는데, 이제 재미있는 일이 또 있을 것 같지 않아. 그만 죽어야겠어. 그는 죽기 싫다는 말을 그런 식으로 했었다.

초여름 무렵부터 새 애인이 생겼지만 N은 이따금 가을 바다에 같이 갔던 남자를 생각했다. 그 남자가 다른 애인들과는 다르다는 걸 알고 있었다. 그는 드물게도 여자들이 좋아할 만한 점을 고루 갖춘 남자였다. N과는 섹스의 취향도 비슷했다. 그러나 그보다는 언제까지나 아버지의 죽음과 함께 기억된다는 점에서 N에게 가장 특별했다. 겉으로 보아 아버지의 죽음이 N에게 변화를 준 것은 아무것도 없었다. J의 아내는 여전히 N이 이기적이고 욕심이 많다고 믿었으며 그녀의 분방함을 은근히 선망하는 회사 동료들 또한 그녀에게 화려한 싱글이 되는 비결이 뭐냐는 따위의 단선적 질문을 던지곤 했다. N은 그들이 고독에 대해 잘 모른다고 생각했다. 아버지의 죽음 이후 만약 N이 달라진 게 있다면 고독을 무시하거나 이기려 들지 않고 자신의 천분으로 받아들이게 되었다는 점이었다. 더 꼽으라면 그것은 아버지와 잘 아는 사이일 것 같아 귀신들이 무섭지 않다는 것 정도였다.

J는 아침 운동을 하기로 마음먹었다. 새벽 어스름 속에 신발장을 열어본 그는 구석에서 새것으로 보이는 운동화 한 켤레를 발견했다. 옆면에 파란색 선이 세 개 그어지고 끈으로 묶게 돼 있는 흰 운동화였다. 그것을 샀던 기억은 나지 않았지만 신발은 발에 썩 잘 맞았다. J는 아파트 단지 뒤쪽으로부터 떠오르는 붉은 해를 바라보며 아침 이슬이 깔린 호수공원을 걸었다. 기분이 상쾌하고 몸이 가뿐한 것은 아마 신발이 편해서일 것이다. 그 신발에 알 수 없는 탄력과 온기가 있다고 생각하며 J는 걸음을 옮기고 있었다. 아들이 더 자라면 아들과 함께 걷게 되겠지만 지금은 혼자라는 게 나쁘지 않았다.

〔『문학과사회』, 2001년〕

저는 착한 여자가 아니고 또 솔직히 말해 착한 사람들을 그다지 좋아하지 않아요. 착하고 좋은 사람들, 그런 사람들이 살 수 있는 인생은 너무 뻔해서 조금도 부럽지 않습니다. 제 인생을 질식할 듯한 규격 속으로 밀어넣은 것은 바로 그 착하다고 하는 사람들이었어요. 자기들이 만든 틀 속에 들어가야 한다고 강요할 때는 언제이고, 뭐야, 이건 잘 안 맞잖아, 라고 구박하면서 한순간 쓰레기 더미 위로 가볍게 던져버리는 거죠.

딸기 도둑

딸기 도둑

저는 착한 사람은 못 됩니다. 착하게 살아야 한다는 강박 같은 것도 갖고 있지 않아요. 어릴 때에는 열심히 시골 성당에 다닌 적이 있었죠. 제가 다닌 성당의 수녀님은 하느님이 인간의 모든 죄를 용서해준다고 가르치고는 주일학교 아이들에게 매 주마다 지은 죄를 고백하도록 했어요. 영리한 아이들은 너도나도 죄를 고백해 용서를 받고 착한 아이가 되었지요. 저는 무슨 죄를 지었는지 아무래도 생각해낼 수가 없어서 한 번도 착한 아이라는 칭찬을 받지 못했습니다. 저 자신 착한 아이라는 생각은 해본 적이 없으니 억울할 것은 없었지만 용서받기 위해서 죄를 찾아내야 한다는 게 약간은 이상했어요. 수녀님의 가르침대로라면 신이 인간의 죄를 사할 수 있도록 인간들은 계속 죄를 고안해내야 하는 건가요? 그럴지도 모르겠군요. 혼잡한 주말 고속도로에서 갓길에 정차해 있는 견인차를 보면 그 비슷한 생각이 드니까요. 견인차는 사고를 신속하게 처리하기 위해서 곳곳에 웅크리고 있지만 사실은 누군가의 차가 으깨지고 부서지기를, 그러니까 남의 불행을 간절히 바라고 서 있는 거지요. 불행을 당한 사람을 도와주니 고마운 존재라고 해야 할까요, 아니면 타인의 불행을 기다리니 그 반대라고 해야 옳은가요. 때로 선과 악이란 건 참으로 불합리하게 얽혀 있는 것 같지 않아요?

저는 지금 어떤 사람들로 둘러싸여 있습니다. 수녀님처럼 저에게서 죄를 자백받으려고 기다리는 사람들이죠. 그러나 비록 착한 사람은 못 되지만 저는 그들이 주장하는 그런 죄는 저지르지 않았어요. 정말이지 기억에 없는 일입니다.

성선설은 맹자, 성악설은 순자, 이게 맞나요? 아니면 그 반대던가요? 시험 공부를 하면서 이름과 연관시켜 달달 외웠던 기억은 나는데요. '맹'자가 들어가서 어쩐지 사나울 듯한 맹자와 그에 반해 유순하고 온건할 것 같은 순자, 그 이름대로 따라가면 된다 이렇게 외웠던 것도 같고 그 이름과 반대로 생각하면 된다 이랬던 것도 같고. 문제 풀 때마다 매번 헛갈려서 애를 먹었었죠. 어느 쪽이 옳든 상관없습니다. 저는 어차피 공부와는 거리가 먼 학생이었고 또 고등학교를 졸업한 이후 시험과는 영 무관하게 살아온데다가 시험에 나온다는 사실말고는 누가 뭘 주장했든 관심이 없으니까요. 그리고 말이죠. 선과 악, 그게 시험 답안처럼 딱 정해진 것도 아니잖아요. 만약 제가 착한 일을 했다고 하더라도 그것은 제 시험 답안처럼 어차피 찍어서 맞힌 것뿐일 테지요. 자기의 삶에 가치니 아름다움이니 반드시 이유와 명분을 찾으려는 사람을 보면 짜증이 납니다. 결국 자기 하고 싶은 대로 하는 게 사람인데 말이죠. 아주 드문 일이지만 진정으로 선하게 살려고 애쓰는 사람을 본 적은 있어요. 근데 저한테는 그처럼 딱하고 지루한 일도 없더라구요. 그들은 도대체가 왜 그래야 하는지도 모르면서 무조건 착하게 사는 것이 옳은 일이라고 믿고 있었어요. 그들이 말하는 착하다는 것은 모조리 어른들이 아이들을 다루기 쉽게 하기 위해서 겁을 주었던 내용 그대로였고요. 솔직히 말해서 저는 가난이라든지 경멸, 배신, 부당한 대우 같은 데에는 참을성이 좀 있는 편이지만 지루함만은 정말 넌더리가 나거든요. 제 삶이 더 이상의 지루함은 받아들이기 어려울 만큼 권태로웠다는 얘기입니다. 오해는 하지 마세요. 심심한 걸 못 참아 우연히 택시에 합승한 남자를 간첩이라고 신고한다거나 머리에 빨간 리본을 단 여자 아이들을 유괴하는 따위의 괴팍한 충동은 없으니까요. 그렇게라도 해서 권태를 벗어보려고 했다면 이미 심각한 상태에서는 얼마간 벗어났다는 증거일 겁니다. 하지만 저는 무슨 일이 됐든 아주 조금씩밖에 움직이지 않는 그런 성격입니다. 끈끈이에 네 발이 달라붙은 채 말라 죽기를 기다리고 있는 파리 같다고나 할까요.

제가 가난이라든가 경멸, 배신 따위에 참을성이 있다는 얘기를 좀더 해보지요. 저는 11평짜리 낡은 임대 아파트에 살고 있고 월 70만 원 정도 받는 직장에 다니며 돈 많은 부모도 없으니 물론 부자는 아니지요. 하지만 텔레비전 드라마 속의 여자들같이 커튼과 침대 커버가 같은 천으로 통일된 방에서 살고, 대학생이거나 전문직 여성이고, 쇼핑은 백화점으로 다니고, 천장이 높은 카페에서 스테이크를 먹으며 데이트를 하고, 그렇게 산다고 해서 특별히 재미있을 것 같진 않아요. 물론 먹을 양식이 떨어지고 겨울에 방 안에서 얼음이 얼고 하는 정도라면 가난이라는 문제에 참을성을 갖는다는 게 좀 어리석고 화나는 일이겠지만 뭐 제 처지가 그 정도는 아니니까요. 저는 보잘것없는 현실을 극복한다든지 더 나은 미래를 추구한다든지 하면서 성실하고 건전하게 살아가는 타입은 못됩니다. 사실은 그런 일이 쉽게 이루어질 게 뭐냐고 생각하는 편이에요. 욕심 없는 마음, 작은 행복, 밝고 건강한 웃음 운운하는 설교는 더 질색이고요. 그런 설교들은 자기들의 기준을 가지고 내가 행복한지 아닌지까지 멋대로 정해서 가르쳐주려고 드는데, 행복이란 누가 가르쳐서 알게 되는 게 아니라 각자의 느낌이잖아요. 그러니 저는 텔레비전을 보며 이렇게 중얼거리고 마는 거지요. 너희들도 나만큼이나 지루하구나, 하구요.

저의 직장은 호수가 있는 공원 안에 있습니다. 새벽이면 부지런한 사람들이 뿌연 안개 속을 헤치고 조깅을 하거나 자전거를 타고, 한낮에는 노란 모자를 쓴 유치원 아이들과 유모차를 끌고 나온 여인들 목소리가 호숫가에 흩어집니다. 해가 질 때 공원은 가장 아름답지요. 벤치에 앉은 연인들은 밤이 되어가는 시각을 공유하는 기쁨에 손을 꼭 잡는가 하면 호수와 석양을 배경으로 말없이 걷는답니다. 가로등에 불이 밝혀지면 공기가 아늑해지면서 산책객들의 걸음이 느려져요. 휴일이면 캠코더를 든 젊은 아버지들이 아이들을 뒤쫓고요. 더운 여름날 저녁에는 다리 아래에 가족들이 모여서 바람을 쐬고, 그리고 겨울날 눈에 덮인 나무와 자전거 길은 도시 속의 조그만 설국 같아요. 그 아름다움과 휴식, 모든 사람이 다 평화롭고 화목하다는 듯한 풍경이 저한테 얼마나 지겨운지 모르실 겁니다. 혼자 오는 사람들조차 검은 선글라스를 끼고 모자와 레깅스로 멋을 내고 대개는 이어폰으로 음악을 들으며 걷곤 하지요. 텔레비전 드라마에 나오듯이 말예요.

제가 하는 일은 관리 사무실의 경리일입니다. 돈을 다루는 일은 언제나 뻔해서 하수구로 오염된 물을 버리는 일과 여러 가지로 비슷합니다. 건더기는 따로 모아두었다가 높은 자리 옆에 놓인 쓰레기통에 버리는 식이지요. 수시로 작은 눈가림과 불신과 소란이 생기지만 저는 장부를 깨끗이 정리하는 법을 대충 익히고 있습니다. 저는 또 사무실 안에 하나뿐인 젊은 여직원으로서 남자 직원들이 베푸는 일정한 관심과 경멸을 독점하고 있어요. 제가 노처녀이고 말수가 적고 젖가슴이 유난히 크고 점심을 잘 먹지 않는데도 뚱뚱한 편이고 남자가 있는 것도 같고 없는 것도 같고 저금해둔 돈은 좀 있을 것 같고 속옷은 검은색을 즐겨 입을 것 같고 몇 년째 한결같이 긴 생머리를 유지하고 있고 살결이 희고 다른 곳에 비해 발목이 가는 편이고 피곤하면 입술 주위가 잘 부르트고 남자 못지않게 기운이 센 편이지만 허리는 유연할 것 같고, 그 모든 것이 농담의 소재가 되지요. 그래서 저는 창밖을 무심히 보고 있을 때가 많은데, 마주 보고 웃으면서 자전거를 타는 연인들, 김밥을 나눠 먹는 가족들, 아이의 사진을 찍어주는 젊은 부부들을 향해 또 텔레비전 드라마를 볼 때처럼 중얼거립니다. 너희들도 지루함을 참고 있는 거지? 하고요.

특별히 좋아하는 것도 없고 바라는 것도 없고 남들이 열을 올리는 문제에 별 관심이 없는 저를 두고 온순하다고 생각하는 사람들도 있습니다. 손으로 잎을 붙잡으면 힘도 주기 전에 그대로 딸려 올라오는 모래밭의 잡초 같다고도 하더군요. 제가 만나온 남자들은 처음에는 저의 그런 점을 좋아했습니다. 아무 기호도 주장도 없는 저는 마치 물과 같이 그들이라는 그릇에 군말 없이 담기곤 했었지요. 그들 중에는 공원 내 자전거 대여소의 홀아비도 있었고 군입대를 앞두고 매점에서 아르바이트하던 휴학생도 있었고 일 년에 한 번 열리는 자연 보호 사진전 때마다 들락거리는 아마추어 사진작가와 꽃나무에 소독약을 치러 왔던 방역 회사 인부도 있었습니다. 그들은 자전거 타기를 가르쳐주겠다거나 사진을 찍어준다는 작은 선심, 노골적인 육담과 은밀한 제안, 그리고 남아도는 에너지가 뚜렷한 방향 없이 아무렇게나 발산되고 있음에 분명한 '당신의 멍한 표정에 묘하게 끌렸다'는 유치한 쪽지 등으로 제게 접근해왔고 저는 까다롭지 않게 응했지요. 그들은 각기 취미를 갖고 있었습니다. 어떤 사람은 재즈를 좋아했고 또 어떤 사람은 바둑이나 야구경기를, 기름진 안주와 함께 술 마시기를 좋아했습니다. 쳇 베이커라는 사람의 트럼펫 소리만 들으면 기분이 좋아지는 사람, 바둑 두는 일로 게으름과 무능을 변명할 수 있는 사람, 그리고 맥주잔을 쥐고 소리를 지르면서 야구 경기를 보면 화가 풀리는 그 사람들을 보면서 저는 조금의 즐거움이라도 누리기 위해서는 먼저 경험을 쌓고 기능을 익혀야 한다는 걸 알았습니다. 고기도 먹어본 사람이 즐기고 사랑도 해본 사람들이 자주 빠진다잖아요. 그러나 저의 경험 가운데에는 즐거움에 응용할 만한 것이 하나도 없었으므로 결국은 그 모든 남자들을 지루하게 만들었습니다. 그들은 저를 헤픈 여자라고, 또 둔하고 무식하다고 욕하며 떠났지요. 부당하게 생각하지도 않았고 그 남자들을 그리워해본 적도 없습니다.

한두 해 전 남자와 함께 산 적이 있었습니다. 몇 달 후에 남자는 아무 말 없이 가버렸죠. 일주일쯤은 저녁밥을 지어놓고 그를 기다렸던 것 같아요. 늘 저를 가엾다고 말하면서 저를 위해 아무것도 해주지 못해 미안하다고 푸념하는 것 빼고는 그런대로 견딜 만한 남자였죠. 관리 사무실의 안내 방송용 음향 시설을 점검해주었던 전기 기술자였는데 시골 본가에 있는 아내가 이혼만 해주면 곧 식을 올리자고 했지만 저는 별로 믿지 않았습니다. 그가 떠난 뒤 솔이 죄다 옆으로 누운 그의 칫솔과 손잡이가 부러진 우산과 밑창이 벌어진 헌 슬리퍼 따위 그의 물건을 버리면서 저는 그가 남기고 간 물건들이 아주 낡은 것뿐이란 사실을 깨달았습니다. 쓸 만한 것은 다 가지고 갔고 저를 포함해서 수명이 다한 것들만 버려둔 것이지요. 누군가와 함께 살다가 혼자가 되면 좋은 점도 있습니다. 혼자 밥을 먹는 건 싫지만 라면 끓이던 젓가락 하나와 냄비만으로 설거지가 끝나니 그게 편하고, 하나밖에 없는 의자를 눈치 보지 않고 차지하여 앉든 눕든 내 맘대로 할 수 있어 자유롭지요. 부엌칼을 자주 가는 버릇, 손을 오래오래 씻는 버릇, 흰옷 입기를 꺼린다거나 한밤중에 불을 켜지 않고 앉아 있는 버릇, 그런 데 대해 간섭을 받지 않아도 되고요. 또 가뜩이나 비좁은 세면대 위에 면도기니 남자 스킨 로션이니가 없으니 세수를 할 때 넓어서 좋기도 하고 화장실 사용을 아무 때나 할 수 있는 것만 해도 그렇답니다. 특히나 이 관계가 언제 끝날지 몰라 불안해할 필요가 없다는 게 가장 마음 편합니다.

남자가 떠났던 그때는 길 건너 고층 아파트의 신축 공사가 시작되던 즈음이었습니다. 저는 속옷이나 양말이 많지 않은 사람이 다 그렇듯이 빨래를 자주 하는 편이었는데, 베란다에 나가 빨래를 넌 뒤 아파트 공사 현장을 우두커니 건너다보고 서 있는 시간이 많았습니다. 깊은 밤 거푸집 위에 부은 콘크리트 냄새를 맡으며 공사 현장 주변을 느릿느릿 산책했던 적도 한두 번 있는 것 같아요. 땅을 파고 골조를 올리고 마지막 내장 공사를 끝마칠 때까지 모든 과정을 다 지켜보았던 거죠. 마침내 준공날이 다가와서 입주를 기다리는 새 아파트답게 복도 층층마다 휘황하게 불이 켜지던 날 그 불빛을 오래오래 바라보았던 기억이 납니다. 어두운 베란다 구석의 빨래 건조대에 한 손을 얹고 서 있던 제 얼굴에까지 그 불빛이 와 닿았던가요. 그때는 제가 밤의 유람선처럼 화려하게 불빛을 밝히고 있는 길 건너의 새 아파트에 들어가보게 되리라는 건 전혀 몰랐죠.

몇 달 전이었는지는 정확히 기억나지 않습니다. 그날 저녁 저는 길 건너의 슈퍼마켓에 갔었지요. 새 고층 아파트가 지어지면서 생겨난 대형 마켓이었는데 거기에서 고향 친구인 은혜를 우연히 만났습니다. 그때 저는 몇 종류의 소시지를 하나하나 들어보며 가격을 비교하고 있었는데 무심코 건너편의 정육 코너 쪽으로 얼굴을 들었다가 깜짝 놀랐습니다. 어린 시절 보건소 안집에 살았던 은혜 엄마가 서 있었어요. 언제나처럼 하얗고 고운 얼굴에 단정한 머리 모양 때문에 금방 알아보았던 거죠. 그것은 은혜 엄마가 아니라 그때의 제 엄마 나이가 된 은혜였어요. 하긴 거의 10년 만이니까요. 한참 만에야 겨우 저를 알아본 은혜는 생긋 웃으며 반가워하더군요. 길 건너 임대 아파트에 산다고 했더니 어머 그렇게 됐구나, 하며 판판한 이마를 살짝 찌푸린 채 고개를 몇 번 끄덕거렸고, 결혼 안 했다는 말에 아직도? 라고 안타까운 듯 눈을 동그랗게 떴고, 성당에 안 나간 지 오래라고 하자 자기 집 전화번호를 적어주며 일요일에 꼭 전화해, 하는 것이었습니다. 은혜는 일요일마다 널따란 고층 아파트에서 나와 증권 회사에 다니는 남편의 승용차를 타고 세 살 난 아들과 함께 성당에 간다고 했습니다. 은혜가 쇠고기 안심과 붉은 포도주와 제주산 먹갈치와 무공해 야채, 수입 음료 따위가 잔뜩 들어 있는 카트를 밀고 간 뒤 저는 덕용 포장의 라면과 파와 두루마리 화장지와 빨랫비누 석 장이 담긴 카트에 허리를 기대고 그 애의 뒷모습을 바라보았죠. 변한 게 별로 없다는 생각이 들었어요. 어릴 때에도 늘 칭찬만 받던 반듯한 아이였고 그런 아이들의 인생은 큰 굴곡 없이 계획대로 되어가게 마련이니 말이죠. 주일학교에서 수녀님은 처지가 다른 친구들끼리 수호천사를 맺어 서로 도와주고 보살펴주도록 한 적이 있었습니다. 은혜가 저의 수호천사였어요. 글로리아 이은혜. 늘 친절하긴 했어도 다른 친구들에게 하듯이 제 손을 잡고 다닌 적은 한 번도 없었어요. 그날 슈퍼마켓을 나오는 길에 영수증을 버리면서 은혜의 전화번호도 함께 버린 걸 뒤늦게 알았지만 상관없었습니다. 서로 격이 다른 아이들끼리 맺어놓는 수호천사라니, 얼마나 위험한 놀이였던지요. 한쪽은 위선을 익혔을 뿐이지만 다른 한쪽은 자기가 이 세상에서 어떤 존재로서 살아가게 되어 있는지 깨달았고 제 인생을 혐오하게 되었으니까요.

이따금 그런 질문을 해본 적이 있습니까? 나는 과연 착한 사람일까, 나는 좋은 사람일까 아닐까. 사실 그런 질문은 조금은 새삼스럽고 어색하게 들릴 수도 있습니다. 자기가 나쁜 인간이라고 생각하는 사람은 별로 없을 테니 색다른 답을 기대할 수 없을 것 같기도 하네요. 또 착하다는 기준을 어디에 둬야 할지 혼란스러울 때도 있겠고, 어쨌든 간단한 문제는 아닌 것 같습니다. 우리가 그런 질문을 하지 않는 이유는 무엇보다도 어른이란 존재는 자기가 착한 사람인지 아닌지에 별로 관심이 없기 때문인지도 모르죠. 그러나 어린아이들은 다릅니다.

어린아이일 때는 누구나 자신이 착하다고 믿고 싶어합니다. 왜냐하면 착한 아이만이 어른들의 사랑을 받을 수 있으니까요. 왜 있잖아요, 〈동물의 왕국〉 프로그램에서 눈도 뜨지 못한 캥거루 새끼가 세상에 나오자마자 어미의 주머니 속으로 걸어 들어가는 것처럼 그건 일종의 생존 본능일지도 모릅니다. 어른의 보호를 확보하는 것 외에 달리 살아갈 방법이 없는 아이들로서는 말예요. 꾸중을 들을 때마다 큰 소리로 우는 아이들만 봐도 알 수 있죠. 그 애들은 잘못을 뉘우쳐서 우는 게 아닙니다. 혹시 자기들이 착하지 않은 아이일까 봐 겁이 나서, 아니면 자기를 착하지 않다고 생각하는 게 억울해서 우는 거죠. 아이들에게는 자신이 착하지 않은 아이로 보인다는 사실이야말로 사랑받을 수 있는 밑천, 즉 생존의 조건을 잃어버리는 일이거든요. 사랑을 원하는 것은 모든 약한 존재들의 생존 본능이니까요. 그러므로 어느 날 착한 아이가 될 기회가 영영 사라져버렸음을 알았을 때, 그 아이의 절망은 포탄이 빗발치는 피난길에서 부모 손을 놓친 것만큼이나 심각한 일이었답니다. 겨우 아홉 살이었으니까요.

그날 딸기밭에 누구누구가 갔었는지는 잘 기억나지 않습니다. 확실한 것은 아버지, 뒷집 사는 양자 언니, 아버지가 다니는 운수회사의 젊은 사장 아저씨와 친구인 보건소 아저씨, 그리고는 젊은 여자가 두어 명 더 있었던 것 같아요. 아버지의 트럭 짐칸에 나무

평상을 신고서 모두들 그 위에 걸터앉았는데, 차양처럼 펼쳐진 여자들의 양산 아래로 둘씩 셋씩 짝을 지어 높은 목소리로 얘기를 나누며 갔었습니다. 상기 아저씨는 나중에 자전거를 타고 땀을 뻘뻘 흘리며 혼자 왔었고요.

딸기밭의 딸기를 본 순간 저는 넋을 잃었어요. 봄이 끝나갈 무렵에 엄마가 아버지 상에만 한두 번 올리는 하얀 접시 위의 붉은 딸기. 그 예쁘고도 귀한 딸기가 무나 배추처럼 밭고랑에 줄을 맞춰 지천으로 열려 있다니 믿을 수 없을 정도였죠. 톱니처럼 끝이 뾰족뾰족한 세 쪽짜리 초록 잎사귀 뒤에 숨어서 빨갛게 익어가고 있는 딸기는 정말 예뻤습니다. 더러 흙이 묻은 것도 있었지만요. 통통하고 붉은 딸기의 살을 처음 이로 콱 깨물었을 때의 그 한없이 부드럽고도 탱탱한 과육의 감촉, 달고도 시고도 어느 틈에 녹아 없어져 버리는 황홀한 맛, 꿀 같기도 하고 꽃 같기도 한 진하디진한 향기…… 저는 바구니 가득 담긴 딸기를 정신없이 먹기 시작했지요. 고구마나 밥이 아닌 딸기를 배불리 먹는다는 건 상상해보지 못한 일이었어요. 오직 딸기밭에서만, 그것도 단 하루 허락된 그 호사를 언제 다시 누릴 수 있을지 모르는 일이었기 때문에 저는 더 이상은 단 한 개도 먹을 수 없을 때까지 딸기를 먹었습니다. 바람이 불어 얼굴을 살살 간질였고 밭둑 너머 포플러나무의 머리 위로는 흰 구름이 지나가고 있었지요. 어른들은 남자 여자가 한데 어울려 하하호호 웃음소리를 내고 간간이 박수까지 치면서 언제까지나 이어질 듯한 즐거운 시간을 보내고 있었는데 저도 아버지와 양자 언니 사이에 어엿이 끼여 앉아 있었어요.

그런데 딸기를 다 먹고 났더니 아버지가 이렇게 말하는 것이었어요. 딸기 다 먹었으면 너는 그만 집에 돌아가라. 혹시 딸기를 너무 많이 먹은 벌이 아닐까 저는 너무나도 당황했습니다. 양자 언니가 코맹맹이 소리로 거들었어요. 상기 아저씨가 자전거 태워줄 거야. 버림받는 것만도 서러운데 언제나 기름이 덕지덕지 엉긴 더벅머리에다가 봄 여름 가을 세 계절을 늘 똑같은 옷만 걸치고 변소 푸는 일 같은 동네 허드렛일이나 하는 상기 아저씨한테 맡겨진다니 저는 더욱 싫었습니다. 아버지는 눈을 무섭게 치켜뜨고는 어른들은 갈 데가 있다니까! 버럭 소리를 질렀지요. 발을 질질 끌며 상기 아저씨의 자전거로 걸어가면서 저는 그대로 그만 넘어져서 다리라도 부러져버렸으면 좋겠다고 생각했습니다.

자전거가 막 출발하려는 순간이었습니다. 갑자기 보건소 아저씨가 이름을 부르며 손짓으로 저를 불렀지요. 그러면 그렇지. 얼른 소매로 얼굴을 문지르고 자전거에서 내려 어른들이 있는 곳으로 먼지를 날리며 타박타박 달려간 제게 보건소 아저씨는 조그만 보퉁이를 건네주었어요. 아저씨의 손수건 안에 가득 싼 그 딸기를 저와 동갑내기인 아저씨의 딸 은혜에게 갖다 주라는 거였지요. 물릴 대로 물린 저에게는 손수건 안의 딸기가 하찮고 천덕스럽고 얄미울 뿐이었습니다. 상기 아저씨가 그 조그만 보퉁이를 안장 옆에 묶었습니다.

한참을 달리다가 상기 아저씨는 솔밭 옆에 자전거를 세웠어요. 집까지는 꽤 먼 거리이고 포장도 되지 않은 흙길 위로 한 시간 가까이 페달을 밟다 보니 쉬어갈 만도 했겠지요. 햇빛은 뜨거웠고 먼지도 폴폴 일었고요. 딸기를 쌌던 손수건은 그 안에 든 딸기알의 울퉁불퉁한 모양을 따라 망울망울 온통 붉은 물이 들어 있었습니다. 풀어보니 딸기들이 서로 부딪치고 으깨져서 들큰한 냄새가 코를 찔렀는데요, 그 순간 이상하게도 저는 다시 딸기에 대한 맹렬한 탐욕을 느낀 겁니다. 거의 적개심과 같은 기세였다고나 할까요. 양손을 번갈아 움직이면서 으깨진 딸기를 모조리 집어 허겁지겁 입에 넣었으니까요. 상기 아저씨는 그렇게 딸기를 집어삼키는 제 모습을 뚫어져라 바라보고 있었습니다. 다 먹고 나자 아저씨가 말했지요. 이리 와봐, 아저씨랑 뽀뽀하자. 아저씨는 버둥대는 나를 무서운 힘으로 내리눌러 풀밭 위에 쓰러뜨리고는 지독한 냄새가 나는 더러운 입을 제 조그만 입술에 댔습니다. 그러고는 쪽쪽 소리가 나도록 빨아대는 것이었습니다. 땟국에 절어 새까만 손은 저의 치마 속으로 들어와 여기저기 더듬거렸고요. 저는 아저씨가 싫은 것도 싫은 것이지만 그보다는 아버지와 양자 언니가 미워서 발버둥을 치며 엉엉 소리내서 울었지요. 조금 후 아저씨는 저를 놓아주더니, 고 딸기 한번 달다, 하며 입맛을 쩍 다시는 것이었어요. 아저씨가 딸기밭에서 딸기를 거의 먹지 못한 건 사실이었죠. 다시 아저씨의 자전거 뒷자리에 올라타는 저의 온몸에는 정말로 기운이라고는 하나도 남아 있지 않았습니다. 바로 조금 전 일인데도 머릿속이 텅 비어서 모든 일이 다 긴가민가할 정도였어요. 요즘도 가끔 그런 증상이 나타나는데 아마 그때부터 시작된 것 같아요. 집에 돌아와서야 딸기 물이 든 손수건을 솔밭에 두고 그냥 왔다는 걸 알았습니다. 그 뒤로 한 이틀은 열이 나서 앓았던 기억이 나요. 착하지 않은 아이로서 어른의 보호 없이 살아가야 할 미래가 두려워 며칠 밤 악몽을 꾸었습니다. 저의 바람은 비밀이 지켜지는 일뿐이었습니다. 세상을 속이는 것 말예요. 차라리 조롱해버리는 방법까지는 아직 알 수가 없는 나이였으니까요.

이제 그의 이야기를 시작할 차례 같군요. 그가 언제부터 저의 집에서 함께 살기 시작했는지 역시 정확한 날짜는 기억할 수 없습니다. 분명한 것은 대형 마켓에서 은혜를 만난 며칠 뒤라는 거죠. 그날 그는 갑자기 찾아왔고 술을 청했으며 더불어 까다로운 조리를 해야 하는 안주를 요구했는데 저로서는 그 세 가지가 다 납득할 수 없는 일이었습니다. 제가 그에 대해 아는 것이라고는 앞집에 사는 남자이고 이따금 계단에서 마주치면 왜소한 상체를 옆으로 틀고 서서 길을 비켜주었다는 것 정도였어요. 벨 소리가 들려 문을 열었을 때 저는 솔직히 의아했습니다. 밤 시각에 전혀 모르는 사람이 현관 앞에 서 있어서 말이죠. 문득 오른쪽 눈썹 속의 검은 점이 눈에 들어오더군요. 저 점을 어디에서 봤더라. 층계에서 몸을 비키며 눈썹이 꿈틀할 때마다 함께 움직이던 눈썹 속의 까만 점이 떠올랐어요. 좁은 이마, 안경알 뒤의 처진 눈, 벌어진 코에 얇고 주름이 많은 입술, 정작 그의 얼굴은 전혀 기억에 없었던 거죠. 저는 뭐든 정면으로 보는 일이 별로 없으니까요. 술은 결국 그의 집 냉장고에서 나왔습니다.

지금까지 저는 누구와도 긴 얘기를 나눠본 적이 없습니다. 그날은 왜 그런 말들을 하게 됐는지 모르겠어요. 그가 저와는 친하지도 않고 또 아무 상관이 없는 사람이기 때문이었을까요. 사람들은 낯선 곳에서 자신의 진짜 모습을 더 잘 드러내는 법이잖아요. 우연히 들어가게 된 외딴 카페의 여주인, 포장마차에서 옆자리에 앉은 술꾼, 기차에서 나란히 앉아 가게 된 낯 모르는 사람. 어차피 그 시간이 지나면 상대를 다시 만날 일이 없기 때문에 비밀을 털어놓기에는 적당하지요. 그러나 그 한 가지 이유만이었다면 제가 비밀이랄 것까지도 없는 대수롭지 않은 저의 이야기를 꺼낼 리가 없었을 거예요. 제가 그에게 저의 지루함에 대해 말한 것은 어쩌면 그도 저처럼 착한 인간은 아니리라는 동질감 때문이 아니었나 싶습니다. 그의 아버지 이야기는 꽤 재미있었어요.

그는 장남 중에서도 아버지와의 사이가 심각하게 나쁜 장남이라고 했습니다. 말기 암 진단을 받은 아버지가 마지막 수술을 하게 됐다는 연락을 받고 병실로 갔다나 봐요. 병실에는 동생들이 먼저 와서 울고 있었는데 그걸 보는 순간 마음이 흐뭇했다지요. 너희들이 그래봤자 재산은 모두 장남인 내 차지일 테니 얼마나 잘된 일이냐 싶어서 말이죠. 예상대로 아버지는 통장과 여러 가지 문서들에 대해 얘기해주며 장남에게 상의를 해왔고요. 텔레비전 드라마에서 흔히 보듯이 임종이 다가오면 사이 나쁜 아버지와 아들의 형식적인 화해가 쉽게 이루어지니까요. 몹시 위험한 수술이니 수술 도중 발생하는 모든 불행한 사태에 의사들은 책임지지 않을 거라는 요지의 수술 동의서에 흔쾌히 서명을 하고 그는 그날 밤 두 다리 쭉 뻗고 후련하게 술을 마셨다고 해요. 다음날 병실에 가봤더니 뜻밖에도 의사들이 그 어려운 수술을 성공시켜놓는 바람에 죽었을 거라고 생각했던 아버지가 우뚝 앉아 있더라는 거예요. 이튿날부터는 곧바로 걷기 운동을 시작해 회복 속도를 과시했고요. 그 다음날은 같은 병실 환자들에게 장남이 얼마나 한심한 패륜아인지 설파하고 있더라죠. 그가 얼마나 화가 났을지 저는 상상할 수 있어요. 사람들은 불의나 부당함 때문이 아니라 자기 예상이 빗나갔을 때 가장 화를 내니까요. 그는 아버지의 패악에 대해 말했습니다. 결코 좋아할 수 없는 인간을 아버지로 생각해야 하는 게 모든 인생의 첫 번째 비극이라고 열을 올리더군요. 효도야말로 모든 일에 자기가 우선이고 또 남의 말 듣기 싫어하는 인간의 본성을 거스르며 거짓 복종을 강요하는 악덕이라고 주장하는 그의 말을 듣다 보니 아주 오랜만에 양자 언니와 함께 어딘가에서 잘 살고 있을 아버지 생각이 났습니다. 엄마는 막내인 남동생만이라도 아버지 집으로 보내서 키우게 하려고 했지만 양자 언니는 받아들이지 않았지요.

그의 말이 끝나자 저도 그에게 이런 얘기를 했었어요. 작년 어린이날이었을 겁니다. 전국의 모든 부모와 아이들의 3분의 2는 집 밖으로 나온 것 같더군요. 한결같이 어른 아이 구색을 갖춘 무리들이 북새통 속에 구경을 하고 사진을 찍고 뭔가를 먹고 깔깔 웃고 그렇게 해서 스스로에게 가정의 행복을 확인하고 과시하려 하는 것, 너무나 지겨웠어요. 사람들은 왜 건전하게 살아야 한다고 생각하는지 모르겠어요. 그 건전함의 기준이 적절하고 자신도 동의할 만해서 그런 건 아닐 거예요. 어쩌면 말 잘 듣는 아이의 선택과 같은 건지도 모르죠. 그게 속 편하니까, 그리고 그렇게 해야 남들에 비해 빠지지 않는 것 같고 사회로부터도 정당한 보호와 이익을 얻으니까. 이른바 선량한 시민의 권리는 전과자나 음주 운전자, 에이즈 환자, 술집 여자들의 권리보다 우선이니 말이에요. 그렇게 본다면 무리에 섞이는 것 역시 살아남기 위한 본능일 수도 있겠군요. 아무튼 저는 그처럼 행복의 깃발 아래 모여 찍어낸 듯 똑같은 소란을 피우는 가족이라는 행태에 넌더리나는 지루함을 느꼈습니다. 제 말을 듣고 난 뒤 그는 크게 웃음을 터뜨렸습니다. 그런 생각은 저처럼 무능하고 희망 없는 사람이 자기 인생이 나아지지 않는 데에 자기 잘못은 없다고 핑계를 대는 것일 뿐이라며 실컷 비웃는 것이었습니다. 경멸이나 배신 따위를 견디는 일 역시 이겨내지 못할 것을 미리 아는 사람의 교활한 자기 위안이라나요. 그리고 또 권태란 극히 소극적 형태로 표출된 불만일 뿐이라는 말도 했습니다. 무슨 말인지 잘은 모르겠지만 제 성격에 문제가 있다는 얘기겠죠. 그는 어렵게 말하는 것과 남을 비웃고 꾸짖는 일, 그 두 가지를 무척 즐기는 것 같았습니다. 한마디로 무척 잘난 체하기를 좋아하는 사람이었고 되는 대로 아무 얘기나 늘어놓으면서도 상대가 자기 말에 깊이 감복하고 있다고 제멋대로 속단해버리는 성격이었습니다. 저는 그의 얼토당토않은 궤변을 들으면서 그가 거들먹거릴 때마다 꿈틀거리는 눈썹 속의 검은 점을 빤히 바라보았습니다.

곧 이사를 가기 때문에 앞집 사는 제게 작별 인사라도 하려고 그날 밤 찾아왔다는 그는 얼마 후에 저의 집으로 아예 짐을 옮겨왔습니다. 아버지가 제때에 죽어주지 않아 돈이 떨어졌다고 투덜거리면서 말이죠. 하긴 계획대로 되지 않는 게 바로 인생이야, 라고 그가 짐짓 긴 탄식을 내뱉을 때 얼핏 은혜 생각을 했던 것 같네요. 그 사람과 나, 즉 우리와는 다른 종류의 사람들 말입니다.

함께 사는 동안 그는 두 가지 이유에서 돈을 벌지 않고 저에게 그 일을 양보했습니다. 한 가지는 자신이 돈을 벌려고 마음먹으면 지나치게 많이 벌 텐데 그렇게 되면 다른 돈 잘 버는 남자들처럼 바람을 피우게 돼 제 마음을 아프게 할 게 뻔하기 때문이라고 하더군요. 또 다른 하나는 제가 나태한 습관에 물들어 인생을 쉽게 생각할까 봐 배려하는 것이고요. 자신은 돈을 벌지 않아도 나태해질 위험은 없는 것이 인생관 자체가 무위도식이기 때문이라나요. 그

실천을 위해서 애써 돈을 벌지 않고 있으니 나태는커녕 무서울 정도로 인생을 성실하게 사는 것이겠지요. 그에 따르면 무위도식은 현대와 같은 경쟁 사회에서 찾아보기 힘든 자기 희생적 덕목이라더군요. 세속적 욕망을 벗어난 호연지기의 최고 경지이고요.

그가 집안일을 전혀 하지 않는 것 역시 저를 위해서 그렇다는 모양입니다. 진보적인 여성관을 갖고 있는 만큼 자신은 가사 노동의 가치를 높이 평가하는데, 가사 노동이야말로 고급 두뇌 운동이라서 치매를 막아주기 때문에 여성으로부터 그 권리를 빼앗는 건 파렴치한 일이라나요. 그렇다고 자기가 집안일에 전혀 참여하지 않는 게으른 사람은 아니랍니다. 여성의 성취 욕구를 각성시키기 위해 늘 정성껏 조리한 음식만을 섭취함으로써 집안일에 적극 참여하며, 자신은 겨우 미각을 단련시키는 정도의 부수적 이익만을 얻을 뿐이래요. 또 그는 정기적으로 보약을 먹어야 하는데 그 역시 제가 힘든 직장 생활을 하고 돌아와 병든 남자를 간호해야 한다면 너무 가엾기 때문이라고 합니다.

단지 저를 즐겁게 해주기 위해 그는 종종 화투를 칩니다. 물론 제가 지는 판에는 현금 거래가 이루어지지만 그가 잃을 경우 사행심을 경계하는 그의 입장에서는 성냥개비로 지불할 수밖에 없습니다. 다른 일과 마찬가지로 저는 화투를 잘 치지도 즐기지도 않습니다. 그런데도 화투를 치는 것은 순전히 저를 즐겁게 해주기 위해서이니까 대신 돈은 자기가 따는 게 당연하다며 잔뜩 눈썹을 모으고 있는 그의 강압적인 분위기 아래에서는 더 할 말이 없죠. 설사를 하거나 싹쓸이를 당하면 얼굴이 창백해지면서 속이 메스껍다고 화투판 앞으로 넘어지기 때문에 제가 게임을 중단하고 물을 가져와야 하며, 물을 한 모금 마신 다음에 언제나 곧바로 회복이 되긴 하지만 제가 이길 게 분명했던 그 판은 이미 무효가 되어 있곤 합니다. 그렇게 해서 늘 저는 돈을 잃는 것이죠. 돈이 다 떨어지면 외상이 시작되고 그 액수는 꼼꼼히 달력에 적혀서 합산됩니다. 제 생일이 되자 그는 선물 대신 그 돈을 변제해주더군요. 그렇게 큰 생일 선물 받아본 적 있냐고 큰소리칠 만큼 넉넉한 액수이긴 했어요. 천원 단위의 우수리는 거스름돈이라고 거슬러갔고 말이죠. 그처럼 그는 옳은 것과 옳지 않은 것을 바꿔놓았고 좋은 역할과 나쁜 역할을 정반대로 해석했으며 그 전도된 상황을 통해 저의 숨통을 조금씩 틔워주었습니다.

뭐든 끝까지 가지 못하고 중간에서 그만두는 성격이었지만 그는 담배만은 골초였습니다. 섹스를 하는 중에도 피웠어요. 한 손에 담배를 들고 몸을 움직이다가 가끔씩 체위를 바꾸고 싶을 때는 밑에 있는 저에게 그것을 건네주어 들고 있게 하지요. 또 한 가지 까다로운 점이라면 언제나 도깨비방망이처럼 표면이 우툴두툴한 콘돔만을 찾는다는 것입니다. 아마 그것을 뒤집어서 우툴두툴한 면을 여자 쪽이 아닌 남자 쪽 맨살에 닿도록 해서 쓸 순 없을까 궁리하는 것 같았습니다. 그는 제가 겪어본 남자 중에 가장 작은 성기를 가졌고 또 가장 끈기가 없으면서도 소란스럽기만 한 축이었어요. 섹스가 끝난 뒤 남자의 몸이 슬그머니 빠져나갈 때마다 저는 그런 생각을 하곤 했었습니다. 상대에게 붙잡혔을 때 제 몸을 작게 만들어서 도망치는 것 중에 가장 이기적이고 약은 것이 남자의 성기라고 말이죠. 그는 제 몸에 붙잡힐 만하면 어느 틈엔가 몸 안에 차 있던 것을 얼른 내뱉고 변신하여, 식어빠진 오징어 튀김처럼 풀이 죽어버리는 것이었습니다. 그런데도 자신이 과학의 발전을 바라는 유일한 이유는 줄자를 가슴에 품은 채 타임머신을 타고 변강쇠를 만나 겨뤄보고 싶기 때문이라고 하더군요. 설마 자기 자신에 대해 그 정도로 모르는 건 아닐 테죠. 그런 남자일수록 목욕탕 같은 데 가면 남의 것을 유심히 볼 것이 분명한데요. 열등감을 호승심으로 바꾸는 방식도 그답게 뻔뻔스럽다고나 할까요. 언젠가 그는 갓 스무 살짜리 순진한 아가씨와 결혼을 다짐하고 함께 잤는데 일이 끝난 뒤 아가씨가 약간 울먹이며 "오빠, 나 정말 사랑하는 거지?"라고 물었던 모양입니다. 그러자 그는 아가씨를 사랑스러운 눈으로 바라보며 "여자애들은 다들 같이 자고 나면 꼭 그걸 물어보더라"라고 대답했고, 그 아가씨가 당장 옷을 챙겨입고 자기 곁을 영원히 떠난 이유에 대해 지금까지도 이해하지 못하고 있습니다.

제가 만드는 음식이 주로 라면과 김치뿐이라는 데에 불평이 끊이지 않는 터라 저는 월급날 몇 번인가 그와 함께 외식을 했습니다. 한 번은 약속 시간에서 두 시간이나 지난 시각에 나타나더니 들어서자마자 입구 자리에서 아는 여자를 발견하고는 저더러 먼저 집에 가라고 하는 것입니다. 그의 주장에 따르면 상대의 삶과 자유에 대해 아무 요구도 하지 않는 비감상적인 관계에서만 두 사람은 행복하게 될 수 있다고 합니다. 에로틱한 우정이 공격적인 사랑으로 변질되지 않으리라는 것을 확신했기 때문에 나와의 동거라는 어려운 결심을 했다고 말이죠. 이것은 그의 말이 아니라 그가 몇 권 갖고 있는 외국 소설에나 나오는 말 같습니다. 곳곳에 밑줄이 쳐져 있는 것을 본 적이 있거든요. 그가 한글을 익힌 이유는 자기를 합리화하고 남을 질책할 말을 책에서 찾아내기 위해서인 게 틀림없습니다.

라면과 소시지를 즐겨 먹는 저에게 그는, 넌 방부제를 하도 먹어서 죽은 뒤에도 몸이 안 썩을 거야, 라고 악담을 퍼붓지요. 저는 우유는 먹지 않습니다. 그러므로 텅텅 빈 냉장고에 마지막까지 남아 있는 우유는 그의 차지입니다. 유통 기한이 지난 우유를 줄 때마다 그는 날짜를 확인하고는, 너 때문에 나는 외롭지 않게 됐어, 함께 지옥에 갈 여자가 생겼으니 말야, 라고 소리칩니다. 그런 다음 하는 수 없다는 듯이 그 우유를 마지막 한 모금까지 다 마시죠. 어느 일요일엔 담요와 이불을 빨아서 베란다 철책에 널고 들어오자 방바닥에 비스듬히 누워 있던 그가 저를 올려다보며, 너는 힘만 세지 그 힘으로 서커스 같은 데 자원해서 코끼리 역할로 돈을 벌 머리는 없더라, 라고 비꼬았어요. 조금 뒤 제 발이 그의 허벅지를 밟고 지나갔기 때문에 그로부터 일주일쯤 다리를 절었었죠. 밤마다 열찜질을 해야 했는데 제가 수건을 갈아줄 때마다 쉴 새 없이 투덜댔어요. 수건을 왜 이렇게 뜨겁게 하는지 모를 줄 알고? 여차하면 내 얼굴에 덮어버리려고 그러는 거지? 네가 왜 흰옷을 싫어하는지도 다 알아, 그건 살인마들의 공통점이라구, 흰옷은 피가 잘 튀고 빨아도 핏자국이 잘 안 없어지니까 무의식적으로 꺼리는 거야, 너 칼 가는 솜씨 보고 다 알았어, 그뿐인 줄 알아? 너는 악마야, 악마니까 밤중에 불도 안 켜고 그렇게 우두커니 앉아 있기를 좋아하는 거라구, 네가 사람이라면 내 다리를 밟았겠냐, 이 암사마귀, 밤에 날뛰는 걸 보면 악마와 암사마귀를 겸하고 있는 게 분명해, 그렇지? 이런 식으로 말입니다.

그는 잠이 아주 깊어서 한번 잠들면 절대 깨는 법이 없습니다.

잠든 그의 두 손목을 앞가슴께로 모아 머플러로 묶은 다음 머리통을 갈겨보았는데도 죽은 사람처럼 아무 반응을 보이지 않더군요. 그 뒤부터 잠든 그를 침대 밑으로 굴려 떨어뜨려보기도 하고 밤새 매트리스와 함께 꽁꽁 묶어두었다가 새벽에 풀어놓기도 했지요. 잠든 사이에 그의 손톱과 발톱을 모조리 깎아놓은 일도 있었어요. 그의 몸을 깔고 드러누워 있으면 저보다 체구가 작은 그는 얼굴이 찌그러지고 짓눌린 채 가까스로 숨을 색색 몰아쉬며 자는데 조금은 귀엽답니다. 다음날에는 물론 사소한 보복이 따라옵니다. 자기가 자는 동안 제가 노끈으로 목을 조르거나, 가위로 이불을 갈라 그 속에서 솜을 꺼낸 뒤 입을 틀어막거나, 혹은 딱딱 소리를 내며 자기의 뼈를 한 개씩 부러뜨리는 꿈을 꾸었다는 거예요. 그게 단순히 꿈이라면 어떻게 그처럼 생생할 수 있겠냐고 펄펄 뛰며 저를 악마라고 욕하는 겁니다. 하지만 저는 아무것도 기억이 안 납니다. 그것은 그의 꿈 속에서 일어났던 일일 뿐이고, 저는 그런 짓은 하지 않았잖아요?

그가 거의 매일같이 반복하는 말이 있습니다. 아침에는 '나 오늘 떠나'이고, 밤에는 '나 내일 떠나기로 했어'입니다. 저녁에 퇴근해 들어와보면 여전히 텔레비전 앞에서 웅크리고 자고 있지요. 하도 여러 번 반복되다 보니 그 말을 믿지도 않았지만 정말로 어느 날인가 그가 떠나고 없다 하더라도 아무렇지 않을 것만 같았습니다. 그가 무슨 일로든 죽어버린 뒤까지도 저는 여전히 제 곁에 있다고 생각할지도 모르겠어요. 그라는 사람은 기분 내키는 대로 아무 약속이나 했고 아무 결심이나 했고 그 모두를 전혀 지키지 않았으며 종내에는 일관성 있게 행동하는 사람들을 실컷 비웃었어요. 그가 우리의 관계에 대해 뭐라고 말했는지 아세요? '서로가 사이좋게 돌을 던지는 관계'라구요. 어떤 외국 가수가 부른 「비 오는 날의 여자」인가 하는 노래의 가사에 비슷한 내용이 있다고 합니다. 제가 그 노래를 모를 것이 뻔하니 아무렇게나 말하는 게 분명해요. 상관없어요. 서로 속이면서 그것을 서로에게 용인해주는 관계라는 뜻 아니겠어요?

은혜를 다시 만난 것은 역시 슈퍼마켓에서였습니다. 그날 저는 은혜에게 이끌려 48평짜리 고층 아파트에 들어갔습니다. 은혜네 집은 저의 눈에 새로울 게 하나도 없었습니다. 텔레비전에서 본 그대로였지요. 은혜의 표정에 들어 있는 무료함까지도 말이죠. 파출부 아줌마가 내온 음식이 과일이나 녹차가 아니라 고구마였던 게 좀 달랐다고나 할까요. 은혜가 지의 집에도 한번 놀러 오겠다고 했으므로 저는 함께 사는 남자가 있어 곤란하다고 대답했습니다. 은혜는 깜짝 놀라며 걱정과 꾸지람이 담긴 심각한 얼굴로 결혼할 남자니? 하고 물었어요. 아니. 제 입에서는 곧바로 대답이 나왔죠. 그 사람이라면 굳이 결혼을 하지 않고도 결혼에서 남자가 얻을 수 있는 모든 것을 얻는 방식을 택하는 게 당연하겠고요. 저로 말하자면 결혼을 하겠다느니 안 하겠다느니 거기에 대해 생각해본 적이 별로 없습니다. 그러나 그 사람 같은 남자와 결혼한다면 그것은 착한 여자들이겠지요. 저는 착한 여자가 아니고 또 솔직히 말해 착한 사람들을 그다지 좋아하지 않아요. 착하고 좋은 사람들, 그런 사람들이 살 수 있는 인생은 너무 뻔해서 조금도 부럽지 않습니다. 제 인생을 질식할 듯한 규격 속으로 밀어넣은 것은 바로 그 착하다고 하는 사람들이었어요. 자기들이 만든 틀 속에 들어가야 한다고 강요할 때는 언제이고, 뭐야, 이건 잘 안 맞잖아, 라고 구박하면서 한 순간 쓰레기 더미 위로 가볍게 던져버리는 거죠. 그날 제가 은혜의 집에 오래 있었던 건 아닙니다. 그의 억지나 투덜거림이 있는 곳, 그러니까 겉과 속, 중요한 것과 하찮은 것, 그리고 선과 악이 뒤섞인 전복된 상황 속에 있는 쪽이 저한테 더 편안한 일일 테니까요.

처음 은혜가 저의 집에 찾아왔던 날의 의아함을 이해하실 수 있을는지요. 그 애는 어린 시절 저의 수호천사였던 때와 같은 표정을 짓고 문 앞에 서 있었습니다. 손에는 조그마한 딸기 바구니를 들었더군요. 은혜가 집 안에 들어서자 풍경이 완전히 다른 것으로 바뀌는 느낌이었어요. 그렇지 않아도 좁은 저의 집은 그 애의 몸에서 나는 향수 냄새로 가득 차버렸고요. 흑백 화면이 컬러로 바뀌듯이 우중충했던 실내에 갑자기 색깔이 입혀지는 듯한 느낌도 약간 있었어요. 무엇보다 그 집에 사람이 셋이나 들어앉은 것은 생전 처음의 일이었습니다. 집에 찾아오는 사람도 없을뿐더러 저는 어쩐지 여러 사람을 한꺼번에 만나는 자리는 싫어해서 단둘이 만나는 쪽을 택해왔거든요. 낡은 물건들로만 가득 찬 집 안에 한 발을 딛고 선 은혜는 유난히 어둑신한 집 안을 둘러보며 무슨 비밀의 집 같다 애, 라고 어색한 첫마디를 던졌습니다. 그를 향해서는 보기 좋게 얼굴을 붉히고는 시선을 내리깔며 손님이 계신 줄 몰랐어요, 라고 짐짓 아무것도 모른다는 듯이 말하더군요. 은혜의 그 말에 그는 이유 없이 큰 소리로 웃어젖히는 것이었습니다. 은혜는 성당에 함께 가자는 말을 하고 싶어서 왔다고 했습니다. 어릴 때 성당에서 우린 참 친했거든요. 은혜의 말에 저는 고개를 끄덕였습니다. 그리고 또 그런 것이 낯선 남자를 대하는 정숙한 여자의 태도인지 은혜는 그에게 자기 이름을 말하지 않고 '글로리아'라는 영세명으로 자기 소개를 했어요. 은혜가 찾아온 시각은 아홉시 가까운 때였는데 열시가 지나자 아들이 깼을지도 모른다면서 자리에서 일어났습니다. 그러나 다음번에 놀러 왔을 때는 열한시 넘어서 갔고 그 다음번에는 한시에, 그리고 그 다음에는 다시 열한시쯤 돌아갔던 걸로 기억합니다. 시간이 많이 늦었다 싶으면 그가 은혜를 집까지 바래다주었고요. 그렇게 네 차례뿐 그와 함께 있을 때 은혜가 저의 집에 온 적은 더 이상 없었습니다.

그리 내키지 않았지만 두번째던가 세번째에는 셋이서 함께 가까운 노래방에 갔었습니다. 같이 사는 동안 몇 번인가 그를 밖에서 만난 적이 있었는데, 그는 늘 시간을 지키지 않는 것을 당연하게 생각하고 있었습니다. 남의 시간을 빼어서라도 자기의 시간은 아껴야 한다나요. 자기한테 있는 게 시간뿐인데 그것마저 아끼지 않으면 얼마나 가난한 존재이겠냐, 재산 모으는 데 반대하지 마라, 뭐 들으나마나 한 소리입니다. 어쨌든 그렇기 때문에 언제나 만나기로 약속한 시간이 되어서야 집에서 나오지요. 노래방 같은 데 놀러 갔을 때조차도 열심히 시간을 아낀다고 하더군요. 노래책에서 자기가 부르고 싶은 노래를 발견하면 언제라도 남이 부르고 있던 노래를 중지시키고 자기가 부를 노래의 번호를 누른다고 말예요. 자기가 노래할 때 따라 부르는 사람을 엄청나게 혐오한다고 하는데 언젠가는 친구 하나가 자꾸만 화음을 넣기에 그 입 속으로 마이크를 던져 명중시켰다는 믿기 어려운 얘기까지 했습니다. 그런데 은혜와 함께 갔던 날 그는 어쩐 일인지 마이크를 전혀 잡지 않고 노래 부르는 은혜의 모습만 하염없이 바라보더군요. 하긴 저도 그랬으니까요. 성가대원이라는 은혜는 천사처럼 노래했어요.

그 다음번 왔을 때에도 은혜의 손에는 또다시 조그만 딸기 바구니가 들려 있었습니다. 셋이 함께 딸기를 먹으며 은혜가 말했어요. 어릴 때 재 별명이 뭐였는지 아세요? 뭔데요? 딸기 도둑이었어요. 은혜는 그 말을 하고는 제가 무안할까 봐 그랬는지 입술을 깨물면서 자기 혼자 조용히 웃음을 참는 모습이었습니다. 귀여운 별명이죠? 라고 변명해주듯이 덧붙여 말하기까지 했어요.

딸기밭에 갔다 온 날로부터 며칠이 지나 저는 겨우 열이 내려 학교에 갔습니다. 수업이 파해 돌아오는 길이었어요. 보건소 앞을 지나는데 갑자기 유리문이 벌컥 열리고 보건소 아저씨가 나왔어요. 그러고는 깜짝 놀라서 우뚝 서 있는 제게 다짜고짜 묻는 거예요. 너, 은혜한테 딸기 갖다 줬냐? 딸기밭에 갔던 날 저녁 집에 돌아가서 이미 다 알았을 일을 두고 보건소 아저씨는 마치 정말로 모른다는 듯이 눈을 부릅뜬 채 계속 물었어요. 딸기 줬냐니까, 딸기, 은혜 딸기 말야. 저는 더듬거리며 가까스로 대답했어요. 아, 아니요. 그래? 아저씨는 그 말이 나오기를 기다리기라도 했다는 듯이 제 앞으로 한 발 스윽 다가오더니 고개를 외로 꼬고 제 눈을 똑바로 바라보며 말하는 거였어요. 그럼, 네가 먹었구나? 저는 온몸을 떨었고 입이 얼어붙어 아무 말도 할 수 없었죠. 좋아, 그러면 손수건이라도 돌려줘야지. 그 말에 갑자기 오금이 저렸는지 제 다리는 배배 꼬이기 시작했어요. 두 손을 양쪽 허리에 척 얹은 보건소 아저씨의 다음 말은 계속되었습니다. 네 아버지한테 가서 딸기하고 손수건 값 물어달라고 해. 안 그러면 넌 도둑이야, 도둑! 순간 온몸에 힘이 쭈욱 빠진다 싶더니 허벅지, 그리고 이어서 살비듬이 허옇게 일어난 맨종아리를 타고 느릿느릿 뜨뜻한 선 한 줄기가 그어졌고요, 이내 양말이 축축해졌어요. 그것을 본 보건소 아저씨는 실없이 웃고는 다시 유리문 안으로 들어갔습니다. 저는 신발 속에서 절벅거리는 무거운 발을 질질 끌고 엉거주춤한 걸음으로 집으로 돌아왔어요.

뒤란의 우물가로 저를 데려가 씻겨주며 엄마는 욕을 퍼부었습니다. 이 등신, 아홉 살이나 된 년이 똥오줌도 못 가려, 응? 대체 할 줄 아는 게 뭐가 있냐? 딸기밭에서는 네 아버지 끝까지 따라가라니까 왜 너만 혼자 왔어? 자전거 태워준다니까 환장했지, 오살할 년. 엄마가 사타구니를 일부러 세게 문지르는 걸 알았지만 저는 꾹 참아야 했어요. 똥까지도 못 가린다고 하는 거나 난데없이 딸기밭에서 내쳐진 일을 꾸짖는 것이나 억울하긴 해도 말이죠. 엄마는 늘 제게 심한 욕을 퍼붓곤 해요. '엄마!' 하고 불렀을 때 '응'이라고 대답해준 적이 한 번도 없습니다. 언제나 '왜, 이년아!'라고 대꾸하지요. 엄마가 제 엉덩이에 찬물을 좍좍 부어댈 때마다 저는 으헉 소리를 내며 몸을 떨었습니다. 그때 앞마당에 자전거 바퀴 멈추는 소리가 났는데 아마 저 혼자만 들었던 것 같아요. 제가 앞을 가리려고 두 손을 배꼽 쪽으로 모으자 엄마는 물에 젖은 등짝을 아프게 철썩 갈기며, 이년이! 팔을 들라니까, 하면서 찬물을 좌악 끼얹는 것이었습니다. 기어이 열린 부엌문을 통해 뒤란을 엿보고 있는 상기 아저씨와 눈이 마주치고 말았습니다. 저는 얼른 몸을 움츠렸지만 그 순간 엄마가 제 가랑이에 손을 넣어 아프게 씻었기 때문에 아야, 하고 소리치며 다리를 벌리고 말았습니다.

보건소 아저씨가 제게 딸기를 내놓으라고 다그치는 일은 다시는 일어나지 않았습니다. 그런데도 저는 하교길에 아저씨를 만나게 될까 봐 덜덜 떨었죠. 보건소 앞을 거치지 않고 집에 돌아가는 길은 없었기 때문에 저는 제가 도둑이란 걸 숨기기 위해서는 보건소 아저씨가 죽는 것밖에는 달리 방법이 없다고 생각했습니다. 그러나 비밀이 지켜지기를 빌었던 간절한 바람에도 불구하고 저는 바로 다음날 학교에서 돌아오는 도중 돌멩이를 한 개 맞았고 이어 딸기 도둑! 딸기 도둑! 하고 놀리는 조무래기들의 외침을 듣게 되었습니다. 아버지 심부름으로 양조장에 갔더니 양조장 할머니와 담배 가게 아주머니가 저를 보고 바늘 도둑이 소 도둑 된다고 친절하게 일러주더군요. 그나마 다행인 것은 그해 가을 상기 아저씨가 일자리를 찾아 이웃 마을로 이사를 간 것입니다. 사람들이 뜸한 골목 어귀 같은 곳에서 갑자기 나타난 상기 아저씨가 더러운 입술을 비벼대고 치마 속으로 손을 넣는 일을 더 이상 겪지 않는 것만도 얼마나 다행인지요. 저는 어쩌면 상기 아저씨가 사라졌으니 내가 나쁘고 더러운 존재라는 사실을 아는 것은 나뿐이고, 나만 뉘우치면 다시 좋은 사람이 될지도 모른다고 아이답게 어리석은 생각을 했던 모양입니다. 그래서 그해 크리스마스를 기해 한 동네 아이를 따라서 성당에 다니기 시작했던 것입니다.

은혜의 입에서 딸기 도둑이라는 말이 나왔을 때 저는 누군가 제 얼굴 살갗을 쭉 잡아당겨 껍질을 벗겨내는 기분이었습니다. 부드러운 살로 덮여 있던 얼굴 가죽이 찢어지면서 그 속으로 해골과 핏줄들이 섬뜩하게 드러나 보이는 저의 얼굴을 저 자신이 목격하게 된 나쁜 꿈 같다고나 할까요. 고등학교를 졸업하면 제가 어떻게든 동생들을 책임지리라고 기대했던 엄마는 쉽게 취직 자리를 얻지 못하자 욕을 퍼부었습니다. 다른 집 딸들은 동생들을 공부시키기 위해 술집에도 잘만 나가더라고 등을 떠밀었죠. 젖가슴이 유난히 큰 것을 빼고는 제 모습이 술집에 나가기에 적당한 용모가 아니라는 걸 엄마도 모르지 않을 텐데요. 사실 저는 스무 살, 그러니까 엄마가 죽은 뒤부터는 그전의 저와는 완전히 다른 사람이 되었다고 여기고 있었습니다. 동생들과도 인연을 끊어버렸으니까요. 그 일은 자세히 말할 필요도 없는 뻔한 이야기입니다. 어떤 영화를 보니 주인공이 지긋지긋하기만 했던 자기의 집과 가족과 그때까지의 자기 자신에게 불을 지르고 나서 고향을 떠나는 장면이 있더군요. 그것과 비슷한 과정을 거쳐 저는 새로운 사람이 되었던 것입니다. 은혜가 나타나서 현재의 저 속에다 과거의 저를 다시 살려내지만 않았더라면 말이죠. 마치 오래전 시간의 공모자가 나타나서 잊고 살았던 살인의 전과를 일깨워주는 것처럼 은혜는 눈부신 태양의 빛을 쓰고 나타나 저의 삶에 딸기 도둑이라는 그림자를 되살려놓았습니다. 저는 무엇엔지 공포를 느꼈던 모양입니다. 어린 시절 딸기밭에 갔다 온 그날처럼 이틀을 앓았습니다. 물컹하고 끈끈하고 검은 반죽 같은 그림자가 담을 넘고 벽을 뚫어가며 악착같이 저를 따라다니는 꿈을 반복해서 꾸었던 것 같습니다. 아무리 떼내려 해도 발꿈치와 등허리와 뒤통수로 옮겨다니며 어느 틈엔가 다시 내 몸에 달라붙어 있는 어둠의 존재—소름 끼치는 악몽이었어요.

그 일과 그가 조금씩 달라지기 시작한 일이 무슨 관계가 있는지는 모르겠습니다. 그는 이상해졌어요. 퇴근해 돌아오면 늘 자거나 텔레비전을 보거나 아니면 텔레비전 앞에서 자고 있거나 했었는데 이제는 책을 뒤적이기도 하고 상을 펴고 앉아서 공책에 뭔가를 쓰고 있거나 하는 것이었습니다. 그가 전에 무슨 일을 하던 사람인지 관심도 없었을 뿐 아니라 그 자신의 말대로 아무 일도 하지 않는 것이 당연하게 보였기 때문에 저는 그런 모습에 알 수 없는 불안과 그리고 적개심을 느꼈습니다. 지옥에 같이 갈 마음이 없어진 것이 아니라면 그는 건강을 위해서라며 아침 일찍 일어나 혼자 운동을 하고 커피 대신 녹차를 마시고 하는 따위의 건전해 보이는 일을 금방 걷어치워야 했어요. 그러나 그답지 않은 일은 매일같이 늘어갔지요. 음악을 듣기 시작했는가 하면 잘난 체와 잔소리와 농담하는 시간을 아까워하게 되었고 혼자 무슨 생각엔가 골몰해 있기 일쑤였어요. 심지어 제가 들고 간 밥상의 귀퉁이를 함께 잡아서 내려놓기도 하고 물을 갖다 주자 고맙다는 인사말까지 하는 게 아니겠습니까. 그는 절대로 남을 칭찬하는 법이 없었고 설령 칭찬을 한다 해도 그 공로를 칭찬받은 사람에게가 아니라 그것을 알아본 자신의 직관에다 돌리곤 했어요. 그가 하는 얘기에서 자기 자랑이 나오지 않았다면 그것은 아직 말 끝날 때가 멀었다는 뜻이죠. 그의 중요한 입버릇인 '저 새끼들 다 죽여야 돼'만 해도 그렇습니다. 그가 가장 좋아하는 텔레비전 프로그램은 고발 프로그램인데 시작하기 전 탁자 위에 물 한 잔과 담배를 준비하고 볼륨을 크게 높여놓고 자신의 흥분을 기다리는 그의 모습은 주인의 발소리를 듣고 일어난 돼지들이 꿀꿀이죽을 기다리는 것처럼 즐겁기만 합니다. 그가 뇌물을 싫어하는 것은 당연히 받아본 적이 없기 때문이죠. 그가 원조교제를 욕하는 것 역시 자기가 해보지 못한 재미있는 짓을 하는 녀석들이 꽤 많다는 데 약이 올라서이고, 환경 문제에 흥분하는 것도 사촌 중에 그린벨트 지역에 땅을 사두고 개발 제한이 풀리기를 기다리는 사람이 있는 탓이고, 사기 사건에 펄쩍 뛰는 이유는 자기보다 머리 좋고 배포 큰 놈들이 많다는 데 대한 질투 때문입니다. 그때마다 "저 새끼들 다 죽여버려!"라고 외치지요. 그래야만 그 사람이라고 할 수 있는 거잖아요.

저는 늘 그래요. 어떤 일은 자세히 기억이 나고 또 어떤 것은 기억이 잘 안 납니다. 은혜가 저의 집에 마지막으로 왔던 날은 똑똑히 기억이 나요. 토요일이었는데 그는 집에 없었고 저 혼자서 김치를 담기 위해 신문지를 깔아놓고 배추에 소금을 뿌리고 있었습니다. 은혜는 좀 여윈 것 같았습니다. 넌 내가 올 때마다 늘 뭔가 절이고 있구나, 하고 말하며 수척한 얼굴로 기운 없이 웃는 모습이 가을 들꽃처럼 한층 더 분위기가 있었지요. 마치 실연당한 공작 부인 같았어요. 지나가는 말처럼 제게 묻더군요. 너 그 사람 사랑하니? 글쎄, 난 그런 건 잘 몰라. 은혜는 제 대답을 듣는 것 같지도 않았어요. 나는 요즘 혼란스러워, 하면서 거의 혼잣말을 하는 듯한 말투로 자기 얘기를 시작했습니다. 은혜가 말한 건 대충 이런 이야기였던 것 같아요. 인간에게 사랑이 온다, 그러나 현실의 규범 속에서 허락되지 않는 사랑이다, 그럴 경우 어떤 인간은 변칙적이고 타협적인 방법으로 그것을 갖는다, 또 다른 어떤 인간은 갈구하면서도 자제한다, 그 둘 중에서 타협을 통해 원하는 것을 갖는 쪽의 인간은 저급의 인간일 것 같다, 좋은 인간이라면 자제하는 과정에서 더욱 아름다움을 느낄 수 있을 테고 숭고한 사랑으로 승화시킬 것이 아닌가, 그것이 바로 인간이 지향하는 선이 아닐까.

저는 은혜가 말하는 동안 그 애의 얼굴을 물끄러미 바라볼 뿐이었지요. 은혜 같은 종류의 사람들이 지향한다는 고급스러운 절제의 쾌락을 이해하기 어려웠어요. 굳이 신체적 고통을 자청하고, 더욱이 어려운 고통을 이겨낼수록 높은 점수를 얻는 운동 경기와 비슷한 원리일까요? 금지된 사랑을 남몰래 갖는 것은 안이하고 유치하고 게으른 선택이라니 그게 무슨 뜻이죠? 사랑이 생겨날 때까지는 아무 절제 없이 그 단맛을 즐겼던 사람들이 왜 그 다음부터는 자제해야 한다고 말하나요? 그런 것이 고급 게임이라는 건가요? 애초부터 저는 은혜가 말하는 고상한 이야기를 이해할 수 있는 처지가 아니었습니다. 은혜도 그것을 깨달았는지 무슨 말인가 더 하려다가 그만두고 아들 핑계를 대며 황급히 돌아갔고요. 아무튼 그 뒤로 저는 맹세코 은혜를 다시 만난 적이 없습니다.

사랑이나 용서, 저 같은 사람이 거기 대해 무엇을 알겠습니까. 수녀님이 저의 잘못을 용서해준 사건에 대해서나 얘기해보지요. 교리 공부 방에 놓여 있던 커다란 촛대만한 마리아 상이 없어진 일이 있었어요. 교리 공부를 하던 아이들은 열 명도 넘었지만 도둑이라는 의심을 받을 만한 사람은 저뿐이었습니다. 모두 다 제 별명을 알고 있었으니까요. 수녀님은 저를 따로 부르더니 자애로운 표정으로 제 머리를 쓰다듬었어요. 제가 뭐라고 말하려 하자 조용히 고개를 가로저으며, 아무 말 안 해도 괜찮아, 하느님은 모든 걸 다 용서해주신단다, 라면서 하느님 대신으로 저를 용서해주었지요. 용서를 받긴 했어도 저는 저를 용서한 하느님께 고마운 마음이라곤 털끝만치도 없었습니다. 다만 수녀님이 너무나 부드럽게 제 손을 잡아주었기 때문에 그만 고개를 푹 숙이고 말았지요. 죄에 대해서는 그도 저와 비슷한 생각을 갖고 있었습니다. 교회에서 하는 일 중 가장 마음에 안 드는 게 용서라고 볼멘소리를 하곤 했으니까요.

그는 신을 만나 직접 확인해보기 전까지는 신의 이름을 빌려 용서라는 것을 해주는 놈들의 위임권을 절대 인정할 수 없다고 일없이 거품을 물곤 했습니다. 그런데 그날 그는 공책에 이런 걸 끼적거려 놓고 자고 있더군요. '나는 비천한 포로요 죄인이다. 오, 나의 여신! 그녀의 고귀함과 아름다움만이 나를 용서하고 구원하리.' 어떻게 생각하세요? 이런 한심한 글귀를 쓴 사람이 설마 내가 아는 그일 리는 없잖아요. 그의 몸에 다른 사람이 들어와 사는 게 틀림없어요. 다른 사람이!

그들이 주장하는 대로 은혜가 간 뒤 얼마 되지 않아서 딸기를 사가지고 그 애의 아파트에 찾아갔던 것은 사실입니다. 아주 많은 딸기를 갖고 갔었어요. 딸기 따위는 너무 흔하고 하찮아서 훔칠 이유가 없다는 듯이 말입니다. 그러나 은혜를 만나지는 못했죠. 그 집은 불이 다 꺼져 있었고 사람의 기척이 없이 조용했거든요. 마음이 답답해져서 그곳 옥상에 올라가 잠시 바람을 쐰 다음 집에 돌아와 김치를 마저 담갔고, 그러고 나서 아래층 화단에 김칫독을 묻었을 뿐이에요. 그런 다음에요? 오래오래 손을 씻고 저녁밥을 먹고 나서 베란다에 널었던 빨래를 걷었지요. 국을 끓이려고 남겨두었던 마지막 배추 한 통을 칼로 가르다가 갑자기 어지러워져서 신문지 위로 쓰러졌던 겁니다. 왜 믿지 못하죠? 순간적으로 머릿속이 텅 비고 온몸에 기운이 하나도 없는 채로 기억을 놓쳐버리는 일이 전에도 종종 있었다고 말했잖아요. 정신을 차려보니 그들이 저를 둘러싸고 있었지요. 그들이 대체 무슨 상상을 했는지 아세요? 제가 은혜의 목구멍을 딸기로 막아버린 뒤 온몸을 딸기로 짓이겨 아파트 옥상에서 밀어 떨어뜨렸고, 그런 다음 집에 돌아와서 잠들어 있는 그의 배를 마치 배추통처럼 칼로 갈라 김칫거리를 절이듯 소금을 뿌려 구덩이에 던져넣었다고 생각하는 모양입니다. 어째서 그런 상상을 하죠? 은혜와 그가 실종된 것이 제 잘못이라도 되나요? 그리고 전에 함께 산 적이 있는 전기 기술자의 행방이 저하고 무슨 상관이죠? 길 건너 고층 아파트의 시멘트 골조 사이에서 그의 시신이 부패된 채 발견되기라도 했단 말인가요? 저는 공사 현장 근처를 산책했을 뿐이에요. 군대에서 죽은 대학생, 그리고 소식을 알 수 없는 사진 작가와 방역 회사 인부, 그들이 이 세상에서 사라져 버린 것까지 어째서 저와 관련이 있다고 생각하는지 저는 정말 이해할 수 없습니다. 그들의 말대로 저와 관련이 있는 남자들이 모두 실종되거나 죽었다면 상기 아저씨와 보건소 아저씨가 그렇게 된 것도 제 탓인가요. 상기 아저씨는 어느 겨울날 길바닥에서 술 취해 자다가 얼어 죽었고 보건소 아저씨는 제가 중학교를 졸업하던 해 복어탕을 잘못 먹어 피를 토하고 죽었습니다. 그것도 다 제가 한 짓이란 말인가요. 저, 은혜가요?

그래요. 제 이름도 은혜예요. 우리는 둘 다 은혜였죠. 은혜에게는 글로리아라는 다른 이름이 또 있지만, 수녀님이 주기도문과 사도신경과 성모송을 외우지 못한다고 끝내 영세받을 기회를 주지 않았기 때문에 저는 다른 이름은 가지지 못했어요. 아주 오래 전 봄날이었는데요, 하느님의 은혜로 태어난 아이라는 뜻으로 은혜라는 이름을 지어 붙였던 은혜 할아버지는 손녀를 호적에 올리기 위해 읍내로 가던 길에 저의 아버지와 마주쳤습니다. 아버지는 몇 달이 지나도록 깜빡 잊고 있었다며 저의 출생 신고도 같이 해줄 수 있겠냐고 물었죠. 자애롭다고 소문난 은혜 할아버지는 흔쾌히 허락했지만 막상 읍사무소에 도착했을 때에는 아버지가 일러준 제 이름을 기억해낼 수가 없었습니다. 먼저 은혜를 호적에 올린 읍사무소 직원은 아무렇게나 쓰면 어때, 라고 생각했는지 제 이름이 들어갈 빈 칸에도 똑같은 이름을 적어넣었어요. 그렇게 해서 저는 호적에 등재된 이름을 쓰는 초등학교 시절 이후로 은혜와 똑같은 이름으로 불리게 된 것입니다. 세상에는 선과 악이 섞여 있듯 은혜에도 온갖 종류가 있으니까요.

다시 또 말하는데, 저는 그들을 죽이지 않았습니다. 그들은 아마 어딘가로 함께 떠나는 중일 거예요. 기차나 비행기를 타고. 그 사람도 은혜에게만은 친절하겠죠. 당연한 일이잖아요. 아마 은혜가 앉을 의자의 먼지를 떨어주고 식당에서 은혜의 앞에 숟가락을 놓아주고 밤 공기가 차다고 점퍼를 벗어 은혜의 어깨에 걸쳐줄 거예요. 멋진 곳을 구경시켜주고 듣기 좋은 말들을 속삭이고요. 또 맹세도 하고 눈물도 보이겠죠. 그때마다 오른쪽 눈썹 속의 검은 점이 꿈틀 할 테고. 저는 괜찮아요. 누군가 떠나는 것이라면 지금까지도 그래왔던 일이니까요. 부당하게 생각하지도 않고 그리워해본 적도 없습니다. 마지막으로 하고 싶은 말이오? 그가 더 이상은 좋은 사람이 되지 않았으면 할 뿐이에요. 행복을 빈다는 말 따위는 하지 않아요. 다시 말하지만 저는 착한 사람은 못 됩니다. 딸기 도둑이잖아요.

〔『세계의문학』, 2001년〕

사과 역시 자기들끼리 닿아 있는 부분에서부터 썩기 시작한다는 걸 알았다. 가까이 닿을수록 더욱 많은 욕망이 생기고 결국 속으로부터 썩어 문드러지는 모양이 사람의 집착과 비슷했다. 갈색으로 썩은 부분을 도려내봤지만 살이 깊게 팬 사과들은 제 모양이 아니었다.

내가 살았던 집

내가 살았던 집

출장

마감 뉴스가 끝난 뒤 그녀는 리모컨을 눌러 텔레비전을 껐다. 그때 첫번째 전화벨이 울렸다. 그녀는 벽시계를 한 번 올려다본 뒤 전화를 받았고 곧 끊었다. 짧은 통화였다. 천천히 옷을 벗고 욕실로 들어가는 그녀의 표정은 약간 피곤해 보였다.

샤워를 하는 동안에 다시 벨이 울렸지만 그녀는 받지 않았다. 전화벨은 욕실에서 나와 몸을 닦고 있을 때, 그리고 목욕 가운의 띠를 매는 등 뒤로 두 번 더 울렸다. 마지막 벨이 울렸을 때에야 그녀는 전화기 쪽으로 천천히 몸을 돌렸다. 여보세요, 그녀의 목소리는 나직했다. 그 다음 말은, 아니, 그러지 마, 였다. 고개를 약간 저었으므로 머리카락을 타고 물방울이 흘러내려 어깨 위로 뚝뚝 떨어졌다. 그녀는 한 손으로 머리카락을 모아 쥐며 같은 말을 한 번 더 반복했다. 그러지 마. 그 세 마디 말만으로 전화기를 내려놓고는 코드를 뽑았다.

유난히 잠이 오지 않는 밤이었다. 딸이 키우는 햄스터 두 마리가 쉴 새 없이 쳇바퀴를 돌리고 있었다. 새끼를 밴 암컷이 수컷보다 되레 더 활달해 보였다. 그녀는 냉장고에서 상춧잎을 꺼내 햄스터의 집에 넣어준 뒤 베란다에 나가 담배를 피웠다. 건너편 아파트 동에 불이 켜져 있는 창은 꼭 다섯 개였다. 잠들지 않은 사람의 그림자가 어른거리는 곳도 있었다. 바람이 조금 불었고 자동차 한 대가 주차할 자리를 찾지 못해 화단 근처를 이리저리 돌아다녔다.

새벽 세시 넘어 그녀는 얼음을 섞지 않은 위스키를 석 잔 연거푸 마시고 나서야 겨우 잠들 수 있었다. 잠결에 누군가 부르는 소리를 들은 것도 같았지만 잠이 깨지는 않았다.

눈을 뜬 것은 여섯시가 조금 넘어서였다. 여행 가방에 옷 몇 벌과 세면도구, 실내 슬리퍼를 챙겨넣은 다음 세수와 화장을 마쳤다. 딸의 방에서 예약 기능에 맞춰진 브리트니 스피어스의 「베이비 원 모어 타임」이 들려왔으므로 그녀는 일곱시가 된 것을 알았다. 중학생이 된 이후 딸은 요란한 자명종 소리에 떠밀려 아침을 시작하고 싶진 않다고 했다.

비행기 출발 시각은 아홉시 삼십분이었다. 그녀는 일곱시 삼십분에 택시를 불렀다.

택시가 도착했다는 전화를 받고 막 현관문을 나서려는데 욕실에서 딸의 목소리가 들려왔다. 엄마, 잠깐만…… 허리를 구부리고 방금 신었던 구두의 장식 고리를 벗기는 그녀의 이마에 주름이 잡혔다. 욕실 문 뒤쪽에 딸은 검붉은 핏자국이 얼룩진 팬티를 벗어들고는 멍한 표정으로 서 있었다. 첫 생리가 시작된 거였다.

그녀는 서둘렀다. 택시를 향해서 걸음을 급히 옮기던 그녀는 아파트동 입구에서 하마터면 미끄러질 뻔했다. 일층집 화단 울타리 안에서 뻗어나와 며칠째 탐스럽게 피어 있던 줄장미 덩굴이 무슨 영문인지 반나마 꺾여 있고 붉은 꽃송이들이 바닥 여기저기에 함부로 흐트러져 그녀의 구두에 밟혔던 것이다.

신도시를 빠져나온 택시는 자유로에 진입하고 얼마 안 가 발목이 묶였다. 도로 위에 빽빽하게 들어찬 자동차들의 행렬이 끝도 보이지 않았다. 욕설을 섞어가며 투덜거리던 운전 기사가 무선 통신 리시버를 귀에 꽂은 채 짜증 섞인 목소리로 말했다. 사고래요. 어떤 놈이 하필이면 바쁜 출근 시간에 사고를 내.

그녀는 손목시계를 보았다. 출장지에 이미 미팅 약속이 잡혀 있는 현지 출판사, 그녀의 안내를 기다리고 있을 북 페어 방문단이 떠올랐다. 만약 비행기를 놓치면 체재비 없이 항공료와 호텔비만 대면서도 출장 떠날 때마다 생색을 내는 젊은 사장은 시말서를 요구할 것이다. 그녀는 계약직인데다 나이도 많았다. 차에 탄 사람들은 모두 다 사고를 낸 익명의 운전자 한 사람을 비난하고 있었다. 그녀도 사고 현장 쪽을 짜증스런 눈길로 바라보았다. 붉은 구름이 낮게 깔려 하늘은 아름다웠다. 30분이 넘도록 정체는 풀리지 않았다.

그녀는 공항에 도착하자마자 뛰어야만 했다. 일행들이 출국 게이트 앞에서 안절부절못하고 기다리고 있었다.

그녀의 좌석은 선글라스를 머리띠처럼 이마 위쪽에 올린 젊은 여자의 옆자리였다. 자신을 아동 출판물 디자이너라고 소개한 뒤 여자가 물었다. 에이전시 일을 하시면 도서전에 자주 참석하시겠네요? 네, 네댓 번 나갔었어요. 결혼은 하셨어요? 아뇨. 혼자 딸을 키우고 있어요. 여자는 잠시 어리둥절한 표정을 짓더니 슬그머니 창밖으로 시선을 돌렸다. 상대를 난처하게 할 마음은 없었지만 그녀는 미혼모라는 사실을 돌려 말하고 싶지 않았다.

그녀와 일행들은 프랑크푸르트에서 비행기를 갈아타고 볼로냐로 갔다.

호텔에 도착한 것은 늦은 오후였다. 일행들은 짐을 푼 뒤 바로 시가지를 구경하러 나간다고 했다. 열여섯 시간의 비행이 몹시 피곤했던 그녀는 방에서 쉴 작정이었다.

호텔 방은 좁고 낡았지만 깨끗했다. 먼저 여행 가방 안에서 세면도구와 화장품을 챙긴 뒤 옷을 벗고 욕실로 들어갔다. 양치질을 하다가 무심코 팔이 젖가슴을 스쳤을 때였을까. 뭔가 차가운 것이 닿았다고 느껴졌다. 손목을 가슴 쪽에 갖다 대보니 그 차가운 것은 젖꼭지였다. 한 손에 칫솔을 들고 치약 거품을 입에 문 채 그녀는 거울에 비친 자신의 젖꼭지를 물끄러미 바라보았다.

새 속옷으로 갈아입은 그녀는 자기의 슬리퍼를 꺼내 신고 깨끗하게 손질된 시트 위에 몸을 뉘었다. 침대머리에 비스듬히 등을 기댔다. 어느 방에선가 희미하게 물소리가 들릴 뿐 이국의 작은 호텔은 다른 세상처럼 조용했다. 그녀는 천장의 조그만 얼룩을 아무 생각 없이 올려다보고 있었다. 떠나왔다는 느낌은 공간에 대한 것만이 아니었다. 그녀를 떠밀어온 모든 감정과 책무, 삶을 속박했던 육신의 욕망, 그리고 그 주기에서조차 벗어난 기분이었다.

그녀는 몸을 일으키고는 호텔 프런트에서 가져온 엽서를 꺼내 쓰기 시작했다. 처음에는 가벼운 안부라도 전하는 듯한 표정이었다. 그러나 점점 쓰는 일에 열중해갔으며 나중에는 단지 그 한 장의 엽서를 쓰기 위해 볼로냐까지 온 게 아닐까 생각될 만큼 얼굴이 심각해졌다. 갑자기 그녀는 엽서를 찢었다. 다시 쓴 엽서는 매우 간단했다. 그것을 탁자 위에 올려놓은 채 그녀는 커튼이 굳게 내려진 창문을 오랫동안 묵묵히 노려보았다.

닷새간의 출장을 마치고 그녀는 집으로 돌아왔다.

딸의 생리는 끝나 있었고 그동안 브리트니 스피어스의 두번째 시디를 샀지만 첫 앨범에서의 청순한 맛이 사라져서 이젠 별로라고 말했다. 주말 밤에는 열이 많이 났는데 돌봐주러 와 있던 그녀의 어머니가 외출했다가 밤늦게 돌아오는 바람에 자정까지 혼자 앓았다고 불평했다. 햄스터가 새끼를 낳았지만 다 잡아먹고 없다고도 했다. 햄스터의 철망 집은 딸에 의해 베란다로 내쫓겨져 있었다. 여전히 암컷과 수컷이 사이좋게 쳇바퀴를 돌리고 있을 뿐 어떠한 불운도 겪은 것 같지 않았으며 불만이 있는 것 같지도 않았다. 여행 가방을 풀어 정리한 다음 그녀는 옷을 갈아입었다. 목걸이를 풀려다가 그제야 목이 허전함을 깨달았다. 고리가 헐거워진 걸 고친다고 하면서도 미루기만 했더니 결국은 잃어버린 모양이었다.

교통마비

다음날인가 그 다음날인가 A에게서 전화가 걸려왔다. 그가 죽은 지 일주일쯤 되었다는 소식을 전했다. 운전대가 갈비뼈에 너무 깊숙이 박히는 바람에 시신을 몇 부분으로 나누어 뜯어내야 했으며 사고는 새벽에 났지만 현장이 수습되기까지 시간이 너무 걸려서 출근길 교통이 완전 마비되었다는 것이다.

햄스터

딸은 햄스터를 쳐다보려고도 하지 않았다. 어떻게 제 새끼를 잡아먹을 수가 있어요? 뻔뻔스럽고 끔찍해, 라며 흥분했다. 월차를 내고 집에서 쉬고 있던 그녀는 들여다보던 책을 덮었다. 종일 책을 붙들고 있었지만 사실은 뭘 읽었는지 아무것도 생각해낼 수 없었다. 거의 먹지 않은데다 며칠째 술로 잠을 청해서인지 그녀의 얼굴은 눈에 띄게 수척했다. 그녀가 딸에게 말했다.

"네 잘못도 있어."

"왜요?"

"새끼를 낳으면 어미 햄스터는 신경질적이고 예민해져. 누가 들여다보기만 해도 새끼들을 물어버린다구."

"그래서 지붕을 신문지로 잘 덮어줬단 말예요."

"새끼들 보고 싶다고 네가 몇 번이나 들춰봤다면서."

"그렇다고 어떻게 자기 새끼를 먹어요. 칫, 맛은 있었을까."

"음식으로 먹은 게 아니라니까. 그런 건 본능이야."

"어미가 새끼를 죽이는 게 무슨 본능이에요?"

딸의 크게 뜬 눈 속에 불신과 적대감이 스쳐갔다.

"개도 마찬가지야. 갓 낳은 새끼를 사람이 만지면 그 새끼를 물어 죽여. 제 젖꼭지가 여덟 개밖에 안 되는데 새끼가 아홉 마리 나오는 경우에도 한 마리는 물어 죽이고."

"그래서요?"

제 뜻을 굽히지 않고 딸은 코웃음을 쳤다. 그녀는 자기의 신경이 어미 햄스터처럼 점점 예민해지는 것만 같아 두 손으로 관자놀이를 꾹 눌렀다.

"제대로 못 살 것 같으면 차라리 죽여주는 게 동물적인 모성이라는 말이야. 힘들게 예정돼 있는 삶을 차마 줄 수 없기 때문에 새끼들을 죽이는 거라구."

"그거야 어미들 생각이겠죠."

딸의 실룩이는 여윈 뺨 위로 푸른 실핏줄이 비쳐 보였다.

"혹시 알아요? 그 새끼들은 그렇게라도 살아남고 싶었는지. 아무리 어미라고 해도 죽고 사는 문제를 혼자 마음대로 결정하는 건 불공평한 거 아네요?"

"새끼들이 세상에 대해 뭘 알겠니."

"왜 모른다고 생각하죠? 다른 것도 아니고, 자기 목숨에 관한 건데?"

그녀는 관자놀이에서 손을 떼고 냉정하게 내뱉었다.

"사는 것이 죽는 것보다 반드시 좋다는 법은 없어. 사는 것도 힘든 일이야."

"나도 알아요."

딸의 콧등이 금세 빨개졌다.

"할머니가 그러던데, 엄마가 젖을 안 줘서 나는 가끔 할머니 젖을 물고 잤다면서요?"

그녀가 미처 뭐라고 대답도 하기 전에 딸의 커다란 눈에서 눈물이 주르륵 흘렀다.

"나도 늘 아프고 공부도 못 하고, 키워봤자 잘 살 것 같지도 않은데, 그럼 엄마도 차라리 내가 죽어버리는 게 낫다고 생각하겠네요? 엄마는 내가 귀찮죠? 다 알아. 엄마한테는 엄마 인생만 중요해!"

딸이 제 방으로 들어가버린 뒤 그녀는 담배에 불을 붙였다. 그 담배가 혼자 손가락 사이에서 다 타버리는 동안 한 손으로 이마를 짚고 있었다. 마침내는 소파에서 벌떡 일어나 곧바로 햄스터를 차에 싣고 나가 애완 동물 가게에 갖다 줘버렸다. 햄스터가 정말 새끼를 먹나요? 그녀의 물음에 가게 주인은 애매하게 고개를 끄덕였다. 내 눈으로 본 건 아니지만 아마 그럴걸요. 그녀는 주인에게 화를 냈다. 그걸 알았으면 처음부터 안 키웠을 거 아녜요! 자유로로 들어선 그녀는 임진각까지 과속으로 차를 몰았다. 두통은 쉽게 가시지 않았다. 돌아오는 길에는 파주 쪽의 국도로 꺾어들었다. 군부대 앞의 도로를 지나치자 포플러 숲 뒤쪽으로 듬성듬성 무덤들이 보였다. 그 앞을 지날 때 그녀는 갑자기 가속 페달을 힘껏 밟았다. 그녀의 이마에 땀이 배어 있었다. 4월이라고 하기에는 너무 더운 날씨였다. 휴대전화를 꺼내 집으로 전화를 걸어보았지만 딸은 받지 않았다.

딸은 제왕 절개 수술로 태어났다. 예정일을 두 주일쯤 앞두고 아기가 거꾸로 돌아버렸기 때문이었다. 아기를 돌보기 위해 지방에 혼자 사는 그녀의 어머니가 올라와서 그녀 집에 머물렀다. 그녀는 아기보다 며칠 늦게 퇴원했다. 그녀의 젖가슴은 잔뜩 부풀어서 브래지어를 풀자 벌써부터 꼭지에서 젖이 뚝뚝 흘러내렸는데, 눈도 뜨지 못한 아기는 제 입술에 젖꼭지가 닿기 무섭게 허겁지겁 빨기 시작했다. 그녀의 어머니가 한숨을 내쉬며 말했다. 내 젖은 아무리 대줘도 혓바닥으로 밀어내기만 하더라. 젖이 차가워서 그래. 젖꼭지가 차가워지면 여자로서는 끝난 거야. 그녀가 첫 생리를 하던 날에도 어머니의 한숨 소리를 들었다. 간수 잘해야 한다, 칠칠찮게 흘리고 다니지 말고, 하면서 마련해두었던 생리대를 챙겨준 뒤 어머니는 이렇게 중얼거렸었다. 쟤도 이제 곧 남자하고 자겠네.

아버지는 어머니가 남은 인생 내내 혼자서 반추할 수많은 행복의 기억을 남겼다. 그리고 그런 일만 하고 살아도 생계에 지장이 없을 만큼 충분한 유산까지 함께 남겼다. 아버지의 바람대로 어머니는 지금도 아버지가 사랑하던 그때처럼 곱고 로맨틱했다. 오래전 폐기된 온실 속에 혼자만 살아 있는 물정 모르는 꽃나무 같았다. 자기 중심적인 성격 또한 전혀 변하지 않았다.

딸을 낳을 때 그녀는 긴 마취에서 깨어난 뒤 온몸을 포박당한 듯한 무기력을 경험했다. 자신의 몸이 혹독한 취급 과정을 거친 생산기계처럼 느껴졌다. 그녀의 어머니는 병원 측이 제공하는 폐쇄 회로를 통해 수술을 지켜보았다고 말해주었다. 맨 먼저 언덕처럼 부푼 그녀의 배를 한겹 한겹 계속해서 칼로 가르고 마침내 내장이 드러나기 시작하면 위인지 장인지 모를 그것들을 하나씩 꺼내서 조리대 같은 기구 위에 수북이 쌓아두었다가 온몸에 피칠을 한 아기를 꺼낸 다음 다시 차례차례 집어넣고 째던 때와 반대 순서로 한 겹씩 꿰매가더라고 했다. 그녀에게는 딸의 생리가 섹스의 기별이 아니었다. 출산에 대한 고통스러운 증오와 그 출산으로 인해 평생 자신의 삶과 평행선을 그으며 이어져갈 또 하나의 삶을 맞이하게 되는 딸의 운명에 대한, 역시 고통스러운 애정이었다.

그녀가 현관 안으로 들어서자 딸이 제 방의 문을 열고 내다보았다. 햄스터가 궁금한 모양이었지만 묻지는 않았다.

"왜 전화 안 받았니, 뭐 먹고 싶은지 물어보고 시장 좀 봐올까 했는데."

"밥 아까 먹었어. 삼분카레 데워갖고."

방으로 도로 들어가려는 딸의 등 뒤에 대고 그녀가 말을 붙였다.

"할머니 와 계실 때 너 생리 시작했다는 말 했니?"

"응. 근데 말예요. 할머니도 다시 생리한대."

"뭐?"

"골다공증 때문에 호르몬 주사를 계속 맞았더니 그렇게 됐대요. 젖가슴도 많이 단단해졌다고 나보고 만져보라고 하던데."

그녀는 탁자 위에 차 열쇠와 핸드백을 신경질적으로 던지고는 소파에 털썩 앉아 담배를 꺼냈다. 그 반응에 만족한 듯 딸은 눈썹을 한 번 치켜올리더니 방 안으로 들어가버렸다.

담배 연기를 천천히 내뿜으며 그녀는 생각했다. 어쨌든, 엽서는 찾아야 돼.

전화 통화

우체국으로 전화를 걸었다. 이탈리아에서 보낸 엽서가 도착하려면 며칠 정도 걸립니까? 정확히는 알 수 없어요. 보통 열흘에서 보름 정도 걸린다고 봐야겠죠. 체신 공무원은 친절했다. 이탈리아에서 보낸 엽서가 아직 안 도착한 모양이죠? 네? 아, 네…… 조금 더 기다려보세요, 곧 오겠지요. 그렇네요. 감사합니다.

다시 A의 번호를 눌렀다. A는 장례식 소식을 자세히 전했다. 기자실은 물론이고 보도국 전체가 충격이었어. 부인이 우리 방송 리포터인데, 너 그 여자 얼굴 본 적 있니? 아니. 그녀는 거짓말을 했다. 애가 안 생기는 거말고는 별 문제 없이 사이좋게 잘 살았다나 봐.

그녀는 어렵사리 A의 말을 끊고 용건을 얘기했다. A는 금방 알아들은 눈치였다. 알았어. 죽은 사람 앞으로 오는 우편물을 총무부에서 어떻게 처리하는지 잘 모르겠지만, 아무튼 알아볼게. 고마워, 그럼 찾게 되면 연락해줘. 그러나 A는 전화를 쉽게 끊을 것 같지 않았다. 그러니까 너, 그 사람 결혼한 뒤에도 계속 만났었구나. 안 그래도 좀 마음에 걸렸어. 마감 끝내고 한잔하는 거야 그렇다지만, 그날은 다른 때보다 엄청 많이 마시더래. 그러고서 운전대를 잡았으니 본인도 설마 살기를 바랐겠냐, 무슨 고민이 있었던 게 아니겠냐고 수군대는 분위기거든. 그리고 그 새벽에 왜 사고 현장이 자기 집하고 반대 방향이냐구.

A는 엽서에 대해서도 다시 물었다. 남이 보면 곤란한 내용이니? 아니 그런 건 아니지만, 그냥. 그녀는 말끝을 흐렸다. 그냥? 응, 이미 죽은 뒤에 보낸 엽서니까, 뭐랄까, 유효하지가 않잖아. A가 기가 막히다는 듯 대꾸했다. 너 따지고 있는 거니, 죽은 사람한테? 이 마당에 뭐가 유효하고 안 하다는 거며, 또 그까짓 게 이제 와서 무슨 문제야. 참 지독하다, 너희 둘. 다른 사람하고 결혼해도 안 끝나고 이젠 한쪽이 죽었는데, 그런데도 아직 안 끝난다는 거야?

퇴근 무렵 그녀의 어머니에게서 전화가 걸려왔다. 어쩐지 마음이 쓸쓸하고 기운이 없구나. 무슨 일 있어요? 그녀의 목소리에는 걱정이 담겨 있었지만 다소 무뚝뚝했다. 도움이 될 형편도 아니었지만 차라리 다른 어머니들처럼 돈 문제나 건강 문제로 하소연을 한다면 하나뿐인 자식 노릇 하기가 얼마간 수월할지도 모른다는 생각이 들었다. 그러나 어머니의 관심은 보다 낭만적이었다. 그건 아닌데, 계절이 바뀔 때라서 그런지 좀 우울해. 마당에 영산홍도 다 시들어버렸어. 꽃이야 내년에 다시 피겠죠 뭐. 내가 내년까지 살아서 또 꽃을 본다는 보장이 어디 있니? 사람 사는 게 얼마나 허무한 건데. 전혀 마음에도 없고 사실성도 없는 말을 굳이 입에 담는 어머니의 의중을 잘 알았지만 그녀는 인내심을 갖고 어머니가 원하는 대답을 했다. 지금 연애해도 멋지게 할 거라고, 갱년기 클리닉에서 그랬다면서요. 다 듣기 좋으라고 하는 소리야. 어머니의 목소리에는 짐짓 기운이 없었다. 요즘은 밤에 자다가도 자주 깨. 그러니까 올라오시라고 하잖아요. 손녀딸 크는 재미도 보고, 혼자 사는 것보다 훨씬 나아요. 그건 싫다. 그러다가 아주 할머니 다 돼버리게? 불안하게 억눌려 있던 그녀의 목소리가 퉁명스러워졌다. 나이 들면 나이에 맞게 좀 늙는 것도 괜찮아요. 옆에서 보기에도 그게 더 편해 보이고. 그게 무슨 소리냐? 너 보기에는 벽에 똥칠이라도 해야 내 나이에 맞다는 말이니? 그녀는 짜증을 냈다. 그 억지소리 좀 하지 마세요. 그리고 애한테는 무슨 말을 한 거예요? 언제 엄마가 걔한테 젖을 줬다고. 어머니도 지지 않고 대꾸했다. 애 마음을 달래려다 보면 그런 말 할 수도 있는 거지, 왜 이렇게 짜증을 내? 너 어쨌든 신경 좀 써야겠더라. 너한테 애인 있다고 애가 불안해하는 거 알고나 있어? 대체 뭐가 불안하다는 거예요, 저는 그 애 엄마예요! 그 남자하고는 결혼을 할 거니? 제발 그만 좀 하세요! 그녀는 전화를 끊었다.

곧바로 전화벨이 울렸으므로 화가 난 어머니가 다시 걸었으리라 짐작했다. 그러나 볼로냐에 함께 갔던 일행 중 하나였다. 토요일에 뒤풀이 모임을 갖기로 했다며 각자 자기 카메라로 찍었던 다른 사람의 사진들도 교환하자고 했다. 카메라를 갖고 가지 않은 그녀는 전해줄 사진이 없었지만 알겠다고 대답했다.

여름옷

그녀는 A의 말에 대해 생각해보았다. 다른 사람하고 결혼해도 안 끝나고, 이젠 한쪽이 죽었는데도 안 끝난다는 거니?

끝났다는 건 어떤 시점을 말하는 것일까. 다시는 만나지 말기로 하고 헤어질 때일까. 아니면 다른 사람과 결혼했을 때? 오랜 시간이 흘러 서로의 기억에서 희미해졌을 때? 한 사람이 죽었을 때일까?

2년 전 그는 아무 말도 없이 그녀의 곁을 떠났었다. 그의 죽음만큼이나 갑작스러웠던 결혼 소식을 전해준 것도 A였다. 그때 역시 출장에서 돌아오는 길이었던 것 같은데 늦은 밤이었다. A와의 통화를 끝내자마자 그녀는 급한 약속이라도 있는 사람처럼 차를 몰고 밤거리로 나갔다. 정신없이 자유로를 달려 신촌까지 갔다.

사거리 모퉁이에 있는 5층 건물의 간판에 불이 환히 들어와 있었다. 그가 그녀의 잃어버린 귀고리 한 짝을 찾기 위해 침대 매트리스를 뒤집었던 모텔이었다. 그가 표적 한가운데를 모두 맞혀 인형을 따주었던 다트 게임장, 갑자기 내리는 비를 뚫고 뛰어가서 우산을 사왔던 편의점 앞을 천천히 지나친 그녀는 대학가 쪽으로 운전대를 꺾었다. 흔들그네가 있는 술집과 머그잔을 선물로 주던 홍차 카페가 눈에 들어왔다. 그가 전화로 마감 뉴스를 읽었던 노래방 입구에는 여전히 '최신곡 완비, 주인 백'이라는 서툰 손글씨가 붙어 있었다. 그 퀴퀴한 지하 노래방은 늘 한산했는데 언젠가 그날도 손님은 그들뿐이었다. 갑자기 생중계 보도를 하라는 전화 연락을 받고 그는 대수롭지 않다는 듯 대답했다. 알았어요, 여기서 할게요, 화면은 죽이고 오디오만 가죠. 그러고는 노래방 주인에게 부탁해 음악을 모두 끄게 한 다음 전화기에 대고 뉴스를 읽었다. 이상, 현장에서 김훈입니다, 라는 마지막 멘트를 끝으로 전화를 끊고는 다시 마이크를 잡고 「이별이란 없는 거야」를 부르기 시작했었다.

그녀는 그가 늘 차를 세우던 골목의 계단 아래 자리에서 잠시 멈췄다. 계단을 올라가면 원룸 주택들 너머로 그와 입맞추곤 했던 커다란 느티나무 그늘이 있었다. 불빛이 거의 없는 어두운 골목이었다. 바람이 불어 검은 가지 끝의 나뭇잎들이 몸을 뒤척였다.

그가 떠난 뒤 그녀는 새 옷을 한 벌도 사지 않았다. 어느 날 밤늦도록 옷장을 정리해서 그와 만날 때 입었던 옷을 따로 분류했다. 그 옷 가운데에는 그의 눈길만 닿았던 것도 있었지만 대부분은 그의 손으로 벗겨내려졌던 옷들이었다. 옷 속에 얼굴을 파묻어보니 그의 냄새가 났다. 그녀는 수첩을 뒤적였다. 날짜 위의 붉은 동그

라미로 수없이 얼룩져 있는 수첩이었다. 그녀는 그와 만났던 날의 숫자만을 수첩에서 빼내 따로 달력을 만들었다. 그와의 약속은 하나도 빠짐없이 기억할 수 있었다. 그 기억대로 표를 만들었고 날짜 옆의 빈 칸에 만난 장소와 그때 입었던 옷들을 속옷까지 모두 적어 보았다.

일 때문이든 친구를 만나든 모든 약속 장소는 되도록 그의 회사 근처로 정했다. 만날 수 있으리라고 기대한 건 아니었지만 어디엔가 그가 가까이에 있을 거라는 생각이 그녀를 안심시켰다. 신문을 볼 때도 방송 기자와 관련된 기사라면 체육 대회나 수상 소식, 부음 같은 단신에까지 관심을 기울였다. 사소한 질문이나 부탁을 핑계로 그의 주변 사람들에게 전화를 걸기도 했다. 그와 그녀의 관계를 아는 사람은 많지 않았으므로 그와 관련된 얘기를 나눌 기회는 거의 없었다. 그런데도 용케 그의 이야기가 나오도록 화제를 이끌었고 그의 이름이 제 귓속으로 들어와 울리는 것만으로도 뭔지 모르게 위안을 얻었다.

주말에 그녀는 그와 함께 간 적이 있는 근교의 유원지에 갔다. 지난 가을 황금빛으로 빛나던 커다란 은행나무 가지에는 초여름 잎들만 무성했다. 그는 형 이야기를 했었다. 형은 공부를 잘했지만 난 아니었거든. 근데도 늘 말썽이니, 잘못하면 집에서 내쫓길 지경이었어. 나쁜 머리로 갑자기 우등생이 될 수는 없고, 공부 잘하는 애들 겁줘서 순 커닝으로 대학 간 거지. 돈 뜯어내느라고 집에는 거짓말만 하고. 솔직히 너한테도 거짓말 꽤 했을걸. 그녀가 대답했다. 알고 있어. 지금까지 늘어놓은 수많은 여자 이야기부터가 다 허풍이잖아. 어, 그래도 아르헨티나로 이민 간 후배 얘기는 진짜란 말야. 꼭 끼는 청바지 입고 계단 올라가다가 바지가 찢어졌다는 여자애? 그래, 내가 실 바늘을 구해다 바짓가랑이를 꿰매준 뒤로 친해졌댔잖아, 내 진짜 첫사랑이야. 정말이야, 팬티까지 꿰매버렸다니까. 화양동 놀러 갔다가 만났다던 불란서 인형 얘기도 지어낸 거지? 걔 정말 예뻤어. 이름이 도금봉인가 그랬지. 우리 과 축제에도 왔었어. 철학과라고 해서 괴짜들인 줄 알았더니 다들 코미디언이라고 재미있어하더라구. 너 신방과라고 하더니 언제 또 철학과로 갔어? 전문대에서 편입할 때 과를 바꿨는데, 말 안 했던가? 전문대? 명문 대학 과수석을 따서 지방 신문에 사진도 나고 마을 동구 밖에 플래카드까지 걸렸다더니…… 네 말은 정말 어디까지 믿어야 하니? 몰라, 입에서 나오는 대로 하면 다 말이 되는데 난들 어떡하겠어. 그렇게 말하면 잠깐이라도 솔직해 보일 것 같지? 그녀가 비꼬았지만 그는 길게 휘파람을 불었다.

며칠째 날씨가 잔뜩 흐리던 겨울이었다. 그에게서 전화가 걸려왔다. 기상청에 물어보니까 지금 대전에 눈 온대. 빨리 가서 보자. 그리고 밤에는 춘천에 온다니까 잠은 거기서 자면 돼. 그의 말대로 그날 대전에는 밤까지 눈이 펑펑 쏟아졌다. 올라오는 차들이 모두 엉금엉금 기었다. 그가 어느 국도의 휴게소 앞에 차를 세워놓고 뛰어가서 커피와 석간 신문을 사오는 잠깐 사이에도 머리카락과 눈썹에 눈이 하얗게 앉았다. 신문을 펼치던 그의 얼굴이 갑자기 환해졌다. 이것 좀 봐. 그가 가리키는 인사란에는 고급 공무원 몇 명의 승진 소식이 실려 있었다. 형이야. 그녀는 그를 의아한 눈으로 바라보았다. 형 소식을 신문을 통해야 안단 말야? 워낙 바쁘니까. 형은 우리 고향에서 오십 년 만에 배출된 고시 출신이야.

이어서 그는 너스레를 떨었다. 물론 나도 사십구 년 만에 나온 기자지만. 그는 격주간으로 발간되는 지방 신문 사회부에서 특종을 몇 개 따낸 덕분에 새로 창간된 중앙 일간지에 스카우트되었고 이른바 '사스마와리'를 거치자마자 방송 쪽으로 자리를 옮겼다. 기자라는 직업이 우연히도 그의 학생 때 직업이었던 주먹패와 비슷하게 발로 뛰는 일이기 때문이라는 게 그가 주장하는 출세 비결이었다. 어쨌든 그녀가 알기로도 그는 그의 형과는 달리 자기 고향으로부터 사방 2백 리 안에서 발생하는 민원을 해결하느라 늘 발로 뛰었다.

그날 눈은 계속 쏟아지고 정체는 좀처럼 풀리지 않았다. 그녀는 그의 차의 카세트 데크에 들어 있던 노래를 세 차례나 리버스시켜야 했다. 모두 처음 들어보는 어설픈 노래들이었다. 무슨 노래야? 내가 작곡하고 부른 것들. 내가 가져도 돼? 그러든지. 테이프에는 순서대로 제목이 적힌 흰 라벨이 붙어 있었다. 그녀가 첫번째 곡의 제목을 읽었다. 휴가? 응. 그가 고개를 끄덕였다. 늘 말했잖아, 너를 만나고 있을 때면 내 인생의 휴가 같다고.

한강의 모래밭을 걸으며 종종 그들은 말다툼을 했었다. 그가 말했다. 우리가 왜 안 된다고만 생각하지? 너는 너무 보수적이야. 그녀도 그를 비난했다. 그러는 너는 너무 충동적이고 감상적이야. 그가 소리쳤다. 너같이 갑갑하게 살려면 공동묘지에 들어가 있는 게 제일 속 편하겠다. 그녀의 목소리는 차가웠다. 나한테는 충동적인 때가 없었는 줄 알아? 하긴 내가 잘못 봤는지도 모르지. 너 같은 출세주의자가 어떻게 충동적이 될 수 있겠어. 넌 단지 감상이라는 촌스러운 취향을 가졌을 뿐이야. 그가 걸음을 멈추었다. 맞아, 네가 잘못 봤어. 그건 충동이 아니고 추진력이라는 거야. 그리고 감상이 아니라 순정이라구. 그녀가 눈을 가늘게 뜨고 내뱉었다. 나한테 반말하지 마. 다섯 살이나 어리면서!

그 모든 기억들은 비디오테이프처럼 그녀의 머리 속에서 되감기고 재생되기를 반복했다. 그러고도 남는 시간에 그녀는 텔레비전을 봤다. 아주 어쩌다 그의 모습이 잠깐씩 등장했다. 그녀는 그가 새 넥타이들을 사고 머리를 짧게 자른 것을 알고 있었다. 그때까지 그녀가 적응하지 못하고 있는 것은 헤어짐이라기보다 그가 한마디 말 없이 떠나버린 데 따른 감정의 공황인지도 몰랐다.

어느 날 그녀는 사무실 책장의 첫번째 칸에 한 유럽 작가의 책을 꽂고 있었다. 바로 옆 칸에 꽂혀 있는 똑같은 책이 눈에 들어왔다. 같은 책을 두 권이나 샀었나. 그럴 수도 있지. 그녀는 그 작가 쪽 에이전트에게 보낼 계약서를 작성하기 시작했다. 조금 후 이름의 철자를 확인하기 위해 다시 책장으로 다가간 그녀가 그 책을 발견한 것은 첫번째도 두번째도 아닌 또 다른 칸에서였다. 그날 밤 집에 돌아온 그녀는 철 지난 털담요를 덮은 채 땀에 젖어 잠들어 있는 딸을 보았다. 딸의 앞머리는 자라날 대로 자라나 눈을 덮고 뺨까지 내려왔다. 담요 밖으로 빠져나온 열 손가락의 손톱은 물론 그 밑의 연한 살까지 물어뜯었는지 둘째 마디까지 죄다 빨갛게 살갗이 벗겨져 있었다. 딸을 잠깐 내려다본 뒤 그녀는 욕실로 들어가 세면대에서 손을 씻고 양치질을 하기 시작했다. 어느 순간 그녀는 입가에 치약 거품을 잔뜩 묻힌 그대로 갑자기 동작을 멈추고 거울에 비친 자신을 물끄러미 바라보았다.

그녀는 다음날로 휴가를 냈고 심하게 앓은 다음 몸무게가 3킬로

그램이 줄어 다시 회사에 출근했다. 그동안 계절이 바뀌어 그를 만나던 때의 옷을 더 이상 입을 수가 없었다. 그와는 세 계절을 만났다. 가을, 겨울, 그리고 봄. 그와는 여름을 함께 보내본 적이 없었다. 그녀가 새로 산 민소매 여름옷을 입고 다시 출근한 날 본격적인 여름이 시작되었다.

몇 달이 지난 뒤 그에게서 전화가 걸려왔을 때 그녀는 동요하지 않았다. 나 결혼했어. 그가 말했고 그녀는, 알고 있어, 라고 담담히 대꾸했다. 오늘 만날까? 그가 묻자 그녀는 조금 웃었던가 그랬다. 나도 결혼했다니까. 나한테도 이제 너처럼 딸린 가족이 있단 말야. 동등한 조건을 원했었잖아. 그녀는 진심으로 어처구니가 없어서 다시 한번 조금 웃고는 전화를 끊었다.

"그 여자 얼굴 본 적 있니?"

그 여자 얼굴을 결혼사진 속에서 보았다고 하면 A는 그녀의 뻔뻔스러움을 비난할 것이다.

결혼한 그를 처음으로 다시 만난 것은 강이 내려다보이는 6층 카페에서였다. 한때 그녀는 그런 우연을 끔찍하게 기다린 적이 있었지만 세상에 우연 따위는 없었다. 우연이란 아무 기대도 준비도 없을 때에 정말로 뜻밖에 오는 것이거나 아니면 연출일 뿐이었다. 그에게서는 술냄새가 약간 났다. 나 오늘 너희 회사 근처 술집만 삼십 군데 뒤졌어. 그녀는 그의 차에 탔다. 차는 곧 계단 아래의 공터에 세워졌다. 그가 앞장서고 그녀가 몇 발짝 뒤처져서 둘은 아무 말 없이 느티나무를 향해 한 계단 한 계단 걸음을 옮겼다. 늦가을 밤 나뭇가지 사이로 부는 바람 소리가 제법 스산했다. 형이 죽었어. 그는 그녀의 어깨에 얼굴을 기대고 조금 울었다. 그의 차가 불빛이 끝없이 늘어선 강변 도로를 달리기 시작했고 그녀는 그를 따라 그의 아파트로 들어갔다. 그리고 그가 맥주를 사러 간 사이 빈 집에 혼자 남아서 크게 확대된 그의 결혼사진을 천천히 감상할 수 있었다. 벽에 걸린 사진틀은 다섯 개나 되었다.

그가 돌아와 식탁 위에 맥주 캔을 꺼내놓고 커튼을 치고 전화기의 코드를 뽑는 동안 그녀는 그의 아내의 샤워캡을 쓰고 샤워를 했다. 그의 아내는 라벤더 향이 나는 샤워바스와 오일을 쓰는 모양이었다. 보디 로션은 에스티 로더의 퍼퓸 제품이었다. 그녀는 그것들을 몸에 발랐다. 핑크색 목욕 가운은 그녀에게 약간 컸고 목 둘레에 때가 끼어 있었으므로 입지 않았다.

욕실에서 나온 그녀는 그가 기다리고 있는 식탁으로 가서 앉았다. 실내등이 다 꺼져 있었다. 그가 그녀에게로 손을 뻗어 얼굴을 만졌다. 손가락은 마치 살갗이 타들어갈 듯이 뜨거웠고 가볍게 떨렸다. 얇은 커튼 뒤로 달빛이 희미하게 비쳐들어서 그의 등 뒤로 사진틀 다섯 개가 모두 뒤집어져 있는 것이 눈에 들어왔다.

너를 사랑해, 어둠 속에서 그가 속삭였다. 그녀 또한 그에게 수없이 사랑한다고 말했지만 자신이 그를 사랑한다고 생각해본 적은 한 번도 없었다. 사랑한다는 말에는 어느 한순간 '너를 다른 인생으로 데려가줄게'라거나 '너는 네 자신이 알던 것과는 다른 사람이야'라는 뜻이 들어 있었고, 그것으로 충분했다.

사과

아홉시 뉴스가 끝난 뒤 그녀는 불현듯 사과가 먹고 싶어졌다. 냉장고를 열어보니 오렌지만 두 알 있었다.

딸을 불렀다. 전에 딸은 그녀와 함께 나서는 밤 외출을 좋아했었다. MP3 플레이어 이어폰을 끼고 방에서 나오는 딸에게 그녀가 물었다.

"사과 사러 슈퍼에 안 갈래?"

"사과, 별론데."

"그럼 팥빙수는 어때? 사과부터 사고 그리고 제과점 들러서 빙수 먹고 올까."

조금 망설이는 듯하던 딸은 아무러면 어떠냐는 시큰둥한 표정으로 고개를 까딱였다.

집 앞 사거리에 제과점이 세 군데나 되었다. 경쟁이 심하다 보니 밤 열시가 넘었는데도 음악을 크게 틀어놓고 손님을 끌고 있었다. 딸은 입구에 분홍과 흰색 풍선을 엮어 아치형으로 세워놓은 제과점을 택했다.

"내 친구들도 이 집만 와요. 애들이라고 무시하지 않거든."

딸의 말대로 노란 에이프런을 입은 아가씨가 밤 시간에 어울리지 않는 명랑한 소리로, 어서 오세요, 라며 공손하고 깜찍하게 인사를 했다. 집을 나서면서부터 딸은 햄스터 얘기로 상했던 기분이 좀 풀린 눈치였다. 팥빙수가 나오자 자루가 긴 숟가락으로 유리그릇 속의 얼음 가루와 단팥을 섞으며 혼잣말처럼 입을 열었다.

"내 엉덩이가 커졌나 봐."

"그래?"

"청소 시간에 분필 가루가 묻어서 그냥 엉덩이를 탁탁 털었는데 엉덩이가 흔들리잖아요. 창피했어."

숟가락 가득 얼음을 입에 떠넣던 딸은 그녀가 무릎 위에 올려놓은 비닐 봉지를 눈으로 가리켰다.

"엄마 전에는 사과 잘 안 먹었는데."

"내가?"

"지난번에도 한 상자 다 썩었잖아."

"아, 그거……."

몇 주일 전 그가 사과를 갖다 준다며 집에 왔었다.

그때도 그는 밤에 그녀의 집 앞에서 전화를 걸었다. 농수산물 시장 취재 갔던 길에 사과 한 상자 샀어. 현관문 안까지만 들여놓아 주고 갈게. 그럴 것 없어. 내가 지금 나갈 테니까 내 차에다 실어놓으면 돼. 걱정 마, 집 안에는 안 들어간다구. 나도 바로 회사 다시 들어가봐야 돼. 그러나 그는 기어코 상자를 들고 현관까지 들어왔다. 딸의 방은 조용했지만 딸이 잠들지 않았다는 건 새어나오는 음악 소리로 알 수 있었다. 그녀는 일부러 사과 상자에 손도 대지 않은 채 일주일이 넘도록 베란다에 방치해두었다.

열흘쯤 지난 후에 상자를 뜯어보니 사과는 반나마 썩어 있었다. 썩은 것을 골라내면서 그녀는 사과 역시 자기들끼리 닿아 있는 부분에서부터 썩기 시작한다는 걸 알았다. 가까이 닿을수록 더욱 많은 욕망이 생기고 결국 속으로부터 썩어 문드러지는 모양이 사람의 집착과 비슷했다. 갈색으로 썩은 부분을 도려내봤지만 살이 깊게 팬 사과들은 제 모양이 아니었다. 그녀는 사과 병동 같은 그 상자를 그날로 내다버렸다.

제과점에서 돌아온 그녀와 딸은 깎은 사과를 포크로 찍어 먹으며 텔레비전을 보았다. 얼마 안 가 딸은 소파에 기대 잠이 들었다. 딸의 잠든 얼굴은 아기였을 때처럼 조그맣고 무방비했다. 그녀는 딸의 가르마 오른쪽에 단단히 꽂힌 머리핀을 빼준 다음 오랫동안 그 얼굴을 내려다보았다.

접시를 치우던 그녀는 속이 메스꺼웠으므로 사과에 체한 게 분명하다고 생각했다.

위스키를 마셨지만 쉽게 잠이 올 것 같지 않았다. 비디오 데크에 들어 있던 테이프를 빼보니 뉴욕으로 영화 공부를 하러 간 후배가 몇 달 전에 보내준 영화였다. 마이크 피기스 감독의 「데스 앤드 더 로스 오브 섹슈얼 이노센스Death and the Loss of Sexual Innocence」. 제목만 보아서는 어떤 내용이었는지 특별히 기억나지 않았다. 그녀는 중간쯤까지 돌아가 있던 테이프를 다시 데크에 밀어넣었다. 재생 버튼을 누르자 갓 태어난 아기가 화면에 클로즈업되었다. 아기의 얼굴은 말할 수 없이 고통스러웠다. 난생처음 외기 속으로 나와 숨을 쉬기 위해서 사력을 다하는 아기의 채 펴지지 못한 팔과 다리는 계속해서 바동거렸다. 살갗은 충혈되고 이마는 일그러지고 입술은 비뚤어졌다. 세상이라는 미지 속에 내던져진 그 붉은 생명 덩어리는 너무나 미숙하고 나약한 존재였으므로 살겠다는 본능부터가 고통을 의미했다. 우리는 모두 그렇게 인생을 시작한다.

목걸이

출근 준비를 하던 그녀는 브래지어를 입다가 젖꼭지가 조금 검어졌다는 걸 깨달았다. 손가락을 대보니 차가운 것 같지도 않았다.

A에게 전화했지만 자리에 없었다. 그녀는 그에게 보냈던 엽서에 뭐라고 썼는지 기억을 더듬어보았다. 아주 오래 전 일처럼 잘 생각이 나지 않았다.

볼로냐 일행의 모임 장소는 광화문의 한 2층 찻집이었다. 모인 사람 모두가 여자였는데 토요일 오후의 수다는 쉽게 끝날 것 같지 않았다. 얼굴이 왜 그렇게 안 좋아졌어요? 비행기에서 옆자리에 앉았던 젊은 디자이너가 그녀에게 물었다. 모임 연락을 맡았던 출판사의 여직원이, 제가 맥 좀 짚어볼까요, 하면서 그녀의 팔을 잡아당겼다. 그 직원은 기(氣) 체조인가 단식인가로 고질인 위장병을 고쳤다는 얘기를 길게 늘어놓았던 참이었다. 그녀는 별 생각 없이 팔을 맡겼다. 너무 허해요. 기가 거의 바닥이네. 그리고 자궁 쪽에 열이 있는데, 산부인과 한번 가보는 게 좋겠어요. 생리가 언제였어요? 직원의 말에 그녀는 잠시 아무 대꾸할 말을 찾지 못해 상대의 얼굴을 빤히 바라보았다.

그들의 화제는 생리에서 폐경으로, 평균 연령으로 갔다가 다시 게놈 지도로 옮아갔다. 아직은 읽기 전용이잖아요, 우리 생전에 오려두기, 붙이기까지 가긴 할까요. 그녀만이 흥미 없는 얼굴로 탁자 위에 놓인 사진에 건성으로 시선을 주고 있었다. 그녀의 사진은 몇 장 되지 않았다. 억지로 불려나와 카메라 앞에 섰던 어색함을 감추지 못해 표정이 딱딱했다. 맨 앞에 놓인 사진만이 그나마 자연스러운 것은 누군가 그녀 모르는 사이에 북 페어 부스 안에 서 있는 옆모습을 잡았던 덕분이었다. 그녀는 그 사진을 들고서 자세히 보았다. 잃어버린 목걸이가 사진 속에 찍혀 있었다. 작은 오팔이 박힌 은목걸이, 그의 선물이었다.

집에 돌아와 A에게 다시 전화를 걸었다. A는 지방 출장 중이었다.

장롱 선반에서 볼로냐에 갖고 갔던 가방을 끌어내리고는 그 안을 샅샅이 뒤졌다. 가방 안에는 동전 몇 개와 구겨진 영수증들, 머리핀이 한 개 굴러다닐 뿐 다른 것은 없었다. 목걸이는 오직 사진 속에만 남았다. 그녀에게 남겨진 그의 흔적 가운데 모습을 지닌 것은 사진 속의 목걸이밖에 없는 셈이었다.

그녀는 아버지의 사진을 쓸어내리고 있는 어머니를 가끔 본 적이 있었다. 그처럼 이미지를 재생산해내는 작위적이고 자기 만족적인 의식(儀式)에 염증을 느끼곤 했었다. 그가 자주 부르던 「이별이란 없는 거야」라는 노래도 그녀는 좋아하지 않았다. 좁은 하늘 아래 함께 살고 있으니 아무리 멀리 떨어져도 이 세상에 이별이란 없는 거라는, 이치에 닿지도 않으면서 그럴듯하게 들리는 가사가 특히 싫었다. 하지만 지구 반대쪽까지 이민을 갔다 해도 어딘가에 살아만 있다면 그 가사처럼 그는 첫사랑과 다시 만나리라는 꿈을 지니고 살아갈 수 있다. 죽은 사람과는 다시 만나 그의 숨소리를 듣는 일 따위는 결코 일어나지 않는다. 꿈꾸는 일조차 막혀버린 돌이킬 수 없는 단절, 그런 것이 바로 죽음이다.

그녀는 천천히 아랫배를 쓰다듬었다.

거실 장식장 위에는 딸의 사진이 든 작은 액자 두 개가 놓여 있었다. 그녀는 그중 한 개에서 사진을 빼내고 대신 목걸이를 한 자신의 사진을 넣었다. 사진 속의 목걸이를 오래 쳐다보았다. 오팔은 그녀가 유일하게 좋아하는 보석이었다. 바다처럼 푸르고 무한했다.

그의 집에 걸려 있던 다섯 개나 되는 커다란 결혼사진을 그의 아내는 어떻게 했을까.

무덤가

그는 이따금 마감 뉴스를 끝낸 새벽 시간에 찾아와서 그녀를 태우고 형의 묘지로 갔다. 파주 안쪽으로 포플러가 늘어선 길을 따라가면 군부대 뒤편에 다복솔 사이사이 무덤들이 보였다. 형의 무덤에서 그들은 소주를 나눠 마시고 나란히 봉분에 기댄 채 별을 보고 있기도 했다. 새벽이 깊어갈수록 별빛은 점점 희미해져갔다. 검은 대기가 조금씩조금씩 잉크색으로 바래더니 어느 구석에서부터인가 부연 빛이 새어나오기 시작해 세상을 가득 채워갔다. 동쪽 하늘이 장밋빛으로 물드는 것까지 본 적도 있었다.

밤의 무덤은 생각보다 편안했다. 밤에 눈뜨는 새와 벌레들의 기척, 저 멀리에 불빛도 한두 개 있었다. 어두운 국도로 아주 이따금 자동차가 지나갔다.

그가 말했다.

"죽은 사람은 우리에 대해 모든 걸 다 알까?"

"글쎄."

"어쩐지 그럴 것 같아."

"왜?"

"뭐라고 할까, 초월적인 존재니까."

"형 얘기야?"

"아니, 어머니. 고등학교 때 돌아가셨어."

처음 듣는 이야기였다.

"어머니 돌아가신 다음해에 새엄마가 들어왔어. 그해 어머니 생일을 기억하는 건 나뿐이었지. 나는 집에 불을 질러버리려고 석유통을 가지고 헛간으로 갔어. 형한테 들켜서 죽어라 두들겨 맞았지만…… 그렇게 어머니를 생각한다면 어머니가 자랑할 만한 사람이 되라고 설교하면서 신나게 패더라구. 아프기도 하고 억울하기도 하고, 그래서 까짓것, 내 인생 그렇게 살아주마고 결정을 봐버렸지."

"돌아가신 어머니 덕분에 사람 된 거네."

"너는 아버지 생각 전혀 안 하니?"

"아니. 살아 있는 사람들과의 관계만으로도 힘들어."

"힘드니까 죽은 사람 생각을 하는 거지, 멍청이."

아무도 무덤가에는 가로등 같은 걸 달지 않기 때문에 밤마다 알맞은 어둠이 지켜지고 있었다. 어쩌다 반딧불이라도 날아오르면 어둠 속에 숨어 있던 빛의 씨를 모아 심지에 불이라도 붙인 듯 갑자기 사방이 환하고 아름다웠다. 그가 그녀의 팔 안쪽을 천천히 쓰다듬었다.

"어떤 때는 내가 뭣 때문에 이렇게 살고 있나 하는 생각도 들어. 아무리 봐도 내가 꿈꾸던 인생과는 거리가 멀거든. 그런데도 열심히 살고 있단 말야. 그런 걸 생존이라고 하는 건가. 넌 안 그래?"

"별로 좋아해본 적은 없지만 지금의 내 인생에 너무 길이 들어서 내가 다른 걸 원하는지 아닌지도 잘 몰라."

"너 정말 안됐다. 어릴 때에 꿈 같은 것도 없었어?"

"글쎄, 만화 이야기 짓는 사람?"

"왜?"

"자기 꿈에 반드시 이유나 계기가 있었던 것은 성공한 사람들이 하는 얘기지."

"그건 그래."

"사실은 어릴 때 어린이 신문에서 본 순정 만화 때문일 거야."

"무슨 만화인데?"

"한 아이가 매일 밤 창가에서 달에게 기도를 해. 그리고 아침이면 꽃밭에다 자기가 쓴 편지를 갖다 놓는 거야. 그 애는 꽃밭으로 부친 그 편지가 엄마에게 전해질 거라고 믿고 있어. 그런데 하늘나라라는 나라에 살고 있는 엄마한테서는 답장이 오지 않는 거야."

그 아이는 달에게 자꾸 묻는다. 달님은 내 친구니까 말해줄 수 있지요? 엄마가 나를 잊어버린 건 아닌가요? 잠든 아이의 뺨은 눈물 자국으로 얼룩지곤 한다. 어느 날 아침 아이가 밖으로 나가니 꽃밭 한가운데로부터 분수가 솟아오르듯 노란 나비떼가 수없이 날아오르고 있다. 얼굴을 덮고, 어깨를 덮고, 다리를 덮고, 세상 전체를 덮었다. 아이는 그 노란 나비떼 속으로 뛰어들어가 엄마가 답장을 보냈다, 라고 소리치면서 춤을 추며 기뻐한다. 그날 밤 아이는 아무리 기다려도 달을 볼 수가 없다. 엄마의 사랑을 확인하여 행복하게 잠든 아이의 머리맡에 뒤늦게 나타난 실낱같은 그믐달이 속삭인다. 너도 어른이 되면 알 수 있을 거야. 행복이란 다만 인생의 어떤 하루일 뿐이라는 것을.

"마지막 말은 네가 지어 붙인 것 같은데?"

"그래. 네 흉내 좀 내봤어."

그녀는 피식 웃었다. 어른이 된 뒤에도 몇 번인가 꽃밭 한가운데에서 나비가 분수처럼 날아오르는 꿈을 꾼 적이 있다는 말을 하려다가 그만두었다.

"나는 가수가 꿈이었어. 갖은 눈치를 보면서 형 기타를 빌려 노래를 부르고 또 만들기도 하고. 그 시절에는 내가 무대 위에서 찰싹 달라붙는 검은 가죽 바지에 번쩍이는 머리띠를 하고, 그리고 기타를 메고 팔짝팔짝 뛰면서 노래하는 꿈을 자주 꾸었던 것 같아."

그가 팔을 뻗어 그녀의 머리 밑으로 집어넣었다. 팔베개를 베자 그녀는 졸음이 올 것만 같았다. 그의 목소리가 잠꼬대처럼 나른하게 들렸다.

"어쩌면 어머니도 내가 기자 같은 거말고 가수가 되기를 바랐을지 모른다는 생각이 가끔 들어. 내가 정말 원하는 게 뭔지 알고 있을 테니까."

그녀는 반쯤 눈을 감고 물었다.

"어머니가 또 뭘 안다고 생각해?"

"응?"

"죽은 사람은 모든 걸 안다면서. 네 마음 속의 무엇을 또 알고 계실까?"

그는 대답하지 않았다.

그녀가 다시 입을 열었다. 왜 나한테 아무 말도 안 해주고 결혼

했었니? 응, 그거? 그는 서쪽에 있는 별 하나에 시선을 둔 채로 심상하게 대답했다. 별일 아니라서.

조금 전까지 몰랐던 꽃향기가 희미하게 코끝으로 스며들었다. 그녀가 물었다.

"무슨 꽃일까."

"찔레꽃."

"아파트에 덩굴장미 대신 심어놓으면 향기가 좋겠다."

"어머니가 그랬는데, 찔레꽃은 울타리로 안 심는 법이야. 그러면 상을 당한대."

그녀의 뺨에 흘러내린 머리카락 한 올을 그가 귀 뒤로 넘겨주었다. 손가락이 귓불을 스칠 때 그녀는 간지러워 가볍게 어깨를 움츠렸다.

시간이 조금씩조금씩, 그러나 꽤 많이 흐른 것 같았다. 그의 목소리도 점점 잠겨갔다.

"네가 만화 작가가 되고 내가 가수가 되었더라면 우리 둘도 뭔가 달라졌을까?"

"무슨 소리야?"

"그냥. 또 다른 꿈 이야기."

그는 팔베개를 풀고 제 머리 뒤에서 두 팔을 깍지 낀 채 하늘을 올려다보았다.

"꿈이란 참 이상한 거야. 단 한 번이라도 좋으니 꼭 그렇게 되어 보고 싶거든. 그것 때문에 인생이 일그러지고 깨질 게 뻔하더라도 말야. 힘들고 재미없는 때에도 그 꿈을 생각하면 조금 위안을 얻어. 이루어지건 안 이루어지건 꿈이 있다는 건 쉬어갈 의자를 하나

갖고 있는 일 같아."

그녀는 다른 생각에 골몰해 있었다. 그들이 우연히 교회에 갔던 날이었다.

"그 교회 생각 나?"

"무슨 교회?"

"작년 크리스마스 때 말이야."

두 사람 다 몹시 바빴으므로 자정 가까운 시각에야 만날 수 있었다. 거리는 북적대고 소란스러웠다. 그들은 시끄러운 거리를 벗어나기 위해 정해진 방향 없이 무턱대고 걸었다. 그러다 보니 어떤 무리에 끼여 언덕길을 올라가고 있었는데 교회로 가는 사람들의 행렬이었다. 이왕 왔으니까 한번 들어가보자. 그에게 이끌려 그녀는 십자가 끝에 커다란 별이 장식된 교회로 따라 들어갔다. 경건하고 환희에 찬 성탄 예배 분위기가 고조될수록 그녀는 자신이 교회라는 장소에 어울리지 않는다는 생각만을 하며 지루하고 어색한 것을 참고 있었다. 그러나 어느 순간 그를 향해 흘끗 고개를 돌렸던 그녀의 표정이 멍해졌다. 그녀의 손을 꼭 잡은 그의 옆얼굴은 소년처럼 진지했으며 정말로 간절한 기도라도 하는 듯이 두 눈이 질끈 감겨 있었다. 이윽고 눈을 뜨고 자신을 바라보는 그의 두 눈에 뜻밖에도 눈물이 담겨 그녀는 당황했었다.

풀숲을 헤치고 다가오는 바스락 소리를 들은 것 같아 그녀는 흠칫 몸을 움츠렸다. 괜찮아, 여기 찾아오는 놈은 바람밖에 없어. 그가 안심시키는 대로 과연 바람 소리였다.

그가 혼잣말처럼 중얼거렸다.

"우리 지금 여기서 그냥 죽을까."

이상하게도 그 목소리가 먼 곳에서 들리는 것처럼 아득했다.

"그러든지."

별을 향해 눈을 떠봤지만 그녀의 눈꺼풀은 이내 스르르 내려왔다. 풋잠이 들었던 것도 같았다. 그도 아무 기척이 없었다. 그녀가 조그만 소리로 물었다.

"잠들었어?"

"응."

또 시간이 흘러갔다.

조금 후에 그가 몸을 일으키더니 담배를 찾아 불을 붙였다. 다시 나란히 누워서 담배를 나눠 피우며 그들은 별이 참 오래도록 지지 않는 밤이라고 생각했다.

바다

일요일 아침에 비가 내렸다. 비가 그치자 그녀는 딸과 함께 집 앞 목욕탕에 갔다. 딸은 내키지 않는 기색이었지만 달리 할 일이 없었는지 슬리퍼를 끌고 따라나섰다.

탈의실 안으로 들어오자마자 얼굴에 후끈 훈김이 끼쳤다. 날씨가 눅눅해서 보일러를 돌린 모양인데 발바닥에 밟히는 리놀륨 바닥의 느낌이 개운하다기보다 지저분한 숙직실이나 변두리 여관을 연상시켰다. 여기저기 머리카락까지 굴러다녔다. 그 탈의실 바닥에 중학생으로밖에 보이지 않는 소녀 둘이 잠들어 있었다. 머리맡에 요란한 액세서리로 치장한 휴대전화가 놓여 있을 뿐 목욕용품은 보이지 않았다. 아마 새벽까지 거리에서 지내다가 목욕탕이 문을 여는 시각에 들어와 쓰러져 잠든 듯했다. 딸이 역성들듯이 한마디 했다.

"여관에서는 안 받아주니까 목욕탕에서 자는 거예요."

"여관 갈 돈은 있고?"

"벌면 되지. 새벽에 지하철 화장실 같은 데에서 교복으로 갈아입고 바로 학교로 오는 애들도 있어요. 걔들은 내놓은 애들이라 지각만 안 하면 담임 선생님이 별 잔소리 안 하니까. 얼굴 비치고는 다방 같은 데 나가서 자기도 해요."

"집 놔두고 왜 그렇게까지 해야 되는데?"

"몰라. 이유가 있겠죠 뭐."

탕 안으로 들어가는 유리문 앞에서 그녀는 잠깐 멈춰 섰다. 비릿한 냄새와 뜨거운 수증기에 숨이 막혔다. 몇 달 전인가 함께 목욕탕에 왔을 때 딸에게 했던 약속이 갑자기 기억났다. 바다에 가보자고 말하자 딸의 큰 눈이 반짝 빛났었다.

점심에는 김치와 오이를 많이 썰어넣고 비빔국수를 맵게 만들어 먹었다. 그래도 속이 메슥거렸으므로 그녀는 한숨을 내쉬었다. 바다를 향해 출발한 것은 두시가 되기 조금 전이었다. 그녀 혼자서 이따금 찾아가던 강화 포구로 나갈까 했지만 딸에게는 놀이 시설도 있고 사람이 북적이는 장소가 나을 것 같아 생각을 바꿨다. 월미도에 깨끗하고 전망 좋은 양식집도 한곳 알고 있었다. 조수석에 앉은 딸은 가는 내내 라디오 음악에 맞춰 발을 까닥거렸다. 그들은 해가 한참 기울었을 때에야 도착했다. 사람들이 많이 모여 있는 중심부를 피해 그녀의 차는 횟집들이 거의 끝나는 지점에 있는 한적한 주차장에 세워졌다.

그녀와 딸은 바다를 따라 좀 걸었다. 거리에서 찬 음료수를 사먹었고 놀이 기구 안에서 소리를 지르는 여자들을 구경했고 기타를 치는 청년들의 무리를 지나 솜사탕 자전거 앞에 줄을 선 꼬마들을 뒤로 하고 유람선 쪽으로 갔다. 유람선 안에서는 커다란 창을 통해 바다가 내다보였다. 딸은 해면을 향해 심호흡을 한 번 했으며 갈매기가 창에 거의 닿을 듯이 가까이 날아오자 낮은 탄성을 지르기도 했다. 차를 세워둔 곳으로 되돌아왔을 때는 노을이 깔리기 시작하는 시각이었다.

그 양식집에 다행히 2층 창가 자리가 남아 있었다. 그녀가 가재요리를 주문하자 딸이, 엄마 오늘 돈 많아요? 라며 오랜만에 앳된 웃음을 지어 보였다. 그러고는 노을빛이 비쳐 잔잔하고 붉게 물결치는 바다 저 멀리로 시선을 던졌다. 푸른색 셔츠를 입은 청년 하나가 비틀거리며 바다의 풍경 속으로 등장했다. 손에 든 것은 술병 같았다. 바다를 향해 삿대질을 한 번 하고 병을 쳐들어 술을 들이켜기를 되풀이하면서 바다 쪽으로 계속 걸어가는 청년을 다른 청년 둘이 다가와서 붙잡았다. 금방이라도 모래 위로 고꾸라질 듯 위태로워 보이는 청년의 어깨를 두 청년이 양쪽에서 잡고 질질 끌듯이 데리고 나왔다. 끌려나오면서도 청년은 몇 번인가 친구들의 손길을 뿌리치고 비틀거리며 병나발을 불었다. 딸은 푸른 옷 청년에게서 눈을 떼지 않았다.

"저 사람, 왜 저럴까?"

"글쎄…… 잊어버리려고?"

전채 요리가 나왔으므로 딸과 그녀는 포크를 들었다. 그녀는 건성으로 포크를 움직였다. 전혀 입맛이 동하지 않았다. 딸은 딸대로 뭔가 생각에 잠긴 듯했다.

"사람들은 잊고 싶은 일들을 어떻게 잊어요?"

후식으로 나온 아이스크림을 먹으며 딸이 비로소 입을 열었다. 그녀는 들고 있던 커피잔을 내려놓았다.

"글쎄."

그녀의 입가에 어린 웃음은 조금 허탈했다.

"뭐 잊어야 할 일이라도 있니?"

"아니."

"그럼 왜?"

"그냥."

그녀가 유난히 '글쎄'라는 말을 많이 쓰듯이 딸은 입버릇처럼 '그냥'이란 한마디로 많은 대답을 대신하곤 했다. 조금 후에 속눈썹을 내리깐 채 딸이 말을 이었다.

"가끔 내 햄스터가 생각나요. 또 어느 집에선가 키우고 있겠죠?"

"그렇겠지."

"근데 죽었을지도 모른다는 생각이 자꾸 들어."

"왜?"

"어미한테 버림받았으니까요."

"어미라니?"

"키우는 동안은 내가 햄스터 어미였잖아요."

"……."

"할머니한테 전화했더니, 괴로움도 좋은 데 쓰면 약이 된다고, 다 잊어버리래요."

"좋은 말씀만 하시는구나."

딸은 목이 아픈 사람처럼 침을 한 번 꿀꺽 삼켰다. 딸의 눈 속에서 불안과 자기 위안이 교차하는 것을 그녀는 힘들게 지켜보았다.

"사실은 오늘 친구들이 동대문 밀리오레 가자고 그랬어요."

"가지 왜 안 갔어?"

"그냥. 걔들은 머리를 염색해서 거기 어울리는 새 옷을 사러 간대요."

"학교에서 걸리지 않니, 염색 같은 거 하면?"

"별로 표시 안 나. 오렌지색으로 한 애도 있고 와인색으로 한 애도 있어요. 내 친구들 중에 귀 안 뚫고 핸드폰 없는 건 나뿐이야."

"너도 하지, 왜. 꼭 필요할 거 같으면 핸드폰도 사줄게."

"사실은 걔들 따라 하고 싶지도 않아. 만화 캐릭터 모으다가 스티커 사진 모으고 다이어리에다 서로서로 돌려가면서 편지 써주는 게 유행이더니 요즘은 통신에 들어가 채팅한 거랑 하루에 이메일 몇 통 받았나 그 얘기만 해요. 그것도 금방 바뀔 거야. 나하고 제일 친한 애가 있었는데 자기 빼놓고 딴 애하고 화장실 같이 갔다고 지금 이 주일째 말 안 해요."

딸은 차가워진 아이스크림 숟가락을 세워 입술에 댄 채 잠시 허공을 바라보았다.

"애들은 다 나를 안 좋아하는 것 같아요. 왜 그런지 난 다른 애들이 하는 대로 따라 하지 못하겠어. 내 짝은 공부도 잘하고 운동도 잘하고 친구도 많고, 아무튼 뭐든지 튀어요. 걔를 보면 나는 아무데도 쓸데가 없는 바보 같아."

"모든 걸 잘하는 건 비정상적인 일이야. 너 하고 싶은 것만 잘하면 돼."

"하고 싶은 게 아무것도 없다니까!"

목소리가 올라가는가 싶더니 딸은 고개를 떨구고 접시 바닥에 조금 남은 아이스크림을 숟가락으로 이리저리 저었다. 그녀는 딸의 숙인 머리통 속의 새하얀 속살과 머리카락 사이사이에 촘촘히 밴 땀을 보고 있었다. 딸이 일곱 살 때이던가, 어린이용 두발 자전거의 보조 바퀴를 떼던 날이 생각났다. 아직은 무리라고 생각했지만 딸이 고집을 부렸다. 딸의 자전거가 마치 얼음판 위에서처럼 균형을 잡지 못해 비틀거리다가 넘어질 때마다 놀이터 벤치에 앉아서 지켜보던 그녀는 벌떡벌떡 일어나곤 했다. 딸은 나흘이 지나서야 보조 바퀴 없이 자전거를 타는 데 성공했다. 그리고 그날 밤 열이 나기 시작한 뒤 며칠을 앓았다. 머리카락 사이사이에 빈틈없이 땀이 돋은 채로.

딸이 불쑥 말했다.

"제가 잘못했어요."

"뭘?"

"내가 죽어버리는 게 낫겠냐고, 엄마한테 그런 말 한 거요. 엄마 인생만 중요하냐는 말도 금방 후회했었어요."

아무리 어미라고 해도 죽고 사는 문제를 혼자 마음대로 결정하는 건 불공평한 거 아네요, 라고 딸은 말했었다. 오래전 그녀는 뱃속에 든 딸의 생명을 놓고 결정을 해야만 했다. 그때는 그녀의 생에 그런 순간이 또다시 닥쳐오리라는 건 전혀 알지 못했다. 딸의 경우에는 결정을 내리는 데 그다지 망설이지 않았지만 지금은 달랐다. 아마 그때와 같은 결정을 내리지는 못할 것이다. 어쨌든 딸의 말이 옳다. 공정하지 않은 일이었다.

딸에게 대답하는 그녀의 목소리는 다소 냉정했다.

"그래. 이제 그런 말은 하지 마."

그녀의 말이 단호한 데에 놀랐는지 딸은 숙였던 고개를 번쩍 들고 그녀를 빤히 쳐다보았다.

돌아오는 차 안에서 그녀는 한마디도 하지 않았다. 주변으로 자동차들이 스쳐 지나갈 때마다 그녀의 얼굴에 복잡한 빛의 얼룩이 만들어졌다가 사라지곤 했다.

지난 가을 밤이던가 그녀와 그는 형의 무덤 뒤편에서 약간 큰 비석을 발견했다. 그 비석의 주변으로는 여섯 기나 되는 무덤들이 모여 있었다. 그가 라이터를 켜서 비석에 새겨진 글씨를 비춰보았다. '교동중학교 3학년 1반'이라고 씌어 있었다. 탁, 하고 그의 라이터 뚜껑 덮이는 소리에 이어 사방이 다시 어두워졌고 그녀가 말했다. 가족들 곁에 안 묻히고 동창끼리? 괴상한 사람들이네. 자기 인생을 통틀어서 마지막으로 갖고 가고 싶은 이름이 교동중학교 3학년 1반이라니…… 실향민들인가? 그때 그가 난데없는 질문을 던졌다. 만약 네 무덤에 비석을 세운다면 뭐라고 새기고 싶니? 그녀는 농담을 했다. 글쎄, 너는? 발로 뛰었던 이 시대 마지막 사회부 기자 김훈? 그는 웃지 않았다. 제 생각에 골똘해서 무슨 일을 하고 있는지 의식 못 하는 사람처럼 묵묵히 라이터를 껐다 켰다만 반복하더니 말했다. 죽은 다음에 누구로 기억되는가 하는 게 뭐가 중요해, 죽어버리면 아무것도 모르는데. 난 죽은 뒤에는 아무도 날 기억하지 말았으면 좋겠어. 자식도 안 낳을 거야.

차 안에서 몸이 부서지는 순간에도 그는 그렇게 생각했을까.

딸이 앉은 조수석에서 이따금 기침 소리가 들려왔다. 목욕탕에서 나왔을 때 젖은 머리로 비를 조금 맞은데다 바닷바람까지 쐰 것이 좋지 않았던 모양이다. 어릴 때부터 딸은 기관지가 약했다. 콩나물 줄기나 혹은 과육을 반쯤 파낸 배에 꿀을 부어놓았다가 그 즙을 먹이곤 했었다. 딸의 기침에 점점 가래가 섞이는 것 같았다. 그녀는 집 앞 약국에 차를 세웠다. 딸이 잠든 척 눈을 감고 꼼짝도 하지 않았으므로 그녀 혼자 가서 약을 지어야 했다.

형광등이 환하게 켜진 실내에서 약사가 약을 조제하는 동안 그녀는 유리 칸막이에 기대고 서서 세 개의 벽을 빽빽이 채운 가지각색의 약들을 멍청히 바라보았다.

삶을 지속하기 위해 육체는 늘 보살핌을 받는다. 인간의 삶이 육체가 있을 때까지만 존재한다는 데에 육체의 권능이 있었다. 아무리 멋진 정신을 갖고 있다 하더라도 육체가 죽어버리면 하는 수 없이 멋 부리기를 끝내야 한다. 고통의 수식(數式)은 정신이 아니라 육체에 속한 세계의 규칙에서 비롯되는 건지도 모른다. 그녀는 위안 없는 생으로부터 잠깐씩 벗어나게 해주었던 꿈의 행방을 잃은 것에 새삼 고통을 느꼈다. 그러나 딸은 오해했다.

다음날 그녀가 퇴근해 돌아와보니 딸은 집을 나가고 없었다.

딸의 이름이 적힌 채 방바닥에 내팽개쳐진 약봉지가 마치 자기는 아무것도 모른다는 듯이 멀뚱히 그녀를 올려다보고 있었다.

두통

딸의 소지품을 뒤져 세 권의 메모장과 다이어리에 적힌 모든 전화번호에 다 전화를 걸어보았지만 소용없는 일이었다. 그녀는 어머니에게도 전화를 걸었다. 어머니는 걱정을 하는 한편으로, 그러게 내가 신경 좀 쓰라고 할 때 관심을 가졌어야지, 라며 비난하기를 잊지 않았다. 그녀는 고개를 저었다. 엄마는 이 일이 무슨 제 연애 사건인 줄 아세요? 그럼 아니란 말이냐? 혼자 잘 키우기는 어렵다고 그렇게 말릴 때는 창피한 줄 모르고 덜컥 낳더니, 이제 애는 뒷전이고 너 하고 싶은 대로만 하고 다니니까 이런 일이 생기지. 그런 게 아녜요. 그녀는 전화기를 들지 않은 한 손으로 관자놀이를 꾹꾹 눌렀다. 걔도 크느라고 애쓰는 과정일 뿐예요. 아무튼 혹시라도 그리로 연락이 오면 바로 저한테 전화하세요. 그녀는 두통이 심해 더 이상 통화를 계속할 수가 없었다.

이틀을 기다렸지만 딸은 돌아오지 않았다. 사흘째 되는 날 경찰에 가출 신고를 했다.

A가 전화를 걸어왔다. 네 엽서 도착했어. 별 내용 없이 그냥 안부 편지던데? 갖고 있다가 너 만나면 줄까? 아니 네가 그냥 버려줘. 뭐? 그럴 걸 뭐 하러 찾아달랬니, 괜히 신경만 쓰였잖아. A의 말투에는 불만과 함께 실망이 섞여 있었다. 난 그래도 죽은 뒤까지 못 잊는 순정이 기특하다 싶어 열심히 챙겼는데, 나만 우스워졌네. 그 정도로 사랑한 건 아니었나 보지? 아니면 원래 사랑이란 게 다 그 정도니? A가 한참 동안 대답을 기다리고 있었으므로 그녀는 뭐

든 대꾸를 해야 할 것 같았다. 아무리 생각해봐도 할 말이 없었다. 자기가 진심으로 그를 사랑하는지 아닌지가 심각한 문제라고 생각해본 적도 없었으며 사랑에 대한 질문과 의미 규정으로 자기 감정을 검열하는 것이 왜 필요한지 이해할 수 없었다.

목걸이가 찍힌 사진과 마찬가지로 그 엽서 속에는 그와의 유보된 시간이 담겨 있었다. 그가 살아 있을 때의 시간을 간직하고 싶었지만 이제는 중요하지 않게 된 것뿐이었다.

노래

술을 꽤 마셨다. 운전석에 앉으니 사물이 명확하게 눈에 잡히지 않았다. 그런데도 그녀는 서둘렀다. 딸이 집에 돌아와 있을 것만 같아 마음이 조급했다. 언제부터 비가 내리기 시작했는지 검은 포도가 젖어 번들거리고 있었다. 취한 그녀는 주차장에서 차를 빼 차도로 나올 때까지도 앞유리가 부옇다는 사실을 깨닫지 못했다. 뒤늦게 와이퍼를 작동시키자 눈앞으로 밤의 거리가 한꺼번에 펼쳐졌다. 술집이 많은 거리였다. 수많은 불빛들, 오가는 사람들, 움직이는 우산, 라이트를 켠 자동차의 무리, 술냄새와 욕망, 젖은 입술, 끈적이는 팔…… 그가 없는 세상에 그토록 많은 것들이 여전히 존재하여 어엿이 제 실물을 유지하고 소리치며 시간을 잠식해가는 데 대해 갑자기 분노가 느껴졌다. 그녀는 운전대를 잡지 않은 오른손으로 콘솔 박스를 열고는 손에 잡히는 대로 테이프 하나를 꺼내 데크에 넣었다. 차가 강변로로 접어들고 나서야 그 노래를 부르고 있는 사람이 그라는 걸 깨달았다.

너와 함께 가는 길 아름답지도 평탄하지도 않네
그러나 잠깐만이라도 쉬어갈 곳 있다면
우리는 그 길 가기로 했네
오 나의 꿈, 그것은 네가 쉬고 있는 의자
오 나의 꿈, 그것은 우리가 함께 눈뜬 외딴 집

후렴이 되풀이되었다.

오 나의 꿈, 우리 지금 그곳으로 떠나네
오 나의 꿈, 그곳은 우리가 함께 잠들 무덤

그날 밤은 바람이 조금 불었다. 그녀는 마감 뉴스가 끝난 뒤 리모컨을 눌러 텔레비전을 껐다. 화면이 꺼진 뒤로도 한참 동안 멍하니 텔레비전에 시선을 두고 있었다. 그때 전화벨이 울렸다. 벽시계는 한시 십분을 가리키고 있었다. 나야. 만나서 얘기하자. 네가 잘못 생각하고 있는 거야. 난 더 이상 할 말 없어. 어제 한 말이 전부다야. 아무튼 만나서 얘기해. 그럴 필요 없다니까. 그녀는 전화를 끊고 욕실로 들어갔다.

전화는 계속 걸려왔다. 욕실에서 나온 뒤에야 전화를 받았다. 나 지금 너희 집 앞으로 출발한다. 아니, 그러지 마. 그녀의 말에 그가 소리쳤다. 당장 나와! 끝내더라도, 내가 끝내줄 거야! 그녀가 두어 번 고개를 가로저었으므로 긴 머리칼을 타고 물방울이 손등으로 떨어졌다. 그녀는 목소리에 힘을 주어 한 번 더 반복했다. 그러지마. 그러고는 전화기 코드를 뽑았다.

집 안은 적막했다. 야행성인 햄스터 한 쌍만이 달그락달그락 쳇바퀴를 굴리고 있었다. 상추를 한 잎 넣어주자 마치 식탁에 앉은 부부처럼 서로 마주 보며 뜯어먹기 시작했다. 그녀는 담배에 불을 붙여 들고 베란다로 나가 바깥 유리문을 열었다. 바람이 그녀의 뺨과 귓불에 스쳤다. 건너편 아파트동에 늦도록 잠들지 않은 사람들의 그림자가 어른어른 비쳤다. 그때 전조등을 켠 자동차 한 대가 느릿느릿 아파트 안으로 들어왔다. 그녀는 담배를 깊이 빨며 그 자동차에서 눈을 떼지 않고 움직이는 것을 내려다보았다. 주차할 자리를 찾지 못해 화단 앞을 이리저리 돌아다니던 자동차는 건너편 동에 있는 지하 주차장을 향해 방향을 돌렸다. 담배가 다 타버린 다음에도 그녀는 베란다 철책에 기대서 바람을 쐬었다. 새벽 세시가 되어서야 그녀는 위스키 석 잔을 연거푸 마시고 겨우 잠들 수 있었다.

그가 도착한 것은 그녀가 잠든 지 얼마 지나지 않아서였다. 전화를 걸었지만 받지 않았다. 화단 안으로 들어가 그녀가 있는 3층을 향해 몇 번인가 이름을 소리쳐 불렀다. 그러다가 바닥까지 늘어져 있던 줄장미 덩굴에 발이 걸려 넘어지고 말았으며, 미친 듯이 장미 덩굴을 잡아채고 거기 매달린 붉은 꽃들을 사납게 훑어서 마구 짓밟다가 피가 흐르는 손바닥으로 벽을 몇 번 친 뒤 다시 차에 올라 자유로 쪽으로 힘껏 가속 페달을 밟은 것은 그녀가 잠든 지 한 시간도 채 지나지 않은 때였다.

새벽 여섯시가 조금 넘어 일어난 그녀는 여행 가방을 꾸렸다. 준비가 거의 끝났을 때 딸의 방에서 브리트니 스피어스의 「베이비 원 모어 타임」이 들려왔다.

비행기 출발 시각까지는 두 시간 반이 남아 있었다. 지금 출발하면 차들이 많이 막히는 출근 시간대라고 해도 비행기가 뜨기 한 시간 이전까지 공항에 도착할 수 있을 것이다. 그녀는 택시를 불렀다.

현관문을 나서려는데 딸이 부르는 소리가 들려왔다. 그녀는 손목시계를 내려다본 다음 다시 구두를 벗었다. 욕실 문을 열자 아랫도리를 벗은 채 멍한 표정으로 서 있는 딸의 모습이 눈에 들어왔다. 딸은 검붉은 핏자국이 얼룩진 팬티를 그녀에게 내밀어 보였다. 이게 뭐예요? 그녀는 안방으로 가서 서랍장 안에 있던 스무 개들이 생리대 팩을 가져다가 딸에게 건네주었다. 이걸 써. 오후에 할머니 오실 거야.

택시는 자유로에 진입하자마자 바로 발목이 묶였다. 운전 기사가 짜증 섞인 목소리로 말했다. 어떤 놈이 하필이면 이 바쁜 출근 시간에 사고를 내.

그 순간 그는 그녀로부터 멀지 않은 곳에서 교통사고 처리반의 작업을 번거롭게 만들고 있었다. 갈비뼈가 운전대에 깊이 박혀서 쉽게 빼낼 수가 없었다. 그의 차는 처참하게 찌그러졌다. 그가 그녀의 옷을 벗기고 몸속 깊이 자신을 뜨겁게 들여놓곤 하던 뒷자리의 시트는 검붉은 피로 범벅되어 은회색 패브릭의 무늬를 거의 알아볼 수가 없었다. 난 다리가 길어서 차 안에서는 바지를 꿸 수가 없거든. 벗을 때는 대체 무슨 수로 벗었을까. 그는 섹스가 끝난 뒤 차문을 열고 나가 옷을 입었다. 그녀가 옷을 챙겨 입고 나가면 차문에 기대서 있다가 담배에 불을 붙여주곤 했다. 어떤 날 그의 뒷목에서는 진한 땀냄새에 섞여 어릴 때 나무 필통에서 맡았던 향나무 냄새가 섞여 났다. 귓불에 혀를 대면 혀를 태울 듯한 짜릿한 짠내가 바다 내음 같았다. 순간순간 그녀 자신의 것보다 더욱 예민하게 느낄 수 있었던 그의 몸—그의 얼굴, 그의 겨드랑이, 그의 허벅지, 그의 가슴. 그것들은 교통사고 수습반에 의해 갈래갈래 나뉘어 꺼내지고 있었다. 그가 자기 몸 가운데 절대 만지지 못하게 하는 곳은 왼쪽 팔이었다. 팔뚝 안쪽의 살갗이 죄다 일그러져 그의 흉터는 무척 험악했다. 고등학교 때 병을 깨서 그었어. 자해를 해야만 조직에서 빠질 수 있었거든. 그의 말을 모두 믿은 건 아니었지만 여름에도 긴 소매 옷을 입는다는 말을 듣자 그녀는 빨리 여름이 되었으면 하고 생각했었다. 아주 더운 날 긴 소매 옷을 입은 그를 보고 있으면 자신만은 그의 비밀을 알고 있다는 게 실감나고 그것이 그에 대한 특권인 양 그녀를 즐겁게 해줄 것도 같았다. 그러나 그녀는 여름에 그를 만나지 못했다. 그가 결혼한 뒤에도 가을로부터 다시 시작해 겨울과 봄, 세 계절을 만났다. 사고 수습반은 그것이 그녀가 그렇게 만져보고 싶어하던 그의 흉터라는 걸 알 리 없었으므로 죽은 자의 왼팔을 간단히 뜯어내고 있었다.

그녀는 비행기 출발 시각을 계산하며 손목시계를 보았다. 차창밖으로 고개를 돌리는 그녀의 이마가 서서히 찌푸려져갔다. 현장에서 즉사했대요. 운전 기사가 말해주었다. 길을 가득 메운 자동차의 운전자들처럼 그녀 역시 모르는 사람의 죽음보다 자기의 출장이 더 중요했다. 하늘에는 낮은 구름이 걷히면서 점점 파란빛이 감돌았다. 사고 지점은 그녀가 응시하는 곳에서 전방 50미터 거리쯤이었다. 언제라도 마음이 내켜서 걷기 시작하면 몇 분도 안 되는 거리였다. 그곳에 그가 혼자 죽어 있었다.

공항에 도착하자마자 그녀는 뛰어야 했다. 비행기를 탄 뒤에는 출근 시간에 사고를 낸 운전자에 대해 곧 잊어버렸다. 그녀는 전날 밤 그의 전화만을 생각하고 있었다. 삶의 어떤 찰나에 그 두 존재의 육신이 겹쳐졌었다는 것을 그녀가 알 리 없었다. 그의 죽음이 그녀의 발목을 잠깐 붙들었다 놓아주었다는 사실은 꿈에서조차 알 수가 없는 일이었다.

볼로냐의 호텔에 도착했을 때는 늦은 오후였다. 그녀는 방으로 올라가 쉬고 싶었다. 양치질을 하다가 팔에 차가운 것이 닿는 듯한 감촉을 느꼈다. 치약 거품을 입에 문 채로 거울에 비친 자신의 젖가슴을 물끄러미 본 것은 어머니의 말이 기억나서였다. 젖꼭지가 차가워지면 여자로서는 끝난 거야. 그녀는 천천히 샤워를 마쳤다. 딸이 생리를 제대로 치러내고 있는지 전화를 해보려다가 잠들었을 시각이란 걸 알고 그만두었다.

이국의 작은 호텔은 마치 다른 세상처럼 조용했다. 침대 위에 누워 그녀는 눈을 감았다. 팔짱을 끼고 젖가슴을 지그시 눌렀다. 그와 헤어짐으로써 자신의 삶을 속박해온 욕망의 주기도 어지간히 일주를 마쳤다는 생각이 들었다.

그녀는 가벼운 마음으로 엽서를 꺼내 쓰기 시작했다. 날씨에 대해 적었고 잘 도착했다고 썼다. 흔하디흔한 비밀 한 가지가 없어졌을 뿐, 처음부터 세상에는 없었던 만남이니 달라질 건 아무것도 없어. 이 문장을 썼기 때문에 첫번째 엽서는 버려졌다. 두번째 엽서는 날씨와 사소하고 평이한 안부, 그리고 '그럼 잘 있어'라는 문장을 끝으로 완성되었다.

그날 밤 그는 여섯 번이나 전화를 했다. 만약 그녀가 그를 만나러 나갔다면 그는 그 미친 듯한 폭음과 과속 안으로 뛰어들지 않았을까. 그를 만나러 나갔다면 그녀는 목걸이를 돌려주었을 것이다. 그랬으면 목걸이를 잃어버리지도 않았을 것이고 목걸이가 찍힌 사진을 간직하는 일 따위도 없었을 것이다. 그가 죽지 않았다면 앞으로 다가올 그리 멀지 않은 어떤 때에 그는 그녀에게서 쉽게 잊혀졌을지도 모른다. 그의 죽음조차 알지 못했을 것이고 알았다 하더라도 어느 출장 떠나던 날 교통마비를 일으켰던 운전자의 죽음처럼 타인의 소식일 뿐이다.

나를 기억하지 마. 죽은 뒤의 안식을 방해하지 마.
나를 잊어야 해. 죽은 뒤의 기억, 그건 내가 아니야.

그가 노래하고 있었다.

교통사고 사망 지역

운전대가 손에서 자꾸 미끄러지고 잠깐씩 졸음이 몰려왔다. 그녀는 정신을 차려야 한다고 중얼거렸다. 손바닥으로 카오디오의 스톱 버튼을 눌러 노래를 끈 다음 창문을 한 번 내렸다가 올렸다.

자유로로 접어든 지 한참 지난 것 같았다. 비는 계속 내렸다. 그녀의 눈에는 차선이 제대로 보이지 않았다. 차들이 내뿜는 불빛으로만 다른 차들도 함께 달리고 있는 걸 인식할 따름이었다. 괴로움도 좋은 데 쓰면 약이 된다. 고통에 찬 그녀는 그런 멋진 말을 딸에게 해준 어머니를 욕하면서 가속 페달을 밟았다.

딸은 돌아왔을 것이다. 집에서 그녀를 기다리고 있는 게 틀림없다. 그가 죽었고 그의 아기 역시 죽어버렸다는 걸 말해주면 딸은 안심할 것이다. 빗줄기가 거세어져 앞이 잘 보이지 않았다. 와이퍼를 한 단 더 높여야 했다. 차가 자기 차선을 지키지 못하고 왔다 갔다 흔들리는 게 자신에게도 느껴졌다.

갑자기 날카로운 전화벨 소리가 경보음처럼 터져나왔다. 그녀는 옆자리를 더듬어 핸드백을 무릎 위로 가져왔다. 지퍼를 열고 휴대전화를 꺼내는 데까지는 성공했지만 그것을 손에 쥐자 곧바로 바닥으로 떨어뜨리고 말았다. 전화벨 소리는 이제 그녀의 발 밑에서 울리고 있었다. 그녀의 이마에 땀이 배기 시작했다. 무릎 아래쪽으로 팔을 뻗어 휘저었다. 전화를 받아야만 어떤 무서운 죽음의 소식을 막을 수 있을 것만 같았다. 자신이 원하지 않는 인생인데도 열심히 사는 것, 그것이 생존이라고 그가 말했었다. 그녀에게는 그 전화벨 소리가 누군가의 생존으로부터 걸려온 마지막 교신음처럼 여겨졌다. 전화를 받아야만 했다. 그녀는 운전대 아래쪽으로 몸을 구부렸다. 순간 몸의 움직임을 따라 운전대가 휘면서 차가 큰 각도로 급격한 커브를 그렸다.

차는 단번에 차선 서너 개를 사선으로 가로지르더니 중앙 분리대 쪽으로 내달았다. 반대쪽을 향해 아주 조금 운전대를 꺾었다고 생각했는데 그때부터 차선을 제멋대로 넘나들며 지그재그로 마구 비틀거리기 시작했다. 언제부터 브레이크에 발을 대고 있었는지 기억나지 않았다. 어느 순간 마치 난동을 부리다가 진정제 화살을 맞은 동물이 쓰러지듯 스르르 차가 멈췄을 때 그녀는 주행 방향과 반대쪽을 향해 서 있는 자기 차의 지붕 위로 우박처럼 쏟아지는 빗소리를 들었다.

가까이에 다른 차는 없었다. 그녀의 차가 굴러가는 모양이 심상찮아서 모두들 멀찌감치 피해 운전하고 있었던 모양이었다. 차들은 일정한 거리 밖에서 비상등을 켜고 그녀의 차가 벌이는 곡예를 지켜보고 있다가 그제야 조금씩 움직이기 시작했다. 그녀는 8차선 한가운데에서 뒤돌아 멈춰버린 차를 제 방향으로 돌려 가까스로 갓길에 세웠다. 그때 끊어져버렸던 전화벨이 다시 울리기 시작했다. 그녀는 전화기를 집어 플립을 열었다. 여보세요.

그녀가 들은 것은 숨이 막힐 듯한 침묵의 소리였다. 전화기 안으로부터 검은 침묵이 서서히 흘러나와 차 안을 가득 채우고 그녀의 내장 속으로 빨려들어가는 느낌이었다. 아프도록 목이 메어왔다. 자동차의 불빛들이 다가왔다가 멀어져갔지만 차 안은 검은 물 속에 빠진 듯이 축축하고 캄캄했다. 여보세요. 그녀는 마른 목소리로 한 번 더 천천히 상대를 불렀다. 아무 소리도 들리지 않았고 아무것도 보이지 않았다. 다만 자신이 삶이라는 만만찮은 악의의 존재와 중대한 국면에서 대결하고 있다는 것만이 똑똑히 느껴졌다. 그것은 굳게 입을 다물고 숨을 죽인 채 그녀의 목에 씌워진 올가미의 끝을 잡고 있으며 어떠한 작은 움직임에도 여지없이 그 끈을 당겨버릴 것이다. 전화기를 귀에 댄 그대로 그녀는 숨을 죽이고 꼼짝도 하지 않았다. 그때 자동차 한 대가 아주 가까이 스쳐 지나갔다. 그 차의 불빛에 반사되어 갓길 바로 위쪽에 붙어 있는 팻말이 갑자기 눈에 들어왔다. 그 새 팻말은 야간에도 잘 보이도록 형광 도료로 씌어진 것 같았다. 그것이 눈에 들어온 순간 그녀의 얼굴에 긴장이 사라졌다. 그녀는 붉은 바탕에 또렷이 박힌 흰 글씨를 홀린 듯이 쳐다보았다. 그 순간 전화가 끊어졌다. 뚜뚜뚜, 하는 날카로운 기계음이 그녀의 귀와 눈을 깊숙이 찔렀다. 그녀는 팻말에서 눈을 떼지 않고 있었다. 교통사고 사망 지역. 그것은 그녀가 꿈속에서나 살아보았던 다정한 집의 커다란 문패였다.

〔『문학동네』, 2000년〕

저는 낯선 곳에 가서 살고 싶어요. 뭘 하면서 말인가요? 글쎄요, 쓸데없어 보이는 일들을 하면서요.
그녀도 그런 말을 했었다. 그냥 살아도 살아져요. 뭣 때문에 그렇게 자기 인생을 늘 의식하는 거죠?

태양의 서커스

태양의 서커스

어느 화창한 봄날 미래기획에서 해고된 뒤 나는 일 년 가까이 일자리를 구하지 못하고 있었다. 처음에는 석 달 정도면 새 직장을 구하겠지 하고 통장에 남은 돈으로 버텼지만 반년이 지나자 적금을 깨야 했다. 혼자 몸이고 또 집값이 싼 동네에 방 한 칸을 얻어 있기 때문에 생활비가 그다지 많이 들지 않는데도 그랬다. 입사 원서는 여기저기 계속해서 넣어보았지만 번번이 떨어지기만 했다. 그런 일을 여섯 번이나 겪고 나자 나는 운이 닿으면 되겠지 하며 그때를 느긋이 기다리는 편이 낫겠다고 생각하기 시작했고 지금의 생활에 적응하는 쪽으로 마음을 바꿔 먹었다.

오래된 습관 몇 가지도 바꾸었다. 테니스 대신 농구를 하는 것도 그중 하나였다. 해질녘이면 근처에 있는 학교 운동장에 가서 온몸이 땀에 젖어 머리통에서 김이 날 때까지 농구를 했다. 그러고는 잎이 져버린 플라타너스나무 아래 딱 한 개밖에 없는 벤치에 앉아서 노을을 바라보곤 했다. 구름은 아주 천천히 퍼져나가며 하늘을 아름답게 물들였다. 푸르고 커다란 하늘 전체가 점점 붉어지면서 장밋빛으로 덮여가는 것을 나는 넋을 잃고 바라보았다. 그러나 어느 한순간 모조리 잿빛으로 변해버리는 것이었다.

집으로 돌아오는 길에는 버스 정류장 앞에서 일찍 퇴근해 들어오는 가장들과 마주치곤 했다. 그들은 버스 안에서 이미 다 읽었을 신문을 손에 말아쥐고 내렸다. 조그마한 식당의 주인 남자들이 뉴스 시간이면 언제나 텔레비전을 크게 틀어놓고 있는 것처럼 회사원들은 혼자 있는 시간에 늘 신문을 읽었다. 열심히 새 일자리를 찾아다닐 때까지는 나 역시 꼬박꼬박 조간을 찾아 읽었다. 내가 신문을 읽었는지 안 읽었는지 관심 갖거나 확인하는 사람이 있을 리 없지만 그런데도 하루라도 신문을 읽지 않으면 세상이 나를 완전히 제외시켜버릴 것만 같았다. 전쟁과 천재지변 같은 재앙이 닥쳐오거나 화폐 개혁, 또는 인도와 차도를 바꾸기로 했다는 따위 엄청난 사회적 약속의 변동을 나만 모르고 있는 게 아닐까 하는 불안이 항상 머릿속에 자리잡고 있었다. 오늘의 운세 또한 빼놓지 않고 훑어보았다. 그때는 사람들도 꽤 찾아다녔고 부탁과 위로를 겸한 술자리에서 제법 많은 술을 마셨다. 그러나 요즘은 어쩌다 누군가가 불러내주기 전에는 외출하는 일이 거의 없었다. 농구대 아래의 벤치에 누군가 두고 간 신문이 있을 경우에도 그것을 집어들지 않았다. 낡은 텔레비전의 파워 버튼이 고장난 이후부터는 밤에 텔레비전을 보며 혼자 캔 맥주를 마시곤 하던 버릇도 없어졌다. 컴퓨터가 말썽을 일으켰을 때가 가장 큰 고비였다. 게임 사이트에 들어가는 게 습관이긴 했지만 곰곰이 따져보니 내가 그것을 그다지 즐기는 것 같지는 않았고 무엇보다 메일을 받아본 지 두 달이 넘었다는 데에 생각이 미치자 컴퓨터 없이 사는 쪽으로 결정이 났다. 마치 이사를 코앞에 둔 사람처럼 새로 물건을 사지도 않았고 고장난 물건을 고치지도 않은 지 오래되었지만 큰 불편을 느끼지는 않았다. 내 쪽에서 전화를 걸지 않으니 걸려오는 곳도 없었다. 나는 이런 생활이 오래도록 지속된다면 분명 지겹고 괴롭겠지만 아직까지는 나름대로 단출한 맛이 있고 또 번거로운 일이 안 생기니 지낼 만하다고 생각하려 했다.

지난 여름까지 K는 호텔에서 일했었다. 환경 보호를 주제로 한 국제 세미나가 열리고 여름을 위한 태국 음식 축제가 벌어지고 새로 오픈한 포도주 전문 바가 있는 그런 곳이다. 어느 객실에선가는 진정으로 사랑해서 결혼한 신혼부부도 묵고 있고 멤버십으로 운영되는 피트니스 클럽에는 도심에서 여름 휴가를 보내는 고소득 전문 직업인들이 땀을 흘리고 야외 수영장에는 갈색으로 몸을 태우려는 젊은 여자들이 선탠 크림을 바른 채 나란히 누워 있고 지하 어딘가의 냉동 창고에는 엄청난 살코기들 역시 줄을 맞춰 나란히 걸려 있을 호텔이었다. K와 M. 열여섯 살 때부터 내게 친구라고는 그 둘뿐이었다. 그 둘은 두 개의 태양이었지만 언제나 반대편에 자리했다. M이 말라르메나 바이런의 시를 30분 정도 외울 수 있는데 반해 K는 그 같은 끔찍한 지루함을 중단시키는 일에조차 말 대신 고갯짓을 사용했다. 그 둘의 가슴 속에는 똑같이 이글거리는 불이 들어 있었지만 M의 것은 컴컴한 밤중의 횃불처럼 만천하에 드러났고 K의 것은 그를 사랑하는 몇 안 되는 사람의 눈에만 보였다. M의 불은 선동적이었으므로 그의 청춘을 영웅 심리와 감상적 사랑으로 잘 그슬러주었다. 겉만 훈제가 된 그의 청춘은 아직까지도 남아 있다. M은 스물한 살에 죽었고 K도 지금은 한국에 없다. 늘 여자가 따른다는 점에서 둘은 같다고 할 수도 있지만 연유에서는 달랐다. M은 여자로 하여금 사랑받는다고 믿게 만드는 재주가 있었다. 반면 K는 여자에게 결코 사랑을 믿지 못하게 만들었다. 여자를 만나는 첫날부터 운명적인 사랑을 고백하는 M과 달리 K는 여자에게 사랑한다는 말 따위는 해본 적이 없었다. M은 여자들의 환상을 채워줬고 K는 그 허기를 자극했다. 나의 자리는 언제나 그 둘 사이에 있었다. 모든 점에서 중간을 선택하는 버릇이 생긴 나라는 사람은 그 둘 사이의 균형을 잡는 일을 통해 세상을 알아갔다고 말할 수밖에 없다. 나는 무슨 일이든 목표를 향해 돌진하기보다는 먼저 몸의 균형부터 잡으려는 타입이었다. 취향이나 생각이 다소 어정쩡했고, 내 인생이 중간에 끼인 무엇 같다는 생각이 지나쳐서 극장 좌석에 앉아 있을 때에도 마치 연인 사이에 끼여 앉은 기분이 들곤 했다.

지난 여름 나는 많은 파리를 잡았다. 그런데도 어찌 된 셈인지 그것들은 늘 일정한 수를 유지하는 것 같았고 가을이 되어서야 자취를 감추었다. 어느 늦가을 나는 이불 속에 엎드려 담배에 불을 붙이다가 방바닥에 앉아 있는 파리 한 마리를 발견하고는 무심히 그쪽으로 성냥갑을 내던졌다. 뜻밖에도 파리는 피하지 않고 그대로 죽어버렸다. 아마 파리는 내 집에서 나와 함께 여름과 가을을 나는 동안 아주 늙어버렸던 모양이었다. 어이없는 파리의 죽음에 나는 당황했고 마치 정당하지 않은 승리를 얻은 것처럼 마음 한쪽이 씁쓸했다. 아무래도 나는 정당한 생존 경쟁이라는 것과 무기력해진 존재에 대한 동정심을 혼동하고 있었다. 작년 이맘때라면 아침마다 산 중턱 고급 빌라의 지하 주차장 입구에 경사면을 따라 가득 쓸려가 있는 낙엽을 보고 올해도 다 갔군 따위의 말을 중얼거리며 출근을 서둘렀을 테지만 나는 아직도 이불 속에 있었던 것이다.

그날 나는 세수를 하고 오랜만에 머리를 자르러 외출했다. 주로 회사 근처나 목욕탕 가까이의 이발소를 이용하곤 했으므로 동네 어디에 이발소가 있는지 알 수 없었다. 누구에게 물어보자니 그것도 귀찮은 일이었다. 낮 시간에 집 근처를 어슬렁대며 이발소가 어딘지 묻고 다니는 젊은 남자가 되는 건 어쨌든 썩 내키는 일은 아니었다. 집 앞 골목에서 벗어난 뒤 언덕을 따라 10분쯤 걸어 내려갔더니 버스 종점 옆에 조그만 미장원 간판이 눈에 띄었다. 짙게 선팅된 유리문은 손잡이를 힘껏 잡아당겨서야 겨우 열렸다. 미장원 안에는 아무도 없었다. 가위와 각종 빗과 플라스틱 세팅 클립이 뒤죽박죽인 채 먼지에 덮여 있었고 뿌연 거울 속에서 내 얼굴이 나를 멀끔하니 건너다볼 뿐이었다. 아무도 안 계세요? 내가 그 말을 두 번쯤 반복하자 쪽문이 드르륵 열리고 늙은 여자 하나가 포대기로 업은 아기의 머리가 부딪치지 않도록 조심하면서 미장원 바닥으로 내려섰다. 앉아요. 환갑은 아니더라도 50은 분명 넘은 것 같았다. 주름살이 많았지만 웃는 눈이었고 고단한 채로 어딘지 교태가 엿보였다. 적당한 호칭이 생각나지 않았으므로 나는 등에 업힌 아기를 힐끔 보았다. 할머니가 자르시게요? 그럼. 내가 미용사인걸. 내 목에 미용 가운이 둘러졌다. 사삭거리는 가위 소리와 함께 일정한 리듬을 가진 아기의 칭얼거림이 들려왔고 할머니의 습관인 듯 머리에 분무기의 물을 뿜을 때마다 입으로 내는 쉬익쉬익 소리까지 가세했으므로 나는 침을 흘리며 잠까지 들고 말았다. 어느 순간 눈을 떠보니 머리는 생각보다 훨씬 짧아졌고 그것이 마음에 들었다. 값은 그다지 싸지 않았다.

겨울로 접어들면서 나는 더욱 가난해졌다. 농구도 그만두고 방에만 틀어박혔다. 외출을 하지 않게 되면서부터는 주로 책을 읽으며 지냈다. 책이라면 K가 여섯 박스나 남겨주고 떠났기 때문에 부족하다고는 할 수 없었다. 브리지 게임이나 라디오 조립법, 그리고 한국의 야생화나 세계 전쟁사, 열대어 기르기 같은 것을 공부했다. 뭐가 됐든 한 가지를 정하고 나면 그럭저럭 소일하면서 하루를 보냈다. 이상한 것은 그렇게 하는데도 시간이 조금도 줄어들지 않는다는 점이었다. 하루가 지나갔다고 생각하면 내일이 오늘이 되고 모레가 내일이 되는 식으로 시간은 도로 불어나서 내가 당해내야 하는 시간은 늘 일정했다.

날씨가 몹시 차가워진 아침에 어쩌다 일찍 눈을 뜬 나는 이웃집에서 흘러나오는 피아노 소리를 들었다. 음악을 별로 듣지 않는 나는 그 곡의 제목도 작곡가도 알 수가 없었다. 그러나 반복되는 멜로디는 무척 귀에 익은 것이었다. 방바닥이 약간 싸늘했지만 이불 안은 따뜻했으므로 나는 모로 누워 이불을 턱까지 끌어올렸다. 그러고는 멍하니 눈을 뜬 채 한참 동안이나 피아노 소리를 듣고 있었다. 그것은 퍽 서정적이고 아름다운 음악이었고 내 마음을 편안하게 만들어주었다. 얼마인가 뒤에 나의 눈에서는 눈물이 한 줄 흘러 베개 위로 툭 떨어졌다. 어쩌면 이제 나에게는 이불 속에서 일어날 기력이 영영 사라져버린 게 아닐까 하고 불현듯 두려움을 느낀 것이었다. 딱히 일어나야 할 이유도 없으면서 말이다. 설령 그대로 다시는 일어나지 못한다 해도 나의 죽음은 쉽게 발견되지 않을 것이 분명했다. 나는 세상에서 가장 고독한 것은 잊혀진 사람이라는 시구를 아직도 기억하고 있었다. 그날 나는 꽤 오래 전 그 시구를 내게 적어보냈던 여자에게 편지를 썼다가 밤이 되자 찢어버렸다. 아버지에게 전화를 걸고 싶었지만 용기가 나지 않았다.

죽어버린 줄 알았던 전화벨이 울렸을 때 나는 무척 놀랐다. 상대가 H라니 뜻밖이긴 했지만 솔직히 H의 강아지나 구두가 전화를 걸어왔대도 반가운 나머지 이상한 줄도 몰랐을 텐데 사실 그보다는 함께 술을 마실 수 있다는 점에서 H 쪽이 약간은 더 반가웠다고 할 수 있었다. H는 내가 사는 동네에서 멀지 않은 곳에 새로 개발한 단골 술집이 있는데 나오겠느냐고 풀죽고 자신 없는 목소리로 물어왔다. 무엇보다 H의 목소리에 변함이 없다는 사실이 나를 안심시켰다.

참으로 오랜만에 면도를 했다. 오랜만에 만나본 거울 속의 나는 여전했다. 예전부터도 나는 눈썹뼈 아래로 깊이 들어가서 쉽게 표정이 드러나지 않는 내 눈을 마음에 들어했다. 유심히 관찰하지 않는 한 그 눈 속에는 H를 만나기 싫어하는 기색 같은 것은 나타나 있지 않았다. 나무 옷걸이에 걸려 있던 파카와 목도리를 걸친 뒤 나는 오랜만에 저녁 거리로 내려섰고 차고 낯선 공기를 깊이 들이마셨다.

잔뜩 흐린 날씨였다. 구름이 낮게 가라앉아 있었고 대기는 무척 차가웠다. 나는 캐럴이 흘러나오는 선물 가게를 무심코 지나치고 이어서 첨탑 위에 높게 빛나는 별을 구경하며 교회 담을 끼고 걸어갔다. 케이크 상자가 쌓인 빵집 유리창에서 '축 성탄. 오늘만 싸게 팝니다' 라는 문구를 보고서야 오늘이 바로 크리스마스 이브란 걸 알았다. 버스 정류장 앞을 지날 때 나는 오랜만에 가판대에서 신문을 샀다. 오늘의 운세에는 내가 동쪽에서 온 귀인을 만나 거사를 도모하고 횡재를 얻을 거라고 나와 있었다.

먼저 도착한 H는 전철역으로 향하는 지하도 입구에 서 있었다. 길고 검은 외투를 입고 검은색 어깨가방을 멘 그는 누가 봐도 막 퇴근한 회사원의 모습이었다. 대부분의 일과를 달력에 따라 규칙적으로 꾸려가는 사람임에 틀림없었고 크리스마스만 아니라면 내일도 그와 비슷한 차림으로 출근하리라는 걸 짐작하기 어렵지 않은 그런 차림 말이다. 파카 주머니에 두 손을 찔러넣고 걸어가던 나는 막 지하철이 출발했는지 송풍구로 바람이 훅 불어 나왔으므로 어깨를 잔뜩 웅크린 채 그에게 다가갔다. 그의 앞에서 발을 멈추자 그는 웬일인지 깜짝 놀라더니 2, 3초가 지난 후에야 씨익 웃어 보였다. 그러고는 급히 가방을 왼쪽 어깨로 옮겨서 단단히 잡은 뒤 내게 오른손을 내미는 것이었다. 그의 얼굴은 무척 핼쑥했는데 순모 코트가 지나치게 방한이 잘되었던지 아니면 뛰어오기라도 했는지 이마에 땀이 돋아 있었다.

H는 눈물이 많았다. 내가 본 중에 M을 빼고는 세상에서 가장 잘 우는 남자이다. 건망증이 심하고 의타심이 강하고 자기 연민이 많은 그는 회사에서 결코 유능한 사람은 아니었지만 지금 하고 있는 일 외에는 아무것도 하지 못하리라는 인상을 너무나 강하게 심어주는 바람에 누구도 그를 그 일과 떼어서 생각할 수 없게 만들었

다. 한 사람이 어떤 자리를 오래 지키는 이유는 꼭 그 자리에 필요해서일 수도 있지만 다른 자리를 감당할 능력이 없어서이기도 하다. 하지만 내 생각이 잘못된 건지도 모른다. 어쨌거나 아직도 회사에 남아 일하고 있는 사람은 내가 아닌 그인 것이다.

H가 새로 개발했다는 술집은 언덕배기를 한참 올라가야 하는 외진 장소에 있었다. 언덕길을 향해 걸음을 내디디려는 나와 달리 H는 걷는 일에 익숙지 않다는 표정을 지은 채 그대로 서 있었다. 차를 회사 주차장에 두고 와야만 했다고 혼잣말처럼 중얼거리면서 택시를 기다리자고 말하는 H를 나는 조금 낯설게 바라보았다. 일 년 전까지만 해도 H는 혼자서는 아무것도 결정을 내리지 못해 일일이 나에게 의존했었다. 새 구두를 신고 온 날은 내가 칭찬해줄 때까지 자신 없는 얼굴로 내 눈치를 살폈고, 부장에게 불려갈 때도 일단 나와 눈을 마주쳐 격려를 얻어낸 다음에야 의자에서 일어나곤 했다. 마침 빈 택시가 왔으므로 나는 곧 그런 생각에서 벗어났다.

택시가 재래 시장을 지나고 버스 종점을 지나쳐 구부러진 길로 한참 더 기어 올라갔을 때에야 H는 저기 대학교 교문 앞에 세워주세요, 라고 말했다. 이렇게 구석지고 지대가 높은 곳에 대체 무슨 대학일까 뜨악한 생각이 들었는데 마침 눈에 들어온 간판에는 역시나 전혀 들어본 적이 없는 신설 전문대학의 이름이 적혀 있었다. 카페 '휴가'는 아직 캠퍼스의 모습도 제대로 갖추지 못한 그 학교 학생들의 아지트 중 하나인 모양이었다. 그나마 재개발 구역이 되는 바람에 곧 철거될 처지라고 H가 설명했다. 그의 말대로 조그만 회색 시멘트 건물은 낡을 대로 낡아 음산하게까지 보였다. 2층에 카페 '휴가'가 있는 그 건물은 한눈에 보기에도 얼마 안 가 없어질 건물로서의 모든 조건을 갖추고 있었다. 1층의 문방구와 만화 가게에는 불이 꺼져 있었는데 그것은 주변의 고만고만한 낡은 건물들도 모두 마찬가지였다. 언덕 위로 불어오는 밤바람 소리마저 제법 황량했다. H를 뒤따라서 겨우 한 사람이 지나다닐 수 있는 비좁은 계단을 올라가며 나는 크리스마스 이브에 이런 음산한 술집을 찾아오는 사람들은 어떤 부류의 사람일까 하고 생각했다.

카페 안에는 기둥 두 개를 중심으로 몇 개 되지 않는 조그만 탁자들이 놓여 있었고 그렇지 않아도 색깔을 분간할 수 없는 지저분한 벽은 낙서투성이였다. 불빛이 흐려서 조명 갓과 테이블보가 얼마나 더러운지는 알 수 없었지만 군데군데 담배 구멍이 뚫려 있고 모서리께가 반질반질했다. 벽에는 오토바이 위에 걸터앉아 색소폰을 불고 있는 젊은 남자의 사진이 붙어 있었지만 검은 가죽 점퍼가 형편없이 색이 바래고 먼지에 뒤덮인 것으로 보아 아무래도 남자는 지나치게 오래 그곳에 머물렀던 것 같았다.

첫번째 기둥 옆에는 그 장소에서는 유일한 새 물건으로 보이는 가스 난로가, 두번째 기둥 바로 옆으로는 동백나무 화분이 놓여 있었다. 동백나무 가지에는 하얀 솜 몇 덩이와 크리스마스 장식 전구가 엉성하게 걸쳐져 있었는데 그 조잡하기 짝이 없는 크리스마스트리 위에서도 꼬마 전구들은 붉은빛과 초록빛을 번갈아 내가며 명랑하게 반짝거리고 있었다. 손님은 한 사람도 없었다. 난로가에 앉아 있던 검은 옷의 주인 여자가 어서 오세요, 라고 들릴 듯 말 듯 중얼거리며 느리게 의자에서 일어났다. 그녀의 검은 옷자락에서 먼지가 풀썩 이는 것만 같았다. H는 재빨리 실내를 둘러본 뒤 어딘지 맥이 빠진 듯한 표정을 짓고는 마른 입술을 혀로 핥았다.
술을 가져온 주인 여자에게 H가 물었다.
오늘 은혜 안 나오는 날인가요?
글쎄, 좀 있으면 오겠죠.
마흔 중반쯤 된 주인 여자의 표정은 무신경하고 세상일에 도무지 관심이 없어 보였으며 목소리도 쉬어 있었다. 조리를 해야 하는 안주를 시키는 H에게 노골적으로 귀찮은 얼굴을 지어 보이고는 아르바이트 여학생이 올 때까지 기다리라고 퉁명스럽게 대꾸했다. 여자가 묵직해 보이는 길고 검은 스커트를 끌고 카운터로 돌아간 뒤 H가 낮은 목소리로 말했다. 신경 쓰지 마. 이제 곧 천사가 올 테니까. 나는 크리스마스용 농담이라고 생각했지만 H의 얼굴은 진지한 나머지 약간 초조해 보이기까지 했다. H는 눈꼬리가 조금 처진 커다란 눈을 갖고 있었다. H를 보고 있으면 큰 눈이란 풍부한 표현을 하고 사람의 마음을 끄는 데는 유리할지 몰라도 감정을 감추기가 상대적으로 불리한 게 아닌가 하는 생각이 들곤 했다. 어쨌든 그날 H가 나를 불러낸 이유가 그의 말대로 오랜만에 얼굴이나 보려는 이유만 있는 것이 아님은 확실했지만 나는 나를 위해서 그쯤의 불쾌함은 무시할 수 있었다.
와보면 알겠지만 은혜는 아주 예뻐.
내 잔에 술을 따르며 H가 말했다.
그녀는 내가 택시에서 내려 간판을 보았던 그 신설 전문대학에서 산업 디자인을 공부하는 스물한 살의 아가씨라고 했다. 아주 착해. 천사라니까. 나는 선선히 H와 함께 그녀를 기다려주기로 마음먹었다. 하긴 술을 마시면서 할 수 있는 일 가운데 누군가를 기다리는 것은 비교적 간단한 일에 속했으므로 그다지 어려운 결정은 아니었다.

미래기획은 어때? 다들 잘 있지?

나는 내가 떨려난 회사의 안부를 물었다. 회사 이야기를 꺼내자 H의 눈은 긴장을 숨기지 못하고 순간적으로 강력한 경계심을 드러냈다. 나는 회사의 규모가 줄어들 때 나 자신이 불필요한 인원으로 분류된 데 대해 자존심이 상하고 실망했지만 H처럼 남아 있을 수 있게 된 사람에게 적의를 품을 만큼 편협하고 물색없지는 않았다. 그러나 H는 내가 아직까지 회사의 결정에 불만을 품고 있다고 자기 식으로 생각하는 모양이었다. 그는, 오늘은 회사 이야기에서 벗어나고 싶어, 라며 딴에는 결연한 태도로 화제를 돌렸다.

지내기는 괜찮아?

연휴 때 산에 갔었어.

굳이 연휴를 택할 이유도 없으면서 왜 하필 그때였는지, 또 그 연휴가 추석 연휴인지 샌드위치 휴일인지는 기억할 수 없었다. 그것은 내가 대학교 2학년이 되었을 때는 지나간 대학 시절이 모두 작년 일이었지만 3학년이 되자 작년과 재작년으로 나뉘고 다시 4학년에는 시간 구별을 하지 않게 된 것과 비슷한 일이었다. 그날 지하철 안에서 나는 유난히 수선을 피우는 잘 차려입은 꼬마애 둘과 그 애들을 쫓아다니며 신경질적으로 꾸짖어대는 젊고 예쁜 여자를 보았는데 내 대학 동창의 아이들과 아내였다. 야, 정말 오랜만이다. 가족들을 데리고 부모님 댁에 간다는 대학 동창의 눈 속에는 생활의 피곤과, 그리고 작은 배낭 옆구리에 물병 하나를 꽂고 등산화 차림으로 서 있는 나에 대한 부러움이 들어 있었다. 전철이

기우뚱할 때 대학 동창이 나의 귀에 입을 붙였다. 결혼 같은 거 절대 하지 마라, 인생 종친다. 나는 동창을 향해 조금 웃어 보였다. 그럼 바꿀까, 라는 짓궂은 대꾸가 떠올랐지만 알다시피 나는 그런 충동적인 일은 하지 않는다.

그 여자, 안 만나지?

오래됐어.

미래기획을 그만두면서 서랍 정리를 하던 나는 안쪽 깊숙이에서 잔뜩 먼지가 낀 열쇠 하나를 발견했다. 무심코 한쪽에 던져놓고 서류와 필기구 따위를 정리하다가 불현듯 그것이 그녀의 오피스텔 열쇠란 걸 깨달았다. 분명 그녀에게 돌려주었던 것 같은데. 한참 뒤에야 열쇠를 돌려주었던 날 그녀가 다시 내 발 밑으로 던져버렸던 기억이 났다. 그 열쇠는 네가 내 곁에 있던 시간들이야, 네 손으로 갖다 버릴 수는 있지만 나한테 도로 돌려줄 수는 없어. 그녀는 격렬했지만 울지는 않았다. 처음 그 열쇠를 받을 무렵만 해도 나는 그녀의 모든 주소를 알고 싶어했으므로 사는 집만이 아니라 직장, 고향집, 졸업한 학교, 잘 다니는 카페까지 알아냈다. 그런 것들은 배회의 폭과 거리를 넓혀주었을 뿐 그녀에게로 들여보내주지는 못했다. 그녀가 건네준 열쇠처럼, 결정적인 것은 늘 간단한 한 가지이다. 그리고 이것은 좀 엉뚱한 이야기일지 모르지만, 그때 떠나겠다고 말한 것은 내가 아니라 그녀 쪽이고 나는 단지 그녀의 결정을 다소 쉽게 받아들인 것뿐이었듯이 어떤 소극성이 결정력이 되는 경우도 있다.

무슨 생각으로 내가 그 열쇠를 주머니에 넣고 그녀의 오피스텔을 찾았는지는 나도 모를 일이다. 8층에서 엘리베이터를 내렸다.

열쇠 구멍에 열쇠를 집어넣어 돌리자 2년 전과 똑같이 문이 열렸다. 찰칵, 하는 쇳소리가 익숙하고 또 날카롭게 관자놀이를 건드렸다.

달라진 것은 거의 없었다. 중앙등을 백열전구 대신 오슬람으로 바꿔서 전체적으로 실내가 창백한 기분이 들게 된 것 정도였다. 나는 그녀를 기다리는 동안 으레 그랬듯이 샤워를 하고 냉장고에서 맥주를 꺼내 마셨다. 그녀는 카스에서 밀러로 바꾼 모양이었지만 여전히 찬 맥주 없이는 살지 못하는지 냉장고 안에는 열세 개나 되는 깡통이 들어 있었다. 그것을 세어보면서 나는 조금 웃었다.

그렇게 꼭 세어봐야 해요? 그냥 그러려니 하라구요. 그녀는 내가 어중간하게 고지식한 사람이라는 말을 자주 했다. 그러고 보니 어떤 프랑스 영화를 보다가 그녀를 생각한 적이 있었다. 영화 속의 여자가 바에서 처음 만난 남자와 함께 큰 소리로 깔깔대며 술을 마신다. 저는 낯선 곳에 가서 살고 싶어요. 뭘 하면서 말인가요? 글쎄요, 쓸데없어 보이는 일들을 하면서요. 그녀도 그런 말을 했었다. 그냥 살아도 살아져요. 뭣 때문에 그렇게 자기 인생을 늘 의식하는 거죠? 헤어진 이후 그녀를 생각한 것은 그 영화를 볼 때 한 번뿐이었을 것이다.

별 생각 없이 그녀의 서랍을 열어보았던 나는 두통약을 발견했다. 그것은 여덟 개들이 포장으로 얇은 비닐 필름에 담겨 있었다. 그중 두 개를 떼어내서 맥주로 알약을 삼켰다. 그 두통약은 내가 그 오피스텔의 열쇠를 내 열쇠고리에 끼워 갖고 다니던 무렵 습관성 두통을 지닌 나를 위해 언제나 서랍에 준비해두었던 약과 똑같은 상표였다. 여섯 알이 남아 있는 필름을 들고 뒷면을 살펴보았지만 그리 오래된 것 같지는 않았다. 손톱깎이 옆에 둔다는 점도 변함이 없었다. 그녀의 새 애인에게도 두통이 있나? 나는 두통약을 도로 서랍에 넣어둔 다음 욕실의 물기를 닦아놓고 오피스텔을 나왔다. 세어보기를 싫어하는 그녀가 없어진 맥주 세 캔과 두통약 두 알을 찾아 쓰레기통을 뒤지진 않을 것이다. 내가 그녀의 열쇠를 갖고 있었던 시간을 서랍 속에 넣고 잊어버린 것처럼 그녀 역시 그녀의 시간을 어떤 식으로든 관리했을 것이다. 열쇠는 어떻게 할까 하다가 다시 주머니에 넣었지만 오는 길에 생각을 바꿔 건물 1층의 쓰레기통으로 던졌다. 그걸 버리기 위해 일부러 강을 찾아가거나 하진 않았다. 고층 빌딩의 옥상에서 던지는 건 약간 위험할 것 같았다.

천사는 나타나지 않았다. 계단을 내려가서 옆 건물의 화장실에 다녀오느라 머리카락에 찬 기운을 묻혀온 H는 손목시계를 내려다보며 절망적인 표정을 지었다. 딱 한 번 덜컹 소리와 함께 카페 문이 열리고 바람이 휘잉 들이쳤는데 그때 고개를 번쩍 쳐들고 반쯤 몸을 일으키는 H의 모습은 애처로울 정도였다. 그것은 H 자신이 화장실에 다녀오면서 문을 제대로 닫지 않아 저절로 열린 것일 뿐이었다.

H는 전혀 취한 것 같지 않았지만 조금 엉뚱해 보이기는 했다. 고개를 푹 숙인 채 말없이 술을 마시다가 갑자기 어깨를 들썩이며 낄낄거리는가 하면 제 쪽에서 뭘 물어놓고 내가 그에 대한 대답을 하고 있는데도 난데없이 '메리 크리스마스!'를 외치며 불쑥 술잔을 쳐들어 말을 끊는 걸로 보아 내 말을 전혀 듣고 있지 않는 눈치였

다. 화장실에 갈 때 가방을 들고 일어나서 주머니 속에 버스비밖에 들어 있지 않은 나를 당황하게 만들기도 했다. 엉거주춤 따라 일어났던 나는 일어난 김에 H와 함께 화장실에 다녀왔는데 바깥 기온은 여전히 차가웠고 어두운 계단은 뭔가 불만에 찬 듯 비뚤고 가파르게 내려서 있었다.

그 계단을 오르며 나는 크리스마스에 이런 외진 곳의 음산한 건물 2층에 앉아 술을 마시는 사람들은 어떤 부류일까라고 생각했었다. 그런데 시간이 지날수록 그것이 나라고 하는 사실이 조금도 어색하게 생각되지 않았다. 크리스마스라고 해서 가족들과 함께 갈비를 뜯는다거나 사랑하는 여자에게 반지를 선물하고 함께 여관으로 들어가는 일 따위는 내게 좀처럼 일어나기 어려운 일이기 때문이다. H가 불러내지 않았다면 나는 크리스마스라는 것도 몰랐을 것이다. 그렇다고 반드시 이 술자리보다 재미없게 보내고 있으리라는 법도 없었다. 그 생각을 하면 더욱 지루했지만 그런데도 혼자서 집으로 돌아가버리기는 귀찮았고 그 말을 하기도 귀찮았다.

나는 지겹도록 같은 음악만을 틀어놓고 묵묵히 앉아 있는 주인 여자를 이따금 바라보았다. 그 여자는 '귀신의 잠옷 같으니!'란 문장을 연상시켰다. 그것은 사춘기 때 읽었던 어떤 미국 소설에서 주인공 여자가 자주 쓰던 욕인데 십중팔구 잘못된 번역이었겠지만 나는 아버지 앞에서 즐겨 그 욕을 사용했다. 그 소설의 번역자가 아버지였기 때문이다. 아버지는 동화도 번역했다. 「크리스마스 선물」도 그중 하나였다. 초라한 한 나그네가 크리스마스에 친절한 대접을 해준 보답으로 주인 부부에게 세 가지 소원을 들어주마고 약속한다. 무심코 소시지를 먹고 싶다고 중얼거린 남편 앞에 정말로 소시지가 나타난다. 첫번째 기회를 낭비해버린 남편에게 욕을 퍼부으며 아내는, 저 얼간이 코에 소시지나 붙어버려라, 고 저주하고 그 소원은 즉시 이루어진다. 이제 기회는 한 번밖에 남아 있지 않다. 엄청난 재물을 달라고 할 수도 있지만 그렇게 되면 남편은 평생 소시지를 코에 붙이고 살아야 한다. 결국 소시지를 코에서 떼어 달라는 것으로 세 가지 소원이 다 이루어졌는데도 달라진 것은 아무것도 없다. 물질의 풍요보다 사랑이 더욱 중요하다는 깨달음이야말로 가장 큰 크리스마스 선물이라는 아버지의 주석은 아버지가 내게 준 다른 모든 것과 마찬가지로 위선에 차 있었다. 크리스마스 나그네는 천사가 아니다. 사랑을 확인하기 위해 잠자는 탐욕을 깨우는 시험은 연인뿐 아니라 모든 선량한 사람에게는 해서는 안 될 위험한 놀이이다.

'귀신의 잠옷' 같았던 주인 여자는 열한시가 넘자 퇴근해버렸다. 화장실 열쇠하고 카페 열쇠가 붙어 있어. 문 잠그고 입간판 뒤에 넣어두면 돼. 그런 일이 처음은 아닌 듯 H는 그녀의 뒷모습을 흘끗 쳐다보았을 뿐 개의치 않았다. 천사가 올 거라는 믿음을 절대 포기할 수 없다는 뜻이었다. 전당잡힌 검은 촛대같이 앉아 있던 주인 여자마저 가버리자 카페는 한층 괴괴해져 나는 마치 고래 뱃속에 촛불을 켜고 들어앉아 있는 기분이었다.

그때 문 여는 소리가 들렸다.

카페 안으로 들어온 것은 젊은 여자였다. 그녀는 매우 뚱뚱했는데 베레모 아래 긴 파마 머리를 늘어뜨렸고 부츠를 신고 있었다. 그녀의 출현은 다소 극적이었다. 마카로니 웨스턴 스타일이라고나 할까. 현장을 덮치는 밀주 단속반이 문을 박차듯 거칠게 들어섰으며 카페 안에 발을 내딛자 거만하게 턱을 내밀고는 왼쪽으로 한 번 오른쪽으로 한 번 고개를 젖혀서 실내를 일별했다. 카페의 중앙을 향해 걸어가는 여자의 걸음걸이는 자신을 따라다니는 수많은 카메라를 의식하는 여배우처럼 과장돼 있었으며, 발소리 또한 가뜩이나 낡고 좁은 카페 바닥을 쿵쿵 울릴 만큼 컸다. 여자는 장식 전구가 반짝이는 동백나무 옆에 가 앉았다. 여자가 앉는 순간 의자는 갑자기 얼굴을 내리누르는 엉덩이의 하중에 큰 충격을 받았는지 왜 하필 나냐는 듯 불만스럽게 삐이걱 소리를 내며 뒤로 조금 물러났다. 앉자마자 여자는 긴 부츠를 신은 다리를 척 꼬더니 은색 라이터를 꺼내 담배에 불을 붙였다. 이 모든 요란함에도 불구하고 여자의 등장은 주목을 끌지 못했다. 문이 열리는 순간 H는 재빨리 소리나는 쪽으로 고개를 돌렸지만 실망한 얼굴로 다시 술잔을 들어 올렸는데 내가 잘못 보지 않았다면 그때 H의 손은 분명 떨리고 있었다. 나 역시 그 여자에게서 금방 시선을 거두어들였다. 여자가 내 관심을 끈 것이 있었다면 그것은 여자의 모자와 외투에 입자가 거친 가루처럼 앉아 있는 흰 눈 정도였다. 잔뜩 흐리더니 마침내 눈이 내리는 모양이었다.

시간은 자정이 가까워 있었다. 아무래도 천사는 오지 않을 것 같았다. H는 초조함에 더해 걱정을 하기 시작했다. 어머니가 갑자기 위독해져서 못 나오는 건가? 은혜 어머니는 간암 말기인데 은혜하고 단 두 식구거든. H는 벌컥벌컥 소리를 내며 술을 마시고는 말을 이었다. 아니면 아르바이트하는 데에서 그 선배라는 자식이 붙들고 안 놓아주는 건지도 몰라. H의 말에 내가, 다른 데서 또 아르바이트를 하냐고 묻자 H는 안 그래도 처진 눈꼬리를 더욱 늘어뜨리며 안쓰러워 죽겠다는 듯 이마를 찡그렸다. 아버지가 돌아가신 뒤 학교를 휴학하고 전격적으로 생활 일선에 나선 은혜는 선배의 화실에서 그림을 지도하는 아르바이트도 하고 있다는 거였다. H의 표정이 하도 심각하고 땀까지 흘리고 있었으므로 나는 갑자기 H에게는 내 아버지의 위선 같은 거짓 위안이 선이 될지도 모른다는 생각이 들었고 그것을 시험하고 싶어졌다.

크리스마스인데 소원을 빌어야지. 넌 소원이 뭐냐?

소원? 제기랄, 어떤 놈이 카드 빚이나 갚아주면 소원이 없겠다.

H는 다단계 판매 조직에 들었다. 팔아야 할 물건을 우선 자기의 카드로 결제하여 구입한 뒤 그것을 누군가에게 되팔아야 하는 과정에서 천만 원 가까이 빚을 졌다고 털어놓는 그의 눈 속에는 막다른 길로 도망치던 나약한 사람이 한순간 몸을 획 돌려 뒤쫓아온 사람을 노려볼 때의 비장한 살기가 들어 있었다. 그의 비장함은 금방 사라졌다.

여기, 안 들려요?

갑자기 날카로운 여자의 목소리와 함께 쿵, 하고 발 구르는 소리가 의자들을 기우뚱거리게 만들었던 것이다. 여자는 동백나무 뒤에 선 채 두 손을 허리에 척 얹고 있었는데 마치 합성을 잘못한 사진처럼 불균형했다. 이 집은 손님이 대체 몇 시간이나 소리쳐야 술을 주는 거죠? 기세등등한 여자에게 H가 대꾸했다. 이 집 주인 지금 없어요. 술은 직접 갖다 먹고 돈은 탁자한테 계산하쇼. 뭐예요? 그럼 당신은 뭐죠? 보아하니 주인이 댁을 믿고 간 모양인데 그럼 댁이 주인 노릇을 해야 되는 거 아네요? 여자의 말에 틀린 점은 하나도 없었다. 내가 아는 H는 강하게 나오는 상대에게 언제나 기가 죽는 성격이었다. 그는 등을 깊게 구부려 탁자 바로 위까지 고개를 낮추더니 재수 없는 년, 이라고 낮게 욕을 했다. 나 같으면 귀신의 잠옷이라고 돌려 말했을 텐데 말이다. 여자가 하도 시끄럽게 구는 바람에 소란함이라면 정말로 참지 못하는 내가 하는 수 없이 여자 자리로 다가갔다. 뭐 드릴까요? 맥주 두 병. 여자는 정말로 뚱뚱했다. 미쉐린 광고의 타이어 인간을 두세 배쯤 가로 확대한 것처럼 보이는 살들이 숨을 쉴 때마다 부위별로 작은 물살같이 출렁거렸다. 그러나 여자를 우스꽝스럽게 만드는 것은 뚱뚱함이 아니었다. 그녀는 자신의 비대함에 대해 신경을 쓰기는커녕 거만하기까지 했다. 여자의 화장은 너무나 섬세하고 정성스러웠으며 옷차림과 액세서리는 지극히 화려했다. 눈썹을 어떻게 저렇게 가늘게 그릴 수 있는지. 그것은 모르긴 해도 면적까지 계산해볼 때 두 시간 이하의 시간으로는 소화할 수 없는 화장 같았고 선이 조금도 비뚤어지지 않은 섬세한 입술선으로 보아 계단에서 금방 수정을 다시 한 게 틀림없었다. 프릴이 달린 새빨간 블라우스와 체크 무늬 모직 랩 스커트, 망사 스타킹, 부츠, 그리고 훌라후프만한 커다란 귀고리와 양 손을 움직일 때마다 절그럭거리는 팔찌들, 가슴에 내려뜨린 몇 겹의 금속 목걸이줄. 몸집에 비해 상대적으로 작아 보이는 여자의 머리 위에 얹힌 베레모는 아침 언덕 뒤에서 막 떠오르는 태양처럼 붉었다. 내가 맥주를 가져다 주자 인중에 검은 털이 송송 나 있는 여자는 시중드는 게 영 마음에 들지 않는다는 듯한 눈길로 올려다보며 내 뺨에 굵은 콧김을 내쏘았다.

H는 벽에 비스듬히 기대앉아 있었다. 그의 눈빛은 흐리멍덩했지만 최대한 힘을 다해 무언가를 노려보는 듯 눈썹이 모여 있다 싶었

는데 갑자기 그의 목소리가 커졌다. 너, 지금은 나한테 유감 없지? 그럼 나 좀 도와줄 수 있어? 말해봐, 뭔데? 은혜네 화실에 불이 났는지도 몰라. 애들이 난로를 잘 안 끌 때가 많다고 했거든. 그렇지 않으면 은혜가 안 올 리가 없어. 횡설수설하는 말 속에서 뭘 도와달라고 하는지 알아들을 수는 없었지만 아무튼 절망적이고 필사적이며 불안하기 짝이 없는 말투였다. 나는 H가 마치 공금을 횡령하여 애인과 도망치려는 은행 대리 같다고 생각했다.

미래기획에 다니고 있을 때 내 주변에는 매사에 징징대고 소심하고 예민한 친구가 두엇 있었다. H도 그중 하나였다. 조금만 칭찬을 들어도 한없이 콧대가 높아졌다가 조금 일이 안 풀린다 싶으면 당장 비관하고 열등감에 빠졌다. 일희일비하는 그 감정의 기복과 얄팍함은 같이 겪어주기 힘든 부분이 있었다. 징징대는 친구들은 사실 좀 난처하고 귀찮을 때가 많아 내 성격에는 맞지 않았다. 하지만 이른바 쿨한 녀석들은 진짜 친구 같지가 않았다. 매력을 느끼는 건 쿨한 놈들이지만 사실 정이 가는 건 어쩔 수 없이 징징대는 놈들인 것이다. 불현듯 나는 H가 크리스마스 이브에 불쑥 연락을 해온 사실을 너무 무심하게 받아들였던 게 아닌가 하는 생각이 들었다. 어쩌면 시말서를 썼다거나 징계를 받았는지도 모를 일이었다. 얼마 안 있으면 제 입으로 모두 털어놓을 게 분명했으므로 지레 재촉할 필요는 없었지만 그나저나 밤이 너무 깊었다. 이 시각이면 예수는 이미 태어났을 것이다.

떨려난 사람과 남은 사람 사이의 반목은 회사가 인원 감축을 끝낸 후부터 시작되었다. 퇴출자에게 밀린 월급과 퇴직금을 주어서 내보내는 게 당연한 일이었지만 그때 마지막 재산으로 남은 사옥을 처분해서 부도 위기를 넘긴 미래기획의 재정은 전 사원의 밀린 월급을 지급할 정도의 능력밖에 없었다. 강제로 나가는 자들은 남아 있는 사람들이야 벌어서 받으면 될 거 아니냐며 밀린 월급과 함께 퇴직금을 당장 지급하라고 요구했다. 그러나 남은 사원들은 우선 밥이 들어가야 일을 할 게 아니냐며 자기들에게도 몇 달째 밀린 월급을 내놓으라고 주장했다.

나는 미래기획에서 밀린 월급은 받았지만 퇴직금은 아직 받지 못한 상태였다. 미래기획에 남아 있는 동료들은 아직도 월급이 밀려 있었다. 퇴출자들이 만든 비상대책위원회에서 머리띠를 두르고 몸싸움을 벌인 끝에, 떨려난 사람들의 퇴직금을 먼저 지급한 후 남아 있는 사람들이 정상적으로 월급을 받아야 한다는 약속을 받아냈기 때문이었다. 남아 있는 사람들은 더욱 열심히 일해서 먼저 쫓겨난 사람의 퇴직금을 벌어야 밀린 월급을 받을 수 있었다. H는 인원이 반으로 줄어 가뜩이나 어려운데 회사가 남아서 일하는 사람들을 너무 쥐어짠다고 욕을 해댔다.

미래기획을 그만둔 뒤 내가 마지막으로 입사 원서를 넣었던 곳에서는 신체검사 단계까지 올라갔었다. 검사를 받으러 시립 병원으로 갔는데 검사원이 심한 저혈압이라며 검사 결과가 그대로 접수되면 보나마나 실격이라고 겁을 주었다. 나는 검사실 2층에서부터 뛰기 시작해 주차장을 몇 바퀴 돌고 정문까지 수없이 왔다 갔다 한 뒤 온몸이 땀으로 젖은 채 개처럼 헐떡거리며 혈압을 다시 쟀지만 결국 떨어졌다. 나는 일을 원했다. 비록 H처럼 자신을 땀이 찬 손수건처럼 쥐어짜며 일해야 한다 하더라도 두말없이 그 자리를 원할 것이다. H의 불만 또한 배부른 푸념은 아니었다. 우리는 서로 경쟁하는 게 아니라 주어진 여건에서 각기 다른 방식으로 망가지는 거였다. H는 회사 분위기가 살벌해져 마음을 터놓고 술 마실 동료 하나 없다며 갑자기 외로움을 호소했다. 나는 전방에서 군복무를 마쳤다. 그곳에서는 때로 깊은 밤중에 적외선을 통해 별빛을 수만 배로 증폭시켜 소총에 부착했다.

여자가 소리치는 바람에 우리의 이야기는 다시 끊어졌다. 여기 안 들려요? 술 더 갖다 달라고 했잖아요! 두 손에 맥주병을 하나씩 들고 엉거주춤 다가간 내게 여자는 단호한 어조로 카레라이스와 계란말이를 주문했다. 술뿐인데요, 안주는 만들 수 없어요. 나는 어느새 여자에게 변명하듯 말하고 있었다. 여자가 날카롭게 노려보았다. 그럼 나는 어떡하라구요? 난 지금 배가 고프단 말예요. 나한테는 먹고 싶을 때 먹어야 할 권리가 있어요. 안 그래요? 그녀는 마치 내가 뚱뚱한 사람이라고 해서 먹을 것을 주지 않는다는 듯이 몰아붙였다. 사실 나는 카레라이스라면 잘 만들 자신이 있었다. 『혼자서 만드는 일품요리』를 스무 번은 읽었기 때문이다. 내가 계란말이는 만들 수 없다고 말하자 여자는, 그럼 카레라이스를 2인분 주세요, 라고 주문했다. 1인분 이상은 만들어본 적이 없기 때문에 내가 2인분이라고 만든 카레라이스는 3인분이 충분히 넘을 것 같았다. 여자는 숟가락을 들고 먹기 시작했다.

H는 이제 곧 은혜가 와서 저 여자의 시끄러운 입을 막고 따뜻한 계란말이를 두 접시 만들어 우리에게도 줄 거라고 말했다. 그러나 H와 나는 대화를 이어갈 수가 없었다. 술 때문이기도 했고 여자가 여러 가지를 주문해댔기 때문이었다. 여자는 난로불을 줄여달라고도 했고 음악을 바꿔달라고 하기도 했으며 냅킨과 깨끗한 컵 등을

요구하며 손님으로서의 모든 권리를 행사했다. 여자가 한동안 조용하다 싶었다. 그러다 갑자기 옆구리가 터지는 듯한 깔깔 소리에 또다시 우리는 말을 멈출 수밖에 없었다. 밥을 다 먹은 여자는 휴대전화를 걸기 시작했는데 목소리가 어찌나 높았는지 그 내용이 뚜렷이 들리는 것은 물론이었고 한두 마디 건너 폭발할 듯한 웃음을 터뜨리며 몸을 격렬히 흔들어대는가 하면 욕설을 퍼부었다.

야, 빨리 나와! 술맛 땡기는 밤 아니냐, 하하하. 뭐? 지금이 몇 신데 못 나온다는 거야, 이제 초저녁인데! 그만둬, 나쁜 년아! 너 아니면 친구 없냐? 여자는 다시 번호를 눌렀다. 뭐? 아직 거기라구? 응큼한 년, 재미 보는구나, 하하. 함께 오면 되잖아. 뭐라구? 이 미친년! 그렇게 눈물을 빼고도 그 새끼하고 붙어 있을 기분이 나니? 빨리 와서 나하고 술이나 마시자니까! 나보고 오라는 거야? 내가 자존심도 없게 거길 왜 가니? 너 같은 년하고 똑같은 줄 알아?

여자의 목소리는 거룩한 크리스마스 밤, 재개발 지구 비탈길의 허름한 2층 술집 안에 쩌렁쩌렁 울려 퍼졌다.

H가 훌쩍거리기 시작했고 나는 오늘의 운세가 떠올라 속으로 투덜거렸다. 동백나무 위에서 크리스마스 장식등은 초록과 빨강을 번갈아가며 반짝이고 있었으며 여자의 전화는 그칠 줄을 몰랐다. 나는 이 밤이 어떻게 끝날지 모르겠다고 중얼거렸다. 밖에서 요란한 사이렌 소리가 들려왔다. 내일은 신문을 꼭 사야겠다는 생각이 들었다. 어디서 불났나 본데. 내 말에 H는, 크리스마스 때는 항상 있는 일인데 뭐, 마시다 죽고 춤추다가 죽고 호텔에서 죽고 여관에서 죽고, 또 몇 새끼 죽겠지, 라고 여자처럼 욕을 퍼부었다.

내가 오늘 한 얘기 중에서 혹시 검은 가방 얘기가 있었던가?

나에게는 스스로가 취했다는 걸 의식하면서부터 더욱 예의 바르고 신중해지는 버릇이 있었다. 눈을 내리깐 채 웅크린 몸을 앞뒤로 꺼덕거리기만 할 뿐인 H에게조차도 말이다.

M의 장례식 때였는데 오랜만에 친구들이 다 모여 일을 분담했지. 한 녀석은 부조금을 받고 한 녀석은 손님들을 술상으로 안내하고 또 다른 녀석들도 이런저런 심부름을 맡아 분주했어. 그런데 이상하게도 한순간 다섯 명이 모두 안내 탁자 앞에 서 있게 된 거야. 다들 말이 없었는데 솔직히 누구도 먼저 말문을 열기를 두려워하는 상황이었어. M이 좋은 녀석이었거든. 그때 A가 B가 두 손으로 받쳐들고 있는 검은 가방을 가리켰어. 그 가방은 뭔데 꼭 끌어안고 있냐? 이거? 아까 C가 들고 있다가 나한테 맡긴 건데. C, 이제 가져가라. 그거 D 거잖아. C의 말에 B는 C에게 주려던 가방을 D에게 내밀었다. 내 거 아닌데? D가 손을 저었다. 아까 네가 주차장 안내하러 가면서 나한테 들고 있으라고 한 거 아냐? 아, 그 가방이었어? 그거라면 E 가방이잖아. E한테 줘. 얼결에 가방을 받아든 E는 영문을 모르겠다는 얼굴이었다. 무슨 가방이야? E가 D에게 물었다. 네 거 아냐? 아닌데. 우리 다섯이 분향하고 나올 때 네가 절하던 자리 옆에 놓여 있었잖아. 뒤따라 나오다가 네가 잊고 간 줄 알고 집어왔는데, 네 거가 아니었어? 아니라니까. 그럼 이 가방 어떡하지? 다섯의 시선은 가방에 모아졌고 검은 가방은 갑자기 싸늘한 광택을 내며 그들을 마주 쏘아보는 것 같았다. 뭐가 들었는지 열어볼까. 그래야 주인을 찾아주지. 다섯 중 누군가가 말했다.

가방 얘기라면 그만 해, 듣고 싶지 않다니까!

H가 크게 소리치는 걸로 보아 나는 H가 만류하는데도 혼자 몰두하여 가방 얘기를 계속했음에 틀림없었다. 뒤를 돌아보니 가방 얘기에 취해 있는 동안 일어났던 일의 하나로, 뚱뚱한 여자도 사라지고 없었다.

문이 다급하게 열리더니 하얗게 눈을 뒤집어쓴 여자가 들어왔다. 주인 여자였다. 아랫동네에 사는 주인 여자는 잠결에 소방차 소리를 듣고 깜짝 놀라 달려온 것이었다. 그녀는, 난로를 꺼버리고 가는 건데, 하고 투덜댔다. 은혜 안 와요? H가 울음 섞인 목소리로 묻는데도 주인 여자는 아무 대답도 하지 않더니 H로부터 몸을 돌리자마자 나직하게 내뱉었다. 오늘 같은 날 개도 대목인데, 여길 왜 와. 어찌나 아랫니를 힘껏 물었는지 H의 턱뼈가 불끈 튀어나왔다. H는 눈물을 철철 흘리며 자기의 검은 가방을 주인 여자에게 내밀었다. 아줌마, 이거 가져요. 2억 들었다구요. 거짓말 아녜요! 가지라니까요! 미친놈. 이번에도 주인 여자는 혼잣말인 척하면서 누구에게나 들리도록 음량을 잘 조절했다.

계단을 내려오며 H는 내 어깨를 붙잡았다. 오늘 밤 너희 집에서 재워줄 수 있어? 며칠만 숨어 있으면 안 될까. 왜? 가방 안에 훔친 공금이라도 들어 있어? 그래. H의 대답에 나는 약간 놀랐는데 H가 나를 놀라게 한 것은 그를 알게 된 이후 처음 있는 일이었다. 은혜하고 함께 호주로 튀려고 그랬어. 만일의 경우 너한테 숨어 있으려고 불러낸 거야. 너라면 의심받을 이유가 없잖아. 왜 하필 호주야? 어쩐지 나는 그것이 가장 궁금했다. 은혜가 골랐어. 거기 가서 태양의 서커스라는 걸 꼭 보고 싶다고. 앞뒤로 바짝 붙어서서 균형을 잡으려 애쓰며 가파른 계단을 내려오는 우리의 말소리는 제법 도

란도란했다. 그 서커스는 호주에서만 볼 수 있대? 몰라. 아무튼 거기가 원조래.

불길은 아직 꺼지지 않은 듯했다. 크리스마스 밤에 소방관들이 아름다운 붉은 옷을 입고 흰 물줄기가 뿜어나오는 호스로 불을 끄고 있었다. 불길은 낡은 여관을 태우는 중이었다. 손님이 가득 들어 있던 여관은 조금 전까지 천국의 흉내를 낸 죄 때문인지 점점 검은 지옥으로 바뀌어가고 있었다. 밤하늘에 하얀 눈은 펄펄 내리고 있었다.

다음날 오후에야 자리에서 일어난 나는 신문을 사러 나갔다. 전날 밤 화재로 죽은 사람 명단 속에 스물한 살 이은혜라는 이름이 있었다.

집으로 돌아오자마자 H에게서 전화가 걸려왔다. 목소리가 명랑했다.

너랑 헤어지고 나서 바로 회사 금고에 다시 갖다 뒀어.

싱겁네.

근데, 어젯밤 그 여자 정말 끔찍하게 시끄럽더라, 안 그래?

뚱뚱한 여자? 그 여자는 외로웠을 뿐이다. 사람들은 이따금 슬프고 화가 나고 우울한데 이유는 의외로 하나일지도 모른다. 고독말이다. 이유를 안다고 해서 고독이 없어지지는 않을 테지만 그래도 그것이 고독이라는 걸 아는 편이 약간 나을 것 같다. H와의 전화를 끊고 나서 나는 신문을 샅샅이 읽기 시작했다. 세계의 크리스마스라는 특집란에 홍콩에서 열린 태양의 서커스에 대한 소개가 나와 있었다. 태양의 서커스가 지금까지의 서커스와 다른 점은 코끼리나 불 따위가 등장하지 않고 오직 환상적인 음악과 인간의 몸을 최대한 이용해 아름다움을 표현하는 곡예라는 사실이다. 이 비일상적이고 신비로운 서커스 여섯 개의 작품 중 대표적인 것으로 '퀴담'을 꼽는다. 소외된 소녀 조에는 우연히 목 없는 남자 퀴담을 만난다. 그가 놓고 간 모자는 그것을 쓸 때마다 새로운 환상을 펼쳐 보여준다. 퀴담이란 정처 없이 떠도는 이름 없는 나그네라는 뜻의 라틴어이며 길모퉁이를 서성대다 후닥닥 사라지는 외로운 존재를 가리킨다. 흔히 익명의 세상 속에서 존재하는 개인의 독립성과 고독을 의미한다고 알려져 있다. 태양의 서커스가 시작된 곳은 캐나다의 퀘벡이다. 호주든 캐나다든, 나는 중얼거렸다. 분명한 것은, 여기는 아니라는 거지.

〔『현대문학』, 2002년〕

집 안에 아내라는 여자의 내면을 알 만한 것은 전혀 없는 것이었다. 이 집 안은 그녀가 아닌 어떤 여자가 들어와 당장 살기 시작해도 이상한 점이 조금도 없을 만큼 표준적이었다. 안주인의 냄새가 없었다. 아내와 나는 살을 맞대고 5년을 함께 살아왔다. 그런데 아내가 사라졌는데도 그녀가 간 방향을 찾아 한 발도 내디딜 수 없다면 우리가 함께한 것은 무엇이란 말인가. 대체 나는 무엇을 근거로 아내에 대해 모르는 것이 없다고 생각해왔던 걸까.

아내의 상자

아내의 상자

마지막으로 아내의 방에 들어가본다.

푸른빛이 감도는 벽지, 벽을 향해 놓인 독일식 책상과 창가의 안락의자. 그 사이로 알 수 없는 희미한 향기가 떠다닌다. 그리고 상자들.

아내는 상자를 많이 갖고 있다. 어떤 상자에는 그녀가 한 계절 내내 손가락을 찔려가며 십자수를 놓은 탁자보가 들어 있고 어떤 상자에는 편지 뭉치가 들어 있다. 편지는 모두 종이색이 누렇게 바래고 잉크가 번진 오래된 것들이다. 최근에 그녀에게 편지가 오는 것은 한 번도 본 일이 없다. 아내가 임신했다는 소식을 듣자마자 호들갑스러운 친구가 사주었다는 하얀 배냇저고리가 든 상자도 있다. 그 아이가 3개월 만에 자연 유산된 후 아내는 또 다른 아이를 가지지 못했다. 그런데도 아내는 그런 물건을 간직했다. 아내의 상자에는 지난 시간 동안 그녀를 스쳐 지나간 상처들이 담겨 있었다. 사람들은 상처가 회복된 다음에도 몸에 남아 있는 흉터로써 그 상처를 기억한다. 그녀는 흉터를 지나듯이 방 귀퉁이에 상자를 쌓아 갔다.

맨 위의 상자 하나를 열어본다. 조잡한 조개 껍데기 목걸이가 비스듬히 누워 있다. 생각난다. 신혼여행지였던 해변의 기념품 상점에서 이 목걸이를 샀었다. 생각난다. 그때 아내의 눈 속에 어리던 바다, 그 바다를 향해서 바구니에 주워 담고 싶을 만큼 맑게 방울방울 굴러 떨어지던 그녀의 웃음소리.

하지만 아내는 이제 여기 없다. 아내의 독일식 책상의 뚜껑이 완강하게 닫혀버린 것처럼, 그리고 언제나 그 책상 위에 놓여 있던 고무지우개가 달린 아내의 노란색 연필, 그것이 어둠 속에 영원히 매몰되었듯이, 아내라는 존재는 폐기되었다.

내일이면 포장 이사 회사의 일꾼들이 와서 이 방을 통째로 커다란 상자에 담아 내갈 것이다. 그러면 아내의 방은 없어진다.

아직 전세 기간이 몇 달이나 남았는데 왜 이사를 가세요? 요즘 같이 전셋값이 치솟는 때에 복비까지 물어가면서 이사를 가시려는 거 보니 뭐 좋은 일이라도 있나 보죠? 주인이 물었을 때 내 머리 속에는 아무 대답도 떠오르지 않았다. 지금에야 이유를 깨닫게 된다. 나는 아내가 이 방으로 돌아오기를 기다리는 일이 얼마나 고통스러울지 알았으므로 떠나려는 것이었다.

아내의 방이 없어진다면 그녀를 기다리지 않을 수 있기라도 하단 말인가. 그것은 아니다. 하지만 아무것도 하지 않는 채로 그녀를 기다릴 수는 없다.

무엇인가를 해야 한다면…… 가장 먼저 할 일은 그녀를 저주하는 일일 것이다. 최소한 용서만이라도 하지 않도록 분노를 숫돌에 갈아 버려야 한다. 아내를 위해 쓰여지리라고는 결코 생각지 못했던 녹슨 칼. 거기에서 음험한 검은 물이 천천히 배어나와 회색 숫돌을 적시고 이윽고 땅으로 스며들어 흙을 물들이는 것을, 깨끗한 물을 끼얹은 숫돌 위에서 은색 칼날이 서서히 섬광을 드러내는 것을, 똑바로 지켜보아야 한다. 어떻게 그녀를 용서할 수 있단 말인가.

천천히 창 쪽으로 다가간다. 걸음을 옮기자 방 안을 떠돌던 이상한 향기가 코 가까이로 따라와 스친다. 오래전 닫힌 채로 망가져버린 서랍 속의 방충제, 혹은 조화 위에 뿌려진 이국의 향수 냄새 같은. 아내의 냄새는 분명 아니다.

창가에는 아내의 안락의자가 놓여 있다. 책상을 뺀다면 이 방에 있는 유일한 가구이다. 아내는 이 의자에 웅크리고 낮잠을 자곤 했다. 의자 속이 깊숙해서 무덤처럼 편안하다고 했다. 다리를 가슴께로 끌어당긴 채 웅크리고 앉은 아내는 나뭇잎 뒷면에 몸을 둥글게 말고 숨어 있는 공벌레 같았다.

단단히 웅크린 그녀의 입구를 찾지 못해 진땀을 흘리던 밤들이 떠오른다. 우리는 부부야, 이건 자연스럽고 즐거운 일이라구, 하고 내가 말하면 그녀는 내 뺨에 입술을 갖다 대며 정말이야, 당신한테 잘해주고 싶어, 라고 속삭이면서도 몸은 여전히 차가웠다. 그녀의 마른 몸에 물기가 돌게 하기 위해서는 언제나 그녀의 몸 한가운데 박혀 있는 입술산처럼 조그만 버튼을 참을성을 가지고 조심스럽게 만져줘야 했다. 그런 다음 가까스로 열린 그녀의 몸 속으로 들어가면 아내는 내 어깨를 꼭 당겨 안으며 당신을 사랑해, 라고 기운 없이 중얼거렸다. 그때마다 눈시울이 젖어 있었다. 그런 아내가 내게 무슨 짓을 했던가!

나는 좁은 방 안을 서성이기 시작한다. 온 방바닥을 내 발자국으로 덮어버리려는 듯이 리놀륨 바닥을 꾹꾹 눌러 밟는다. 지난 주에 나는 아내를 그곳에 버리고 왔다. 차마 죽여버릴 수는 없다고 마음먹었으면서 그렇다고 죽이지 않은 것도 아니다.

아내의 방을 나오려고 문고리로 손을 뻗다가 비로소 기분 나쁜 향기의 정체를 알게 된다. 방문 안쪽에 걸려 있는 검붉은 화환 장식, 그 속에 들어 있는 포푸리에서 나는 냄새였다. 영혼이 휘발돼 버린 뒤까지 살아 있을 때의 모습을 붙들고 있는 시간의 검은 그림자. 꽃의 박제.

방부제 향이 희미하게 떠다니는 무덤, 나는 아내의 방을 나온다. 아내는 없다. 아내의 박제조차 이제는 여기 없다.

우리가 신도시로 이사를 온 것은 작년 3월이다. 그전에 우리는 유명한 불임 클리닉이 있는 강남의 아파트에 살았다. 신도시는 전셋값이 훨씬 쌌기 때문에 같은 돈으로 방 세 개짜리 아파트를 얻을 수 있었다. 자기의 방이 생겼다는 사실에 아내는 기뻐했다. 집도 깨끗하고 공기도 맑고, 무엇보다 기차가 지나다니는 걸 볼 수 있으니 좋다고 했다. 사실은 더 이상 불임 클리닉에 다니지 않게 된 것을 가장 기뻐하는 눈치였다. 어쨌든 신도시에는 우리에게 필요한 것, 즉 '변화'와 '삭막하지 않은 생활'이 있을 것 같았다.

처음에 아내는 새로운 생활에 대한 여러 가지 계획을 가졌다. 새로운 커튼, 새로운 관엽 식물, 새로운 선반 등.

"커튼을 달아야 할 텐데 무슨 색이 좋을까요?"

아내가 물어보았을 때 나는 텔레비전 리모컨을 눌러 채널을 바꾸는 중이었다. 화면에 한 무리의 댄스 그룹이 사라지고 나처럼 소파에 앉아 텔레비전을 보고 있는 남자가 나타났다. 남자의 등 뒤로는 그가 앉은 패브릭 소파와 똑같은 장미꽃 무늬의 커튼이 드리워져 있었다.

나는 화면에 그대로 눈을 둔 채 턱만 아내 쪽으로 돌리고 말했다.

"글쎄. 장미꽃 무늬 어떨까?"

다시 리모컨을 누르니 어떤 사무실이었다. 나는 별 생각 없이 의견을 바꿨다.

"블라인드로 하면 어때? 깨끗해 보이는데."

"싫어요."

말꼬리에 힘이 들어가 있었으므로 나는 아내 쪽을 흘끗 쳐다보았다. 고개를 숙이고 사과를 깎고 있는 아내의 가느다란 뒷목이 눈에 들어올 뿐이었다. 나는 무심한 눈길을 다시 텔레비전으로 돌렸다. 한참 후에야 불현듯 깨달았다. 아내는 병원을 연상시키는 것은 뭐든지 싫어했다. 그러나 사과를 포크에 찍어 내게 건네주는 그녀의 표정은 평온했다. 우리는 다른 날처럼 과일을 먹으며 마감 뉴스로 눈을 주었다.

앵커의 입가가 금방이라도 너털웃음이 새어나올 듯이 올라간다 싶었다. 거의 동시에 오른쪽 상단에 '반가운 단비'라는 글자가 올라왔다. 앵커는 계속 그 표정을 유지하며 그날 밤 열리는 국제 축구 대회에서 소나기골을 기대한다고 '비'를 물고 늘어졌다. 그러나 방송 원고를 읽기 위해 얼굴을 한 번 숙였다가 드는 짧은 순간 순발력 있는 앵커답게 심각한 낯빛으로 바뀌어 있었다. 오른쪽에 올라온 글씨는 '미, 3김 제거 작전'이었다. '정부는 최근, 80년 미국의 지시로 신현확 씨가 주도한……'으로 시작되는 유창한 음성. 억양으로 보아서는 '작전' 내용보다는 '본사 독점으로 말씀드렸음'을 더 강조하는 것 같았다. 그리고 바로 1초 뒤에는 그 3김 중 하나인 대통령이 화면에 나왔다. 그는 중요한 용건이라도 있는 듯이 등장했지만 환경 대통령이 되겠다는 포부만을 국민 앞에 '엄숙히 선언'하고 그냥 들어갔다.

아내가 말했다. 내가 아는 대통령들은 셋 다 저런 억양으로 말했어요. 저 억양을 들으면 어쩐지 다 훌륭한 사람 같아. 나는 대꾸 대신 접시에 남은 마지막 사과 살에 포크를 찍어 눌렀다.

다음 뉴스는 너구리와 소쩍새의 소식이었다. 그것들은 겨우내 사람의 보살핌을 받다가 봄이 되어 비무장 지대로 돌려보내지고 있었다. '야생 동물 보호'라는 글씨가 너구리의 주둥이 쪽 화면을 덮었다.

아내가 또 혼잣말처럼 말했다. 기억이 확실한지는 모르겠는데, 야생 동물은 겨울에 산으로 돌려보내야 한다는 걸 어디서 읽은 적이 있어요. 먹이가 없는 겨울에 버려져야만 자기가 야생 동물이란 사실에 빨리 적응한대요. 쥐를 죽였다가 기소될 뻔한 미국 남자 얘기는 어디서 봤더라? 며칠 전 해외 토픽에 났던가? 뒤뜰에서 토마토를 먹은 쥐를 죽였는데 동물보호협회에서 들고일어났다나 봐요. 해를 끼친 동물은 보호 대상 동물에서 제외시킨다는 법안이 통과되어서 겨우 풀려났다던데.

쥐 죽인 일이야 쥐 죽은 듯하면 될 걸 갖고 그 호들갑을 떨다니, 참 하릴없이 배부른 나라야. 나는 속으로 그런 생각을 했지만 입

밖으로 내진 않았다. 증권 시황에 대한 뉴스가 시작되었으므로 거기에 시선을 고정시켰을 뿐이었다.

텔레비전을 끈 뒤 나는 시사 주간지를 들고 침대로 들어갔다. 아내는 과일 접시를 씻느라 조금 늦게 침대로 왔다. 아내의 손이 차가웠다. 나는 그녀의 두 손을 끌어다 내 잠옷 사타구니에 넣었다. 그녀가 조금 웃었다. 나는 아내를 사랑했다. 그녀에 대해서라면 모든 것을 알고 있다고 생각했다.

전문대 비서학과를 나왔지만 아내는 대학에서 뭘 배웠는지 거의 기억에 없다고 했다. 그녀는 원래 미술대학을 지망했었다. 고3 겨울 그녀가 다니던 조그만 화실은 낡은 목조 건물 3층에 있었는데 몹시 추웠다. 하지만 연탄 난로의 냄새 때문에 늘 창문을 조금 열어두어야 했다. 그녀의 자리는 바로 그 창문 옆이었다. 오른쪽 뺨으로는 난로 위에서 끓어대는 커다란 주전자의 뜨거운 김을 쐬고, 왼쪽 뺨으로는 귓불을 얼리는 매서운 찬 바람을 맞아가며 그녀는 열심히 데생을 했다. 점점 연탄 가스의 냄새에도 익숙해져 갔다. 이따금 난로 위의 주전자에서 뜨거운 물을 따라 바람이 들이치는 창턱에 올려놓았다. 물은 몇 분 지나지 않아 알맞게 식었다. 그녀는 그 물로 두통약을 삼키곤 했다.

그해에도 대학 입시날은 몹시 추웠다. 그녀의 어머니는 추위를 잘 타는 그녀를 위해 목이 올라오는 털스웨터를 떠서 입혔다. 뜨개질 솜씨가 신통치 않았던 어머니는 목 부분의 고무뜨기를 너무 촘촘하게 했다. 그날 처음 그 스웨터를 입으며 그녀는 목을 집어넣느라 얼마나 애를 먹었는지 모른다. 가까스로 스웨터를 입긴 했지만 누군가의 손이 억세게 목을 죄고 있는 것만 같았다. 마치 한 방향만 쳐다보도록 고안된 스웨터처럼 목을 움직일 수조차 없었으며 피가 얼굴로 몰렸다. 그녀는 숨이 막혔어도 어머니는 흐뭇해했다.

수채화를 그릴 때쯤부터 그녀의 두통이 참을 수 없게 심해졌다. 귀에서는 끊임없이 흐르는 물소리가 들려왔다. 시험장 문 밖을 나서면 바로 복도 끝에 수돗가가 있었다. 수험생들은 그곳에서 양동이에 물을 받아와 옆에 놓고 붓을 씻어가며 경직된 표정으로 그림을 그리고 있었다. 물소리는 복도에서 나는 것이 틀림없었다. 그녀는 누군가가 수도꼭지를 잠그지 않은 거라고 생각했다. 시험 감독관에게 그녀는 말했다. 제가 가서 잠그고 오면 안 될까요. 감독관은 이상한 아이라는 표정을 구태여 감추지 않으며 고개를 끄덕였다. 그녀는 문을 열고 복도로 나가서 수돗가를 향해 뛰었다. 수도꼭지는 단단히 잠겨 있었다. 그녀는 돌아와 붓을 집어들었다. 그러나 물소리는 계속해서 들려왔다. 다시 허락을 받고 잠그러 가봤으나 또 누군가가 그녀보다 한 발 앞서 와서 수도꼭지를 잠근 뒤였다. 세번째부터는 감독관의 허락도 받지 않고 복도로 나갔다. 허둥지둥 돌아와서 붓을 잡았지만 여전히 물소리가 그녀의 뒤꼭지를 잡아당겼다. 목이 꽉 죈 스웨터 안에서 그녀는 안절부절못했다. 감독관은 그녀에게서 눈을 떼지 않고 지켜보고 있었다. 그녀는 이번에는 문가로 가더니 손잡이를 잡고 온 힘을 다해 잡아당겼다. 문은 꼼짝도 하지 않았다. 감독관의 표정에는 이제 약간의 연민이 떠올라 있었다. 왜 그러지, 학생? 문이 열려 있어요. 문이 열렸다고? 감독관은 단단히 단속된 문을 쳐다보며 몇 번 눈을 껌벅이더니 다음 순간 깊은 이해심이 깃든 표정을 짓고는 그녀의 어깨를 부드럽게 두드렸다. 자, 자, 긴장을 풀어요. 그녀는 감독관이 끄는 대로 순순히 자기의 이젤 앞으로 돌아가 붓을 쥐는가 싶었다. 그러나 갑자기 그것을 내던졌다. 그녀는 두 손으로 스웨터의 목을 쥐어뜯으며 소리쳤다. 물이 새잖아요! 제발 누가 저 수도꼭지 좀 잠가주세요! 저 문 좀, 문 좀 닫아주세요, 문! 문!

그녀는 그녀가 응시했던 대학의 부속 병원에서 깨어났다. 입시 강박증이라는 상식적이고 트집 잡을 데 없는 진단이 내려졌으며 며칠 동안은 병원에서 절대 안정을 취해야 했다. 그곳에서 그녀는 언제나 잠을 잤다. 신기하게도 약 먹을 시간이 되면 잠이 깼다. 깨어 있는 시간에 하는 일이라고는 약을 먹는 일뿐이었다. 그러면 얼마 안 가 또 잠이 왔다.

그녀는 지은이의 이름은 잊었다며 『벨 자Bell Jar』라는 소설에 대해 말한 적이 있다. 파블로프의 개처럼 인간이 벨 소리에 의해 규칙적으로 약을 삼키기 위한 침을 분비하며 사육되는 폐쇄된 바구니.

아내는 그 일로 인해 자기 삶이 일그러진 점은 없다고 말했다. 그녀는 시시하다고 할 만큼 평범한 사람이었다. 전문대학을 졸업하고 조그만 오퍼상에 취직해서 전화 받는 일을 했고 그에 걸맞은 적은 월급을 받아 적금을 붓다가 나를 만나 결혼했다. 나는 모든 면에서 무난한 남편이었지만 음식에 관한 한 약간은 까탈스러웠다. 다양하고 새로운 반찬을 만들지는 못했어도 다행히 아내의 음식 솜씨는 얌전한 편이었다. 된장찌개는 불을 잘 조절했기 때문에 멸치의 비린 맛이나 된장 떫은 맛이 안 났다. 갈치를 구워도 그릴에 달라붙지 않고 바삭바삭하게 속까지 익혔으며 아내가 부친 달걀말이는 약한 불에 익혀서 부드럽고 단단하게 잘 말려 있었다. 아내는 정돈도 잘했다. 손톱깎이나 여분의 건전지, 옷솔과 드릴 따위를 늘 같은 자리에서 찾아 쓸 수 있었고 욕실에는 늘 가슬가슬한 수건이, 냉장고의 냉동실에는 반찬 냄새가 배지 않은 깨끗한 얼음이 있었다.

아내는 외출을 그다지 좋아하지 않았다. 누군가가 집에 오는 것도 썩 반기지 않는 기색이었다. 나의 부모님은 내가 결혼하던 해에 형이 있는 캐나다로 이민을 갔다. 아내로서는 살림살이를 참견할 시댁 식구가 없는 것이 다행인 셈이었다. 배냇저고리를 사주었던 주책스러운 친구와 보험 외판을 한다는 또 한 명의 고향 친구가 이따금 들르는 것을 빼면 아내에게는 찾아오는 친구도 없었다. 지나치게 선량하고 적극적이어서 어떤 관계에서든 과장된 우정을 표현하는 사람, 혹은 뚜렷한 목적을 가진 사람만이 아내를 방문했던 것이다. 새 집에 이사를 온 뒤에는 그 친구들에게도 바뀐 전화번호를 알리지 않은 모양이었다.

혼자 있는 시간에 아내는 집안일을 하거나 신문과 잡지 따위를 뒤적였다. 자기 방의 독일식 책상에서 책을 읽는 일도 좋아했다. 아내는 꽤 많은 종류의 잡다한 책을 읽었다. 그러나 남들처럼 책을 통해 교양을 쌓고 정서를 함양하는 것 같지는 않았다. 자기가 읽은 책의 내용을 극히 단편적으로만 기억했으며 자기 식대로 엉뚱하게 왜곡시켜 알고 있는 것이 대부분이었다. 아내 스스로도 그것을 잘 알고 있었다. 그녀는 다 읽은 책을 상자에 담아두었다. 그녀는 기억들을 머릿속에 쌓아두는 대신 상자에 담아서 뚜껑을 덮어버리곤 했다. 그러고는 나머지 모든 시간에 잠을 잤다.

낮 시간에 집으로 전화를 해도 받지 않는 때가 많았다. 웬 잠이 그렇게 깊어? 라고 물으면, 베란다에서 아파트 단지들을 내려다보고 있으면 잠이 와요, 하고 대답하는 것이었다. 언제 봐도 단정한 아파트 단지의 창문들, 언제 봐도 그린 듯이 정확히 배치된 놀이터와 벤치와 나무와 주차 라인과 보도블록. 상가 앞에 오가는 사람들도 언제 봐도 그렇게 정한 듯이 몇 명. 비슷한 비닐 봉지, 비슷한 옷차림. 하늘도 언제 봐도 대충 그런 색의 지루한 안정의 빛이고 공기의 냄새마저도 도식적이라고 아내는 말했다. 신도시에는 길이 없어요. 덩치가 큰 건물에 다 가로막혀 있어요. 신발을 신고 산책이나 하려고 나갔다가도 길이 다 끊어져 있어서 그냥 돌아와버려요. 찻길밖에 없어요. 그러면서 그녀는 고층 아파트 사이의 찻길을 몇 번 건너갔다 오면 지치기 때문에 잠이 오는 거라는 주장도 했다.

아내의 잠은 이상할 만큼 깊었다. 그녀는 몸이 아플 때나 걱정거리가 있을 때, 심지어 화가 났을 때조차 잠을 잤다. 새 집에 이사오기 전 어느 일요일 나는 아내에게 좀 화를 낸 적이 있었다. 늦잠을 자고 일어나서 신문을 펼치는데 경제면이 잘려나가고 없었다. 아내가 뒷면에 있는 기사를 보기 위해서 오렸다는 거였다. 내가 보지도 않은 신문을 오려냈단 말야? 아내는 변명하려 했다. 사소한 일이라고 생각했는지 그다지 미안한 기색도 아니었다. 나는 그 즈음 새로운 프로젝트의 팀장을 맡았기 때문에 신경이 날카로워져 있었다. 그때의 나에게는 아내의 언제나처럼 엉뚱하고 앞뒤 안 맞는 말을 들어주기 위해 참을성을 사용할 너그러움이 전혀 없었다. 듣기 싫어! 라고 소리치자 아내는 놀라 입을 다물었다. 조금 후 일어나더니 말없이 청소기를 돌리기 시작했다. 나는 점퍼를 들고 밖으로 나와버렸다.

집 앞 상가에 새로 생긴 미장원 간판이 눈에 띄었다. 마침 이발할 때가 되었으므로 거기 들어가 머리를 잘랐다. 기분이 풀린 나는 미장원 옆의 빵집에서 아내가 좋아하는 슈크림을 산 뒤 현관 벨을 눌렀다. 그러나 아내는 문을 열어주지 않았다. 주머니를 뒤져봤지만 열쇠는 어제 입었던 양복 주머니에 들어 있었다. 할 수 없이 다시 상가로 나와 공중전화 부스로 들어갔다. 아내는 전화도 받지 않았다. 나는 한달음에 집으로 돌아왔다. 옆집 벨을 눌렀다. 그 집 베란다를 넘어타고 우리집으로 들어가봐야겠다고 양해를 구했다. 그러나 막상 돌아가보니 두 베란다 사이가 너무 넓어서 몹시 위험했다. 옆집의 전화를 빌려 다시 집으로 전화를 걸어보았다. 벨이 울리는 소리보다 내 심장 두근대는 소리가 더 컸다. 숨소리를 따라 점퍼가 오르내리는 것이 보일 정도였다. 옆집 주인이 가져다 준 상가 정보지를 넘기며 열쇠집을 찾는 내 손도 부들부들 떨렸다. 열쇠공을 기다리는 동안에도 전화통을 붙들고 집 전화번호를 계속 눌러댔다. 조금 후 오토바이 뒤에 연장통을 싣고 도착한 열쇠공은 난감한 표정을 지었다. 안에서 잠금 고리를 걸었기 때문에 열쇠가 돌아가지 않는다는 것이었다. 나는 옆집 주인이 점퍼 소매를 붙잡는 것도 뿌리치고 아내를 향한 위험하지만 유일한 비상구인 베란다로 달려나갔다. 그때 열쇠공이 현관문의 경첩을 부숴도 괜찮겠냐고 물어주지 않았다면 나는 아내를 구하려는 격정을 이기지 못해 발을 헛디뎠을 것이고 그대로 8층 베란다에서 아래로 떨어져 죽었을지도 모른다. 그런 난리를 치른 뒤 폭파하듯이 문을 부수고 들어가보니 아내는 소파에 웅크린 채 자고 있었다. 우리가 부순 문에서 불과 몇 발짝 떨어지지 않은 자리였다.

아내가 그녀의 안락의자에 파묻혀 잠든 것을 보면 이따금 그때 생각이 났다. 뚜껑이 닫힌 상자들 곁에서 잠들어 있는 그녀의 모습. 그것은 자신을 상처입힌 세상을 향해 빗장을 지르고 잠들어버린 그때의 모습과 비슷했다.

어느 날 아침 아내는 비명을 질렀다.

"우리집에서는 모든 게 말라버려요!"

그녀의 손에 든 그릇 속에는 모래처럼 뻣뻣하게 마른 밥이 들어 있었다. 간장 접시 좀 보세요. 과연 간장은 죄다 증발해버리고 검게 물든 소금 알갱이뿐이었다. 사과도 하룻밤만 지나면 쪼글쪼글해져요. 시멘트 벽이 수분을 다 빨아들이나 봐요. 이러다가 나도 말라비틀어질 거예요. 자고 나면 내 몸에서 수분이 빠져나가 몸이 삐거덕거리는 것 같다구요.

나는 실내 환기를 안 해서 습도가 낮아진 거라고 가볍게 아내를 나무라며 안심시켰다. 얼핏 생각이 떠오른 대로 수족관에 열대어를 키워보면 어떻겠냐고 말해보았다. 아내는 깜짝 놀랐다. 맞아요. 아파트 안이 건조해서 수족관의 물이 한 뼘씩 줄어든다는 뉴스를 텔레비전에서 봤어요. 시멘트 벽이 집 안의 온갖 물을 다 빨아들여요. 나중에는 수도관 속에 있는 물까지 빨아들일 거예요. 이건 벽이 아니라 흡반이에요. 토요일에 나는 가습기를 사서 들고 들어갔다. 아내는 포장조차 풀지 않았다. 병원에서만 쓰는 물건인 줄 아는 모양이군, 나는 못마땅했지만 그런 것을 일일이 맞춰가며 살려고 하다 보면 가정이란 피곤해지게 마련이라는 생각을 갖고 있었으므로 그냥 내버려두었다.

아내는 늘 나로서는 아무 관심도 없는 소식을 진지한 말투로 전해주기도 했다. 슈퍼 옆에 있는 유치원 말예요. 거기 자연 학습장에서 키우는 닭은 새벽에 울지 않고 매일 한낮에 울어요. 슈퍼에서 나오는데 갑자기 꼬끼오, 소리가 나서 처음에는 깜짝 놀랐어요. 거기에다 제 나름의 논평까지 붙이곤 했다. 이제는 생태 환경이 달라져서 닭이 새벽에 울 필요가 없는 거죠. 요즘은 개하고 고양이도 사이좋게 지낸다잖아요. 그때마다 나는 시사 주간지나 마감 뉴스에 시선을 둔 채 고개를 두어 번 끄덕여주었다.

우리의 삶은 그럭저럭 평온했다. 아내의 일상은 이사 오기 전과 똑같아졌다. 봄이 다 가도록 커튼 없이 지내고 있었지만 나는 아내에게 별다른 불만은 없었다. 그 무렵 비어 있던 옆집으로 그 여자가 이사를 왔다.

그날 퇴근해 들어오던 나는 난데없는 개 짖는 소리에 의아한 표정을 지었다.

"옆집이 이사 들어왔어요."

아내가 설명해주었다.

"남편은 외국 지사에 나가 있대요. 초등학교 다니는 아들 둘하고 세 식구예요."

개 짖는 소리는 그때까지도 그치지 않고 있었다.

"앞으로 꽤나 시끄럽겠는데."

아내는 내 양복을 받아 옷장 속에 걸었다. 그리고 서랍장 속에서 다림질된 면바지와 폴로 셔츠를 꺼내주었다.

"당신 들어올 때부터 저래요. 엘리베이터 소리가 날 때마다 짖는 것 같아요."

아내는 개 짖는 소리가 그다지 거슬리지 않는 모양이었다. 이웃에 누가 이사 왔든, 그러니까 그것이 개이든 사람이든 시큰둥했다. 그러나 옆집에 한 번 다녀온 뒤부터 그 집에 관심을 보이기 시작했다.

"아래층에서 반상회를 했거든요. 끝나고 나오는데 옆집 여자가 자기 집에 가서 차 한잔하고 가라고 하더라구요. 그 집, 정신이 하나도 없어요."

"그래?"

"현관에서부터 그래요. 우산꽂이에다 편지함, 열쇠 거는 고리…… 거실에도 소파는 소파대로 스툴과 흔들의자까지 있고, 코너장에 홈 바, 뭐가 뭔지 모르게 가구로 꽉 차 있어요. 보온 밥통에까지 온갖 덮개를 씌워놓았고 벽에도 빈 곳이 하나도 없더라구요. 등공예품, 빵꽃, 지점토 인형, 온갖 취미 강좌에 다 다녔나 봐요."

"집 꾸미기를 좋아하나 보지?"

나는 리모컨을 찾아 텔레비전을 켰다.

"성격이래요. 빈 곳이 있으면 허전해서 못 참는다나요."

"그래?"

"벌써 수영이랑 마사지를 하러 다녀요. 자기가 집에 잘 안 있기 때문에 애들을 위해서 개를 키우는 거래요."

거기에서 아내는 말을 멈췄다. 무슨 생각을 하는지 한참 동안 손톱으로 소파 모서리를 꾹꾹 누르고만 있었다. 그런 다음 두 팔을 엇갈려 마치 방어하듯 자기의 가슴을 싸안더니 말했다.

"두 마리 다 아직 조그만 새끼예요."

"두 마리야?"

"네."

자기 팔을 꽉 움켜잡았으므로 아내의 손마디가 불끈 튀어올랐다.

"난 지 사흘 만에 얻어왔대요. 그것들을 긴 쇠줄에 묶어서 거실 문고리에 달아매놨어요. 우유를 엎질렀다고 아이들이 벌을 주는 거래요. 그런데 둘이 꽁꽁 묶여서 한 발짝도 움직이지 못하고 있더라구요."

강아지들은 문고리에 함께 묶인 채로 어찌나 엉키며 장난을 쳤는지 서로의 줄이 새끼줄처럼 꼬여서 바로 목 위까지 당겨져 있더라고 했다. 쇠줄이 꼬여 제 목을 죄어올 때까지 천진하게 장난을 쳤을 강아지들의 우스꽝스러운 모습이 떠올랐다. 그러나 아내의 눈가는 글썽해졌다.

"너무 좋아하다 보니 서로의 목을 죄게 된 거예요."

아내의 말에 따르면 두 마리가 아주 다르다고 했다. 한 마리는 털에 윤기가 나고 토실토실한데 한 마리는 비쩍 마른 게 털도 듬성듬성 빠져 있고 볼품이 없었다. 아내가 다가가자 토실토실한 강아지는 꼬리를 살살 흔들었지만 비쩍 마른 강아지는 비칠 한 걸음 물러나며 크앙, 하고 조그만 이빨을 드러내더라는 것이다. 초등학교 5학년이라는 그 집 아들이 과자를 손에 들고 나오자 토실한 강아지가 꼬리를 흔들며 아들 쪽으로 한 걸음 옮겼다. 토실한 강아지와 목이 같이 묶인 비쩍 마른 강아지도 억지로 조금 딸려갔다. 비쩍 마른 강아지는 아들이 싫은 듯했다. 크앙, 하면서 다리를 버티고 가지 않으려고 해보았지만 쇠줄이 목을 파고들 뿐이었다.

과자는 토실한 강아지의 발치에만 떨어졌다. 토실한 강아지에 끌려 억지로 앞으로 들렸던 마른 강아지의 두 발이 앞으로 쏠리며 비틀거렸다. 마르고 더러운 강아지는 깨갱 소리를 내며 겨우 앞발을 버텼다. 그걸 본 옆집 아들은 아무것도 준 것 없이 마른 강아지를 발로 찼다. 그러고는 야, 먹고 살려면 성격부터 고쳐라, 앙? 하더니 제 방으로 들어가버렸다. 그 얘기를 다 한 다음 아내는 윗몸을 푹 꺾더니 두 손으로 얼굴을 가렸다. 이따금 아내는 그렇게 나를 당황하게 그리고 짜증나게 했다.

나는 아내를 달랬다.

"사내 녀석들은 다 그렇게 짓궂다구. 뭐 그런 일로 애들처럼 울어?"

"그게 아녜요."

"그럼 왜 그래? 강아지가 불쌍해서?"

아내는 도리질만 했다. 조금 후에는 마음이 진정된 듯 저녁상을 차리러 일어났다.

그날 밤 침대에서 아내는 내 잠옷 속으로 손을 집어넣었다. 아내의 손은 배를 스쳐 올라오더니 젖꼭지를 만지작거리기 시작했다. 내 몸이 뜨거워졌다. 젖꼭지가 꼿꼿해지는 동시에 다리 사이가 묵직하게 일어났다. 나는 보고 있던 시사 주간지를 가볍게 침대 아래로 던졌다.

늘 그렇듯이 아내의 몸은 차가웠다. 내 목을 감고 있는 팔에는 힘이 들어가 있었지만 아랫도리는 마치 자기의 것이 아닌 듯 부자연스러웠다. 내 손이 아랫도리에 닿자마자 그녀는 다급하게 속삭였다. 사랑해요, 여보. 그녀는 눈을 감고 있었다. 그녀의 젖은 속눈썹은 몇 올씩 엉긴 채로 움찔거렸다. 그녀는 계속 눈을 감고는 들어와요, 어서, 라고 말했다. 아내의 피부는 부드러웠지만 갑옷을 입은 것처럼 열기가 힘들었다. 그날은 입술산 같은 작은 버튼조차 도 그녀의 깊은 샘물을 길어올리지 못했다. 그녀는 고통을 참으며 나를 받아들여야 했다. 그렇지만 막상 들어가보면 그녀의 몸은 아주 따뜻했다. 내가 만족하는 것을 보고 그녀는 행복하다고 말했다.

내가 욕실에서 돌아오자 그녀는 갑자기 물었다.

"당신, 사실은 아이 포기 안 했죠?"

우리는 아이에 관한 화제를 의도적으로 피해왔다. 더구나 아내가 제 입으로 꺼낸 것은 이번이 처음이었다. 그녀는 불임 클리닉에 시간을 잘 맞춰 다녔고 거기에서 시키는 대로 했다. 나는 아내가 아이를 원하는지 원치 않는지 한 번도 생각해본 적이 없었다. 솔직히 말하면 그 질문을 나 자신에게조차 심각하게 해보지도 않았다. 나는 단지 인생은 필요한 것을 갖춰나가며 사는 것이라고 생각하는 평범한 사람이었다.

"왜 애가 안 생기는지 생각해봤어요."

아내는 천장을 노려보며 혼잣말처럼 중얼거렸다.

"나는 알아요."

전문 클리닉에서도 알아내지 못한 것을 그녀가 알았다는 말인가. 나는 말없이 침대로 돌아가 그녀 곁에 누웠다. 그녀는 10년도 넘은 옛날에 보았다는 미국 영화 이야기를 꺼냈다. 으레 그렇듯이 '내 기억이 확실한지는 모르지만'이라는 말로 시작되는 그녀의 이야기는 이런 내용이었다.

한 가족이 있다. 아버지는 떠돌이였다. 그러므로 억척스런 어머니가 세 개구쟁이들을 갖은 욕을 퍼부으며 혼자 키운다. 어느 날 어머니가 죽는다. 아이들은 복지 시설에 맡겨진다. 소식을 들은 아버지가 아이들을 찾으러 온다. 그러나 알다시피 그는 무직자에다가 짐작하다시피 주정뱅이이다. 건전하고 깨끗한 복지 시설의 직원은 아버지를 예의 바르게 멸시한다. 아이들의 복지를 위해서는 그들을 고아로 만들어야 한다고 주장한다. 아버지는 아이들을 사랑했다. 아이들을 위해서라면 그 유쾌한 자유까지도 기꺼이 포기할 수 있었다. 아버지는 싸운다. 그러나 원래 규격에 맞지 않는 사람은 싸움에서 이기지 못하도록 되어 있다. 싸움에 진 뒤 자기를 개조하려는 아버지의 노력이 시작된다. 번번이 쫓겨나지만 그래도 다시 직장을 구하러 나선다. 우여곡절 끝에 제법 구김 없는 넥타이를 매고 복지 시설을 찾아온 아버지. 그러나 아이들은 뿔뿔이 흩어져서 소식을 알 수 없다는 통고만이 기다리고 있다. 아버지는 미칠 것만 같다. 온갖 서류를 뒤지고 온갖 사람에게 굽실거리고 온갖 복지 시설과 온갖 입양 가정을 돌아다닌다. 그 모든 천신만고를 헤치고 드디어 아이들을 찾은 아버지. 그러나 아버지는 너무 늦게 도착했다. 아이들 역시 아버지에게로 가기 위해 끊임없이 규격 밖으로 도망치려 했었다. 그 결과 한 아이는 양부모에게 맞아 죽었고 한 아이는 자폐증에 걸렸다.

"그리고 한 아이는 소년원에서…… 거세당했어요."

"끔찍한 얘기군."

나는 건성으로 한마디 거들어주었다. 끔찍한 것은 끔찍한 것이고, 그 얘기가 아내의 불임과 무슨 관련이 있다는 것인지. 나는 일어나 담배를 피워 물었다. 눈으로는 조금 전 집어던졌던 시사 주간지를 찾으면서. 그런 나를 향해 갑자기 아내가 단호한 목소리로 말했다.

"나도 거세당한 거예요."

담배 연기 때문에 아내는 눈을 깜박거렸다.

"소년원에서 거세를 시키는 건 범법자의 대를 끊어버리려는 거잖아요. 나도 피가 나쁘기 때문에 애를 낳지 못하도록 거세당한 거예요."

"소년원에서 말야?"

내 입에서는 기어코 이죽거리는 말이 튀어나왔다. 아내는 말을 조리 있게 혹은 길게 할 만큼 논리적이지 못했다. 그렇지만 설명하려고 애썼다.

"그게 아니구요. 나 같은 사람은 선택 이론에 의해서 도태되게 되어 있어요. 책에서 본 적이 있어요. 우성만 유전되고 열성은 도태되는 게 진화잖아요."

나는 그녀가 조금 안쓰러워졌다. 손을 뻗어 그녀의 젖가슴을 만졌다. 그러나 그녀는 내 손을 밀쳐내더니 벌떡 일어나 앉았다. 그러고는 그녀의 입에서 나올 성싶지 않은 과격한 말을 내뱉었다.

"옆집 개 말예요. 그 더러운 개새끼는 곧 굶어 죽을 거예요. 죽는 날까지 토실토실한 개한테 가까이 달라붙겠죠. 뻔뻔스럽게도 그 개가 크는 것까지 가로막으면서 말이죠. 빨리 죽어주면 좀 좋아. 개들은 왜 자살 같은 걸 안 하나 몰라."

한참 숨을 고르는가 싶더니 그녀는 조용히 일어나 욕실로 갔다. 마치 몽유병자가 창턱을 밟는 듯한 정확하고도 허전한 걸음걸이였다. 조금 후에 돌아왔을 때는 눈자위가 빨개져 있었다. 상자 속에 담아 덮어버리는데도 아직 그녀의 머리 속에는 쓸데없는 생각이 많이 남아 있다는 사실을 나는 처음으로 심각하게 생각해보았다.

어쩌면 아내의 삶에 무언가 다른 것이 더 필요하리라는 생각도 들었다. 그 경박해 보이는 옆집 여자가 아내를 조금씩 변화시키는 일을 가만히 지켜보기만 한 것도 그 때문이었다.

옆집 여자는 차를 가지고 있었다. 아내의 말처럼 걸을 만한 흙길은 없고 찻길만 있는 신도시에서 그것은, 한 번 더 아내의 잡학 용어를 빌리자면, 우성임을 뜻했다. 그 여자의 차에 실려 아내는 백화점이나 대형 할인점에 따라다녔다. 기찻길 옆에 있는 칼국수집이나 쇼핑센터 지하의 쌈밥집에서 점심을 먹기도 하면서. 날씨가 좋아지자 주말 농장인지에 다닌다고 부쩍 교외로 돌아다니는 눈치였다. 어떤 토요일인가는 야근을 마치고 돌아온 나보다 더 늦게 집에 도착한 적도 있었다.

나는 일요일을 격주로 쉬었다. 아내는 내가 집에 있는 일요일까지도 새 백화점이 오픈한다며 옆집 여자를 따라 나가더니 그리 필요하지도 않은 물건을 갖고 들어왔다. 나는 그 포푸리 화환을 보고 은근히 놀랐다. 그것은 필요하지 않기도 하려니와 한시적인 유행, 조악한 모조품, 특히 노골적인 향기를 강요한다는 점에서 아내의 취향과는 거리가 있었다. 아내는 그 포푸리가 옆집 여자의 선물이라고 말했다.

"그 여자가 왜 당신한테 선물을 준다는 거지?"

내 눈앞에는 먼발치에서 보기에도 유난히 화장이 짙던 옆집 여자의 모습이 스쳐갔다. 내 차보다 한 등급 위인 그 여자의 중형차도 떠올랐다.

"그냥요."

나의 이죽거리는 물음에 반해 아내의 대답은 순진하고 명료했다. 그러나 내가 생각하기로 아무 기대를 함축하지 않은 선물이란 없었다. 나는 다시 물었다.

"차를 얻어타고 신세를 지는 건 당신이잖아. 선물을 한다면 당신이 해야지 왜 그 여자가 해?"

포푸리를 만지작거리고 있던 아내는 그것을 들고 일어났다.

"나를 좋아해서 그냥 선물한 거라니까요. 그럴 수도 있잖아요."

"좋아한다구?"

"그래요."

"왜?"

아내는 입술을 깨물었다. 아무 대답 없이 포푸리를 손에 든 채 자기의 방을 향해 몇 걸음 옮기더니 갑자기 돌아섰다. 그리고 쏘아붙였다.

"외로우니까요."

너무 필사적으로 말했기 때문에 나는 어이가 없어졌다. 아내는 대답이라도 기다리는 사람처럼 그대로 서서 나를 뚫어져라 쳐다보고 있었다.

"당신도 그래? 외롭다고 생각해?"

"아뇨."

아내의 시큰둥한 대답은 기다렸다는 듯이 바로 튀어나왔다. 그런 다음 자기의 방에 포푸리를 걸고 나와서는 무언가를 시위하는 듯한 의기양양한 표정으로 감자를 꺼내 깎기 시작했다. 나를 긴장하게 만들었다고 생각하는 걸까. 나는 아내의 기분을 다는 몰랐지만 어쨌든 아내에게 아직도 어떤 것이 더 필요한 것만은 느낄 수 있었다.

다음날은 월요일인데다 비가 왔다. 막히는 차 안에서 나는 아내에게 무엇을 더 해줄 수 있는지 생각해보았다. 그리고 회사에 도착하자마자 불임 클리닉으로 전화를 걸어 진료 예약을 했다. 집으로도 전화를 했다. 아내는 전화를 받았다. 그녀는 조그맣게, 알았어요, 라고만 했을 뿐 화를 내거나 거부하는 기색은 아니었다. 나는 그녀를 위해 보편적이고 바람직한 처방을 찾아낸 데 대해 스스로 만족했다.

클리닉에 가는 날은 회사에 월차를 냈다. 평소보다 두 시간쯤 늦게 집을 나섰다. 나들이 기분이 나는 싱그러운 5월 날씨였다. 연초록으로 덮인 작은 산에는 희고 붉은 꽃들이 피어 있었고 햇살이 투명했다. 그 길은 나의 출근길이었지만 출근 시간대에는 느끼지 못했던 유혹이 깃들어 있었다.

갑자기 옆 차선으로 달려온 흰색의 신형 스포츠카가 내 차 앞으로 끼어들었다. 반사적으로 브레이크를 밟는데 그 순간 역시 같은 자리에서 빨간색 스포츠카 한 대가 더 튀어나왔다. 두 차 모두 20대 초반으로 보이는 발랄한 차림의 젊은이가 운전을 하고 있었다. 각각의 조수석에는 역시 젊고 발랄하기로 내기를 한 듯한 젊은 여자들이 앉았다. 그들은 마치 숨바꼭질을 하듯이 차선을 질러가며 지그재그로 운전을 했다. 그러다가 갑자기 두 차선을 점령한 채 나란히 속도를 낮추는 것이었다.

먼저 빨간 차의 창문이 열렸다. 그 안에서 연보라색 블라우스 소매가 불쑥 나왔다. 여자의 긴 머리카락 한 줌이 차창 밖으로 빠져나와 바람에 나풀댔다. 여자는 하얀 차를 향해 뭔가를 던지는 것 같았다. 이번에는 하얀 차의 창문이 열렸다. 거기에서 뻗어나온 것도 반팔 스웨터를 입은 여자의 팔이었다. 팔이 드러났으므로 그 여자가 손에 쥐고 있는 물건이 조금 보였다. 그 여자 역시 그것을 빨간 차에 대고 쏘았다. 물총이었다. 남자들은 앞서거니 뒤서거니 하면서 차를 갖고 장난을 쳤고 여자들은 차창 밖으로 한 팔을 내놓았다가 다음 순간 얼굴을 돌리고 움츠렸다가 하면서 물총 장난을 하고 있었다. 네 사람 다 죽을 만큼 깔깔댔다. 차 지붕 위에는 아직도 스키 캐리어가 그대로 붙어 있었지만 보나마나 트렁크 안에는 캔맥주와 과일이 든 아이스박스, 그리고 접는 피크닉 테이블 따위가 들어 있을 것이다.

내가 매일 아침 지옥을 향한 진입로이듯 느리게 통과해 가는 길을 두 대의 스포츠카는 경쾌하게 뚫고 지나갔다. 나는 질질 끌듯이 그들은 칸타빌레로, 노래하듯이.

그 길의 전혀 예상치 못했던 깜찍한 소용에 대해 솔직히 나는 약간 놀랐다. 그들의 차는 다음 신호등에서 좌회전을 받아 갈라져 나갔다. 지리한 회색 포장 도로로 직진하는 나와 달리 그들은 풀이 북슬북슬한 방둑길로 접어들었다. 그러고는 연녹색 산 속의 오솔길 뒤로 사라져버렸다. 그들이 사라진 하얀 길은 알맞게 구부러졌고 꽃이 만발해 있었다.

옆자리를 보니 아내도 그 스포츠카들이 사라진 오솔길 쪽을 쳐다보고 있었다. 그 길이 눈앞에서 완전히 사라지도록 내내 고개를 잔뜩 돌리고 쳐다보았다.

"저 길로 한번 가보고 싶어요."

아내의 목소리는 꽉 잠겨 나왔다. 마치 선택된 사람에게만 열려 있다가 그 계절이 지나면 사라져버리는 환상의 길 같다는 말도 했다. 나는 아내를 흘끗 쳐다보았다.

"언제 일요일에 한번 나오지."

내 말이 떨어지자마자 아내는 바로 대답했다.

"봄이 가기 전에요."

"알았어."

한참 후에 아내는 가볍게 한숨을 내쉬었다.

"저 길을 볼 때마다 가보고 싶었어요."

"여기로 나와본 적이 있단 말야?"

"가끔요. 저쪽으로 조금 들어가면 중남미문화원이란 곳도 있어요."

그러나 아내는 문화원 안으로는 들어가보지 못했다고 서운한 표정을 지었다. 옆집 여자는 그런 곳에는 관심이 없는 모양이었다. 문화원을 지나면 보광사라는 절이 있는데 그 절 앞의 식당에서 산채비빔밥을 먹고 광탄이라는 곳으로 넘어가서 인공 연못을 바라보며 커피를 마시기만 한다는 것이었다. 옆집 여자와 둘이서만 갔냐고 물어볼까 망설이는 사이에 아내는 불쑥 다른 말을 했다.

"교외 카페에는 나이 든 여자들이 많아요."

내 머리 속에는 계속 같은 질문이 맴돌고 있었다.

"휴대전화로 집에 전화를 해서 숙제 안 한다고 아이들을 야단치고, 읽은 책 이야기도 하고, 헬스클럽이나 귀고리에 관한 이야기를 해요. 누구는 제사가 많다, 어떤 달은 세 번이라서 모임에도 잘 못 나온다, 누구는 상가 시세가 올라서 돈을 벌었다, 아무개 교수의 교양 강좌가 좋더라, 듣고 울었다, 그런 얘기를 하면서 시간을 보내는 거예요."

나는 아내를 탐탁잖은 눈으로 흘끗 보았다. 뜻밖에도 아내의 표정은 쓸쓸했다.

"얼마 전에 옆집 여자가 백화점 주차장에서 어떤 남자 차를 받은 적이 있어요. 차가 꽤 긁혔는데 자꾸만 괜찮다고 그냥 가라는 거예요. 옆집 여자가 미안하다고 그 남자한테 점심을 사기로 했는데 같이 가자고 하더라구요. 옆집 여자는 그 남자를 몇 번 더 만났어요. 자기 인생 문제를 관심 있게 들어준대요."

아내는 아까보다 훨씬 더 쓸쓸한 얼굴이 되었다.

나는 입을 다물었다. 속된 호기심을 차단하기 위해 꽤 많은 의지가 필요했다. 서울에 다 와서 생각해보니 그렇게 많은 의지가 필요했던 것은 차단해야 할 것이 호기심이 아니라 의심이었기 때문이었다. 대기실에서 기다리는 동안 아내는 말이 없었다. 이름이 불려지자 초등학교 학생처럼 얌전히 대답을 한 다음 일어나서 진료실 문 쪽으로 다가갔다. 아내는 문 앞에서 발을 멈추고 아주 짧은 순간 나를 돌아보았다. 무력하고도 간절한 눈빛이었다. 그제야 나는 가벼운 마음으로 일어나 자판기에서 커피를 뽑아 마셨다.

아내의 배란기에 나는 되도록 일찍 퇴근했다. 그녀는 힘든 눈치였지만 클리닉의 지시와 내가 주는 정자를 순순히 받아들였다. 어느 날 나는 침대에서 그녀의 눈시울이 더 이상 젖지 않는다는 것을 깨달았다. 언제부터인지 내 목을 꼭 껴안지도 않았다. 대신 샤워를 안 했다든지 감기에 걸렸다든지 하는 핑계를 대며 피하는 일은 없어졌다. 내 허리의 움직임에 아찔한 가속도가 붙는 순간 갑자기 가슴을 밀치며 "잠깐만요" 하면서 입덧을 하는 임부처럼 욕실로 뛰어가는 일도 이제는 물론 없었다. 나는 어떤 방식으로든 아내가 제

자리를 찾아가고 있다고 해석했다.

가을 인사 때 부서가 바뀐 뒤로 나는 회사일이 더욱 바빠졌다. 아내의 배란기를 빼고는 일찍 들어와 아내와 시간을 보낼 기회도 적어졌다. 그러다 보니 아내를 안고 싶은 욕망도 그때에 맞춰 규칙적으로 생겨났다. 나는 무엇에든 잘 적응하는 편이었으며 그러니까, 상식적인 사람이었다.

아내도 그럭저럭 적응하고 있었다. 이제는 옆집 여자의 차를 자주 타지도 않는 듯했다. 더욱이 가을로 접어들 무렵 남편이 다시 서울 본사로 발령을 받아 돌아온 뒤로는 옆집 여자도 그전처럼 외출이 잦지 않다고 했다. 그 집에서는 개 짖는 소리가 사라진 대신 이따금 한밤중에 고함 소리나 뭔가 둔중한 것이 집 안을 흔드는 소리 따위가 새어나왔다. 그러나 다음날 아침 일곱시 십분이면 어김없이 옆집 여자가 남편을 지하철역까지 태워다 주는 광경을 먼발치로 볼 수 있었다.

아내는 말수가 적어졌다. 말 자체를 거의 안 했기 때문에 엉뚱한 말을 하는 일도 없어졌다. 집 안은 더욱 깨끗해지고 언제나 조용했다. 아내는 다시 독일식 책상에서 잡다한 책들을 읽고 안락의자에 웅크리고 잠을 자며 시간을 보내는 모양이었다. 책을 담아두는 상자가 거의 늘어나지 않기에 물었더니 이제는 책을 사지 않고 상가의 대여점에서 빌려 본다고 했다. 그러나 아내 앞으로 배달돼 오던 『지오』나 『리더스 다이제스트』 같은 잡지가 포장도 뜯지 않은 채 쌓여 있는 것을 보면 아마 아내는 잠이 늘어난 것 같았다.

평온한 나날이 계속되었다. 바쁜 만큼 나에 대한 회사의 신임은 날로 두터워졌다. 조직 사회라는 곳에서 힘든 일이 전혀 없지는 않았지만 전체적으로 보면 사소한 일이었다. 그리고 집에 돌아와보면 모든 것이 제자리에 준비되어 있었다. 아내까지도.

한동안 밤마다 걸려오는 장난 전화에 시달리다 못해 아내가 전화선을 가위로 싹둑싹둑 잘라버린 일, 배냇저고리를 사주었던 아내의 친구가 모처럼 찾아오며 사왔다는 장식 양초에서 불이 옮겨 붙어 벽에 걸었던 우리의 결혼사진이 타버린 일, 누군가 내 차와 옆집 차를 포함한 다섯 대의 타이어에 드릴 구멍을 내고 도망친 사건이 일어나 그때 광대뼈가 튀어나온 옆집 남자와 처음 인사를 나눈 일 등 몇 가지 일이 일어났지만 큰 사건은 아니었다. 옆집 남자는 신도시가 별로 마음에 들지 않는 듯했다. 불과 몇 년 만에 커다란 도시가 불쑥 솟아나 있어서 깜짝 놀랐습니다. 유럽 같은 오래된 나라에서는 상상도 못 할 일이죠. 인공 호수도 그렇고, 아무튼 대단해요. 남자가 신도시에 살기 어떠십니까, 하고 물었을 때 나는 조용해서 좋더군요, 라고만 대답했다.

그런 일들말고 그래도 좀 큰 일이라면 아내가 화상을 입은 사건일 것이다. 아내는 레인지 위에 있는 뜨거운 주전자를 옮기다가 주전자 주둥이에서 끓는 물이 흘러내리는 바람에 옆구리를 데었다. 위험한 화상은 아니었지만 살갗이 벗겨진 자리에 며칠 동안 진물이 흘렀기 때문에 배란기인데도 나는 아내의 곁에 가지 못했다. 아내의 화상은 곧 아물었다.

아내가 꺼내준 바바리코트를 입고 출근하던 날 나는 신호 대기에 걸려 차를 세우고 기다리다가 불현듯 가을이 깊어가고 있음을 깨달았다. 그러니 봄이 지나가버린 것은 너무나 당연한 일이었다.

지금은 다시 봄이다. 봄이 다 가기 전에 함께 가보자고 약속했던 그 길. 지난 주에 나와 아내는 그 길 옆을 지나쳤다. 작년과 똑같이 연녹색 잎과 희고 붉은 꽃들로 덮여 있었다. 나는 시계를 자주 보았고 그때마다 그런 자신에게 당황했다. 나와 달리 아내는 한 시간 뒤면 우리가 헤어진다는 것을 잊기 위해 그다지 애쓰는 것 같지 않았다.

우리에게 지난 겨울은 무척 힘이 들었다. 그날 밤, 무섭게 조용하던 11월의 밤 이후 아내는 몹시 수척해졌다. 안락의자 속에 공벌레처럼 웅크리고 자고 있는 모습을 보면 공의 지름이 점점 작아지는 듯한 느낌이 들었다. 그렇지만 나는 그녀를 보내지 않을 수 없었다.

11월 마지막 밤은 바람이 몹시 불고 간간이 비가 뿌리는 음산한 날씨였다. 아홉시쯤 퇴근한 나는 벨을 여러 번 눌러도 기척이 없자 열쇠로 문을 따고 들어왔다. 아내의 방문부터 열어보았다. 그러나 그녀의 안락의자는 비어 있었다. 전등이 하나도 켜지지 않아 집 안은 깊은 어둠에 잠겨 있었다. 아내는 어두워지기 전에 외출한 모양이었다. 부엌에 가보니 저녁을 지은 흔적도 찾아볼 수 없었다. 흔치 않은 일이긴 했지만 나는 곧 고개를 끄덕였다. 아내에게라고 해서 갑작스러운 일이 생기지 말란 법은 없으니까. 나는 다른 날처럼 옷을 갈아입고 욕실에서 손을 씻은 다음 텔레비전을 켰다. 아내는 금방 돌아올 것이다. 그리고 또 생각보다 좀 늦더라도 충분히 이해할 수 있었다. 그러나 아내는 열한시가 넘도록 돌아오지 않았다.

열시가 넘으면서부터 나는 몇 번인가 베란다로 나가 밖을 내다보았다. 열한시가 되자 아예 베란다에 서서 10분을 기다렸다. 베란다 철책에 비벼 끈 담배만도 세 대나 되었다. 그제야 어딘가로 연락을 해서 아내를 찾아봐야 한다는 생각이 들었다. 그러나 어디로? 나는 또 담배에 불을 붙였다. 아내가 어딘가로 가버렸다는 사실 못지않게, 그런데도 아내를 찾을 전화번호 하나 갖고 있지 않다는 사실에 더 큰 당혹감이 느껴졌다. 아내의 방에 들어가보았다. 모든 것이 제자리에 너무 잘 정리되어 그것들은 아무것도 말해주지 않았다. 독일식 책상 위에는 메모지 하나 없이 꽁무니에 지우개가 달린 노란 연필뿐이었다. 아내는 책을 펴기 전에 언제나 저 연필을 찾았다. 연필을 손에 쥐어야만 내용이 머릿속에 잘 들어온다고 말했다. 나는 아내가 그 연필로 무엇을 쓰는 것은 본 적이 없었다. 하지만 연필은 키가 아주 작아져 있었다. 아내의 상자들도 단정했다. 큰 것은 큰 것끼리 작은 것은 작은 것끼리 네 귀퉁이를 맞추고 쌓여 있었다. 다른 날과 다른 거라고는 아내답지 않게 상자 위에 먼지가 조금 있다는 점 정도였다. 부엌이나 욕실, 안방, 내 책상이 있는 방, 그 어디에도 눈에 거슬리는 특별한 것은 없었다. 그러니까 이 집 안에 아내라는 여자의 내면을 알 만한 것은 전혀 없는 것이었다. 이 집 안은 그녀가 아닌 어떤 여자가 들어와 당장 살기 시작해도 이상한 점이 조금도 없을 만큼 표준적이었다. 안주인의 냄새가 없었다. 아내와 나는 살을 맞대고 5년을 함께 살아왔다. 그런데 아내가 사라졌는데도 그녀가 간 방향을 찾아 한 발도 내디딜 수 없다면 우리가 함께한 것은 무엇이란 말인가. 대체 나는 무엇을 근거로 아내에 대해 모르는 것이 없다고 생각해왔던 걸까.

신발을 신고 집 밖으로 나갔다. 아내의 귀가 경로에 대해 확실히 알 수 있는 것은 아파트 앞 주차장까지뿐이었다. 시간이 늦어 주차장에는 빈자리가 거의 없었다. 나는 화단에 쪼그리고 앉았다. 가는 비가 뿌려서 어깨가 차가웠지만 들어가서 우산을 들고 나올 생각도 들지 않았다. 차 한 대가 들어오고 있었다. 뿌연 헤드라이트 불빛에 비쳐서 빗줄기의 가는 빗금이 드러났다. 차에서 내린 것은 옆집 남자였다. 빗속에 어정쩡하게 서 있는 사람이 나라는 것을 알아보고는 왜 여기 서 계십니까, 라고 인사를 건넸다. 나는 아 예, 라고 얼버무리고는 한 걸음 비껴서려 했다. 그러나 운전석에서 내리는 옆집 여자를 보자 내 얼굴은 스트로보가 터지듯 갑자기 밝아졌다. 나의 반가움과 달리 여자는 내가 가까이 가자 경계하며 시선을 피했다. 저, 집사람이 아직 안 들어왔는데 혹시……, 라고 말을 붙이는데도 주춤거리며 남편 쪽을 흘끗 쳐다본 다음 등을 돌리고 그냥 가버리는 것이었다. 그러나 나는 그 무례하고 부자연스러운 몸짓 속에서 여자가 틀림없이 뭔가 할 말을 가지고 다시 찾아오리라는 것을 눈치챘다. 나는 그들 뒤로 몇 발짝 떨어져 집으로 돌아와서 여자를 기다렸다.

여자는 5분쯤 후에 왔다. 여자가 자기 집의 현관문을 조금 열어놓고 받침쇠로 고정시키는 걸 보고 나도 우리집 문을 똑같이 했다. 여자는 조금 전과 달리 아내를 무척 걱정하고 있었다. 우리집 소파에 앉아 어딘가로 전화를 걸었다. 잘 아는 번호인 듯 숫자판을 누르는 손가락이 빨랐다. 휴대전화인 것 같았다. 여러 번 같은 번호를 눌렀지만 연결이 되지 않았다. 그렇게 10분 정도가 지나갔다. 여자는 일어났다. 이제 남은 일은 경찰서와 병원 응급실에 연락을 해보는 일뿐인 듯했다. 공공 기관의 기록철에 들어갈 만큼 공식적인 사건으로 커지지 않고 사소한 개인적인 일로 그칠 기회는 여기에서 끝인가. 친구 집에 갔다가 차가 끊겼다든지 책을 사러 광화문의 대형 서점에 나갔다가 내친김에 영화까지 보고 들어온다든지, 하다못해 집에 오는 버스 속에서 잠이 들어버려 지금 종점에서 돌아오고 있다든지 그렇게 끝나주면 얼마나 좋을까.

절망 때문에 나는 여자가 하는 말을 처음에는 잘 알아듣지 못했다. 여자는 현관에서 신발을 꿰다 말고 갑자기 받침쇠를 발로 올려 반쯤 열려 있던 현관문을 닫아버린 뒤 내게 이렇게 말했던 것이다. 제 남편 귀에는 안 들어가게 해주세요.

네? 뭐라구요? 내가 되묻자 여자는 말했다. 아파트 정문으로 나가서 좌회전하면 순환로가 나오잖아요. 그 길로 쭉 따라서 서너 블록 가다 보면 다리가 있어요. 다리 너머 우회전해서 계속 가세요. 오른쪽으로 크게 '그린 파크'라는 간판이 보일 거예요. 삼층 끝방이에요. 근처에 카페도 많고 다른 모텔도 많으니까 찾기는 쉬워요. 나는 구조대를 만난 조난자처럼 그녀의 설명을 열심히 들었다. 고맙습니다, 라고 말하자 그녀는 불안한 눈으로 남편에게는 지금 자기가 한 말을 비밀로 해달라고 다시 한번 당부했다. 마치 거래를 하는 듯한 말투였다. 아내를 찾으러 갈 수 있게 되었다는 사실에 안심이 된 나는 여부가 있냐는 듯이 고개를 끄덕였다. 여자는 현관문의 손잡이를 잡은 채 한 번 더 나를 쳐다보았다. 그리고 떨리는 목소리로 이런 말을 했다. 다 제 잘못이에요. 여자의 눈빛은 몹시 흔들렸다. 깊은 두려움과 번민이 어려 있었는데 남을 위한 것이라기에는 지나치게 비장했다. 내가 '파크'라는 말이 가진 수상한 어감을 깨달은 것은 바로 그때였다. 나는 여자의 어깨를 억세게 움켜

잡았다. 내 손톱이 옷을 파고들어 빗장뼈에 닿았는데도 여자는 비명을 지르지 않았다.

순환로는 무섭도록 어둡고 조용했다. 이따금 건너편에서 질주해오는 자동차의 불빛으로 비에 젖은 도로가 언뜻언뜻 드러났다.

여자의 말대로 찾기 쉬운 장소였다. 다리를 넘으니 얼마 안 가 붉은 네온 간판이 나타났다. 검은 허공에 높이 걸린 붉은 온천 마크가 마치 소의 엉덩이를 지지기 위해 벌겋게 달군 인두 도장 같았다. 나는 어금니를 물었다. 그것을 떼어내서 그대로 아내의 흰 젖가슴에 지져 주홍 글씨를 새겨버리고 싶었다. 내 손 안에서 사이드브레이크가 빠지직 소리를 내며 당겨졌다.

여자의 설명으로는 3층 끝방은 그 모텔의 특실이라고 했다. 자기도 아는 어떤 사람이 특정한 요일에 빌리곤 했던 방이라는 것이다. 여자는 그 방을 자기가 사용했었다는 말은 하지 않았다. 새댁은 차도 없고…… 워낙 외진 곳인데 이 시간까지 안 들어왔다니 저도 걱정이 돼서 알려드리는 거예요. 다 제 잘못이에요. 제 얼굴을 봐서 한 번 나갔던 건데 하도 전화질을 해대니까…… 오죽하면 새댁이 전화선까지 잘라버렸겠어요…… 그리고 저…… 혹시 모르니까 지하 레스토랑으로 먼저 가보세요. 아직 거기 있을지도 몰라요. 새댁은 그럴 사람이 아녜요, 따위의 말만 했다. 물론 나는 지하 레스토랑에 들러보지 않고 곧바로 계단을 올라갔다.

문은 잠겨 있지 않았다. 방 안은 어두웠다. 정규 방송이 끝나 지글거리고 있는 텔레비전 화면이 달빛처럼 부옇게 침대로 비쳐들었다. 그 침대에 아내는 혼자 잠들어 있었다. 나는 아내 곁으로 다가갔다. 베개에 긴 머리를 탐스럽게 흩뜨리고 혼곤히 잠들어 있는 아내의 하얀 옆얼굴. 시트를 젖혀보니 그녀는 알몸이었다. 유리로 된 천창 너머에서 어둠이 납작 엎드린 채 그녀의 벗은 몸을 내려다보고 있었다.

집으로 돌아오는 차 안에서 무섭게 몸을 떨더니 아내는 그대로 앓아 누웠다. 지독한 감기였다. 며칠 동안 운신을 못 하고 누워만 있었다. 물 한 방울 넘기지 않는 것 같았지만 나는 내버려두었다. 얼마쯤 나은 뒤부터 그녀는 다시 청소와 빨래를 시작했다. 너무나 여위어서 미라 같았다. 나는 새벽 헬스클럽과 외국어 학원의 야간 강좌에 등록을 했다. 늦은 밤에 열쇠로 문을 따고 들어가면 집 안은 환하게 불이 밝혀진 채 사람의 그림자도 보이지 않았다. 그녀가 갑자기 부엌이나 자기의 방 쪽에서 마치 혼백이 떠돌듯이 소리 없이 나타나면 그때마다 나는 그녀가 아직 살아 있다는 데 분노했다. 뻔뻔스럽게도! 왜 자살 같은 걸 안 하나 몰라, 하고 그녀 자신이 개에게 뱉었던 말을 떠올리기도 했다.

우리는 거의 얘기를 나누지 않았다. 그동안 내가 저 여자의 무엇을 안다고 생각해왔을까. 나는 그녀를 증오했다. 그날 밤의 일에 대해서 자세히 알기를 피하고 있는 자신을 발견하는 순간마다 나 자신까지도 증오했다. 아내의 잠은 더 깊어졌다. 이젠 약을 먹고 자는 게 아닐까 싶을 정도였지만 나는 모르는 척했다. 이따금 나는 유배지 같은 아내의 방 문틈에 귀를 대고 어둠 속에서 혼자 깊이 잠든 그녀의 숨소리를 듣곤 했다. 숨소리는 끊어질 듯하다가도 이어졌다. 나는 그곳으로 빛과 공기가 들어가지 못하도록 문틈을 다 종이로 발라버리고 싶었다. 그 위에 파라핀을 덧칠해서 봉인해버리고 싶었다.

딱 한 번 그녀의 모습을 오랫동안 바라본 일이 있었다. 그날도 나는 밤늦게 들어왔다. 아내의 모습은 보이지 않았다. 안락의자에서 자고 있을 것이었다. 나는 다른 날처럼 옷을 갈아입고 세수를 한 다음 마감 뉴스를 보려고 했다. 그러다가 불현듯 생각을 바꿔 아내의 방으로 들어가보았다. 아내는 깊이 잠들어 있었다. 나는 충동적으로 거칠게 아내를 흔들었다. 손끝이 허전할 만큼 아내의 몸에는 거의 부피가 느껴지지 않았지만 그럴수록 내 손길은 난폭해졌다.

아내가 눈을 떴다. 거실의 불빛이 새어들어와 그녀는 내 얼굴을 알아보았다. 그녀는 빙긋 웃었다. 몸을 일으키더니 유령처럼 바닥을 가볍게 스쳐 지나 부엌으로 갔다. 그녀는 먼저 수도꼭지를 틀어 손을 문지르고는 쌀통에서 쌀을 꺼내 씻어 밥을 안쳤다. 멸치를 꺼내고 다용도실의 된장통에서 된장을 퍼와 뚝배기에 넣고 물을 부었다. 감자, 양파, 당근을 차례로 껍질을 벗기고 마늘을 깠다. 그것들을 도마 위에 깨끗이 썰어놓을 때쯤에는 된장 국물이 끓고 있었다. 야채를 차례로 넣은 다음 파를 꺼내 씻었고 두부도 귀를 맞춰 네모 반듯하게 썰어 대접 위에 준비해놓았다. 그리고 볼에 달걀 세 개를 깨뜨려 소금을 넣고 나무젓가락으로 잘 휘저은 다음 파를 다져 넣었다. 생선 그릴에 물을 붓고 가스불을 켰다. 냉장고에서 갈치를 꺼내 씻어서 달구어진 생선 그릴에 집어넣었고 그 옆의 가스레인지에 프라이팬을 얹어놓고 불을 붙였다. 적당히 달궈진 프라이팬에 달걀물을 한쪽에서부터 가만히 쏟아 천천히 말아가기 시작했다. 조금 후에 갈치를 뒤집었다. 그녀의 손놀림은 정확했다. 그녀는 내가 꼼짝 않고 자기를 바라보고 있는 것은 물론 식탁 의자에 앉아 있다는 것조차 전혀 깨닫지 못했다.

그녀는 식탁을 차렸다. 내 앞에 밥을 퍼서 놓더니 자기 밥을 가지고 와서 자리에 앉았다. 그러고는 먹기 시작했다. 나는 그녀에게서 눈을 뗄 수가 없었다. 그녀의 모든 동작 속에 내 눈에 익숙한 평온이 깃들어 있었기 때문이다. 그녀가 평온하게 보일 수 있는 것은 자기 자신이 아닐 때뿐이었다. 평온하다는 것은 수면을 내려다보는 사람의 생각이다. 그 순간 물속에서는 가물치가 꼬리를 바동거리는 물새우를 반쯤 삼키고 있는지도 모를 일이다.

그녀는 열심히 밥을 먹었다. 다 먹은 다음 물을 가지러 냉장고로 갔다. 물쟁반을 들고 식탁으로 돌아온 그녀는 식탁 위를 보더니 갑자기 멈칫했다. 쟁반 위에 있던 물병과 유리컵을 내려놓고 거기에 자기의 빈 밥공기를 옮겨 담으며 그녀는 조용히 말했다.

"내가 언제 밥을 먹었죠?"

그 겨울은 우리 둘 다에게 몹시 힘들었다.

떠나는 날 아침 아내는 머리를 감았다. 어딘가에서 전화가 왔다. 그 시각에 내게 걸려올 전화는 없었으므로 나는 받지 않았다. 벨이 계속해서 울려대자 아내가 머리에 타월을 감싸고 욕실에서 나와 전화를 받았다. 여보세요. 그녀의 목소리는 건조했다. 그 다음부터는 선 채로 한마디 말없이 듣기만 하고 있었다. 타월이 풀어져 그녀의 목 뒤로 점점 흘러내리더니 어깨 위로 떨어졌다. 검고 긴 머리카락이 쏟아졌다. 아내는 송화기를 잡지 않은 왼손으로 물이 뚝뚝 떨어지는 검은 머리채를 모아 잡고는 전화기 옆의 작은 화분 위에 내려놓았다. 그녀는 흙이 검게 적셔지는 것을 묵묵히 쳐다보다가 가만히 송화기를 내려놓았다. 어디서 왔어? 내가 묻자, 장난 전화예요, 아내의 음성은 조용했다.

아내는 조수석에 탔다. 불임 클리닉에 가던 때처럼 평온한 표정이었으며 내가 안전벨트 매는 것을 도와주자 빙긋 웃음을 지었다. 차가 신도시를 벗어나 교외 풍경이 나타났을 때부터는 계속 창밖을 쳐다보았다. 봄빛으로 물든 조그만 둔덕들, 줄지어 늘어선 비닐하우스도 보고 지나가는 차에 타고 있는 아이들의 장난치는 모습도 보았다. 두 대가 앞뒤로 붙어서 나란히 달리고 있는 닭장차는 꽤 오랫동안 쳐다보았다. 가로 세로로 철망이 둘러쳐진 닭장 속에서 닭은 몸조차 제대로 움직이지 못하고 있었다. 물건을 쌓아놓듯이 빽빽이 집어넣었기 때문이다. 몇 마리만이 겨우 창살 밖으로 목을 내밀고 공기를 마셨다. 봄바람이 불었으므로 지저분한 깃털이 가볍게 푸들거렸다. 닭장차가 지나가버린 뒤로는 깃털 몇 개가 허공에 떠다녔다.

그녀는 나들이 가는 어린애처럼 흥미롭게 바깥 풍경을 내다보는 듯했다. 그러나 그녀의 야위고 하얀 두 손. 그것은 누군가 극장 의자 위에 잃어버리고 두고 간 장갑처럼 그녀의 무릎 위에 기운 없이 방치되어 있었다. 내 시선을 느꼈는지 그녀가 내 쪽으로 고개를 돌렸다. 하지만 내가 짐짓 앞만 보고 있자 눈을 스르르 내리깔더니 다시 창밖으로 시선을 돌리는 것이었다. 그때였다. 그녀의 입에서 끔찍한 비명 소리가 새어나왔다.

나는 황급히 오른손을 운전대에서 떼고 그녀의 어깨를 붙잡았다. 나도 모르게 왜 그래, 여보? 왜 그래? 하는 말이 튀어나왔다. 다음 순간 아내는 돌연 진정되었다. 꿈에서 깨어난 사람처럼 멍한 눈으로 입을 벌린 채 한참이나 앞을 쳐다보더니 나직하게 말했다. 닭이 다 없어졌어요. 그러고 보니 바로 앞에서 달리고 있는 닭장차에는 닭이 한 마리도 없었다. 아내는 텅 빈 닭장을 초점 없는 눈으로 쳐다보며 또 중얼거렸다. 닭이 다 없어졌어요. 그러나 놀랄 일은 아니었다. 닭장차는 두 대였고 앞에 가던 차에는 처음부터 빈 닭장만 실려 있었던 것이다. 아마 아내는 닭이 가득 실려 있는 뒤 차만을 본 모양이었다.

내가 사정을 설명해주었지만 아내는 믿는 것 같지 않았다. 닭장에 대해 더 이상 말을 하지는 않고 계속 두 손으로 자기의 목을 만지며 답답하다는 듯 이마를 찡그렸다. 그러더니 얼마 안 가 잠이 들었다.

그곳에 도착한 뒤에야 그녀는 눈을 떴다. 자기가 잠든 사이에 낯선 곳에 도착해버렸다는 사실을 깨닫자 그녀는 막 클로로포름에서 깨어나 눈에서 검은 안대를 벗은 납치된 소녀처럼 불안해했다. 그러나 아내는 대체로 침착했다. 수속은 순조로웠다. 숲속에 깊숙이 들어앉은 그곳은 그녀가 갇혀 있는 신도시의 집이나 불임 클리닉처럼 회색 건물이었지만 훨씬 더 평온해 보였다. 희망 따위를 볼모로 잡지 않기 때문이다. 그녀는 이제 헛된 희망을 갖는 일도 없을 것이다.

나는 들어갈 때 내가 냈던 바퀴 자국을 따라 그곳을 나왔다. 붉은 꽃이 사방에 돋아 있었다. 차창을 내렸다. 숲냄새가 났다. 나는 숨을 깊게 들이마셨다. 그곳에 도착하는 순간부터 아내는 한 번도 나와 눈을 마주치지 않았다. 가까운 데에 이런 곳이 있는 줄 몰랐어요, 라고 말했을 뿐이다.

아내를 데려다 주고 혼자 돌아오면서 나는 또 그 길 옆을 지나왔다. 구부러진 그 길을 보며, 지난봄으로 되돌아간다면 모든 것을 돌이킬 수 있을까라는 생각을 했지만 아주 잠깐 동안이었다. 나는 앞차가 서면 서고 출발하면 따라서 출발했다.

그날 밤 나는 아직 마감 뉴스를 보지 못해서 침대로 들어가지 못하고 있었다. 채널을 이리저리 돌려보다가 생각보다 시간이 훨씬 천천히 흐르고 있음을 깨달았다. 리모컨을 탁자 위에 내려놓았다. 텔레비전 화면에 '세계는 지금'이라는 제목이 나타나더니 얼마 후에 내레이터의 음성이 들려왔다.

"지난 발렌타인 데이에 미국 캘리포니아의 한 연구실에서는 수컷 초파리와 암컷 초파리 사이에 치열한 싸움이 벌어졌습니다. 짝짓기를 하려고 날갯짓을 하며 암컷에게 달려드는 수컷을 암컷이 계속해서 머리로 들이받았습니다. 나중에는 다리로 수컷의 머리를 걷어차버리기까지 했습니다. 이 암컷은 수컷이 정액을 뿌려도 알을 낳지 않았다고 합니다."

아내나 좋아했을 얘기였다. 나는 물끄러미 화면을 쳐다보았다.

"그 이유는 돌연변이 유전자 때문으로 밝혀졌습니다. 연구팀은 이 실험으로 돌연변이 유전자가 신경 계통에 영향을 끼친다는 것을 확인했습니다. 그 유전자에는 '불만'이라는 이름이 붙여졌습니다."

나는 불타버린 결혼사진과 아내의 옆구리에 남아 있던 화상 자국을 떠올렸다.

결국 마감 뉴스를 기다리지 못하고 일찍 잠자리에 들었지만 잠을 설쳤다. 다음날 출근하자마자 당장 들어갈 수 있는 빈집을 구해 줄 부동산과 포장 이사 회사에 전화를 했다.

그들이 도착한 것은 약속대로 정확히 아침 아홉시이다. 한 사람은 휘파람 소리에 맞춰 장갑을 끼고 한 사람은 내게 이사 갈 집의 약도와 회사 전화번호를 넘겨받는다. 집을 나선 뒤 나는 아내의 방을 한 번 더 둘러보지 않은 것을 후회한다. 차에 시동을 걸고 문득 건너편을 보니 옆집 여자가 차를 닦고 있다.

신도시를 벗어나면서도 나는 아무 감회가 느껴지지 않는다. 푸른 둔덕이 눈앞에 나타났을 때 비로소 그곳을 떠났다는 사실이 조금 실감났을 뿐이다. 그러고 보니 나는 좌회전 차선으로 들어와 직진 신호를 기다리고 있다. 차가 많지 않은 시각이라 그냥 직진을 해도 될 것이다. 하지만 나는 초록색 화살표에 불이 켜지자 차를 왼쪽으로 꺾는다. 언젠가 스포츠카가 달려갔던 것처럼 풀이 북슬북슬한 방둑길로 해서 아내가 가고 싶어하던 숲길로 접어든 것이다.

길은 몹시 구부러져 있다. 어디서나 볼 수 있는 험하고 좁은 숲길이다. 먼지가 날리고 차가 심하게 흔들린다. 그냥 돌아가야겠다는 생각을 하며 비탈길을 돌아서는데 갑자기 산이 눈앞을 가로막는다. 무덤으로 가득 뒤덮인 거대한 산. 나를 포위하듯 길 양쪽에 겹겹이 산이 둘러쳐져 있고 그 산마다 수많은 무덤들이 합창대원처럼 모두 일어나 서 있다. 아무도 없다. 낮은 하늘과 귀기 어린 정적뿐이다.

나는 멈추지 않고 계속 길을 따라간다. 겨드랑이가 땀으로 젖기 시작한다. 화장터와 마을이 갈라지는 길에서 팻말이 나온다. 급하게 마을 쪽을 향해 운전대를 꺾었지만 숲은 점점 깊어지는 것만 같다. 무덤만이 끝날 줄 모르고 이어져 있다. 등 뒤에서 와이셔츠가 땀으로 달라붙는다. 얼굴로도 땀이 흘러내린다. 차창을 내리자 기다렸다는 듯이 먼지들이 수북이 몰려와 엉겨붙는다. 차는 비틀거리듯이 산길을 달리고 달린다. 그렇다. 나는 아내를 위해 모든 것을 했다. 그것을 아내는 어떻게 갚아주었던가. 아마 지금쯤 그녀는 자고 있을 것이다. 약을 먹을 시간이 되면 깨어난다. 그리고 다시 잠들기 전까지 하는 일이라고는 오직 나를 기다리는 것뿐이다. 그녀는 내 동의 없이는 그곳에서 한 발짝도 나갈 수 없다. 그녀는 아주 잘 있다. 내가 찾아와주기를 기다리는 일로 내 사랑에 보답하고 있다. 오늘 그녀의 방은 없어졌다.

이윽고 시야가 뚫린다. 반갑게도 저 멀리에 늘씬한 포장 도로가 나타나 있다.

〔『현대문학』, 1997년〕

해설

연기(演技/延己)하는 유전자의 무의식에 대하여

김동식

1. 삶은 순정, 아니면 연기, 그도 아니면 오버액션

디드로는 『배우에 관한 역설』에서 일상적이면서 흥미로운 한 편의 일화를 제시하고 있다. 한 남자에게 사랑하는 여인이 있다. 드디어 심각한 고백을 털어놓아야 할 때가 되었다. 감정적인 사람이라 언제나 벌벌 떨면서 사랑하는 대상에게 다가가곤 한다. 심장은 벌렁거리고 생각들은 뒤죽박죽이 되고, 목소리는 어찌할 바를 몰라 말하는 내용을 망쳐버리곤 한다. 머리부터 발끝까지 우스꽝스러운 자신을 의식하면 의식할수록 더욱더 버벅대기만 한다. 그런데 그 여인을 사랑하지는 않지만 모종의 호기심을 가지고 있는 또 다른 남자가 개입한다. 그는 재미있고 가벼우면서도 스스로를 잘 통어할 줄 알고, 자기 자신을 잘 즐길 줄 알고, 또 칭찬할 수 있는 어떤 기회도 놓치지 않으며, 그것도 아주 섬세하게 칭찬하고 웃기고 즐겁게 하는 행복한 사람이다. 둘 가운데 누가 아름다운 여인의 선택을 받았을까. 감정의 밀도와 순수성에 의해 사랑이 선택되어야 한다는 입장에서 보면, 당연히 여인 앞에서 어쩔 줄 몰라하는 사람이어야 할 것이다. 하지만 디드로의 시절이나 은희경의 시절이나 결과는 크게 다르지 않은 것 같다. 순정이나 열정보다는, 오히려 순정이나 열정이 결여됨으로써 생겨나는 세련되면서도 쿨cool한 태도들이 사랑을 얻는 열쇠가 되니 말이다. 꾸밈이라고는 찾아볼 수 없는 벌거벗은 열정이 왜 퇴짜를 맞았을까. 이유는 간단하다. 연기력 부족. 순정보다는 연기력이 사랑을 얻는 상황이 지배적인 현실이라면, 사랑을 얻기 위해서는 감정을 끊임없이 객관화 · 탈낭만화해야 하지 않겠는가.

디드로의 예화가 담고 있는 모티프들의 확장과 변주를, 은희경의 작품에서 발견하는 일은 그다지 어렵지 않다. 삶이란 연기(演技)의 문제라는 전제를 수용하고 있는 작품들을 살펴보도록 하자.

> 소라의 표정이나 몸짓에는 타인의 시선을 의식하는 사람만이 갖는 부자연스러운 세련됨이 있었는데 그것은 어린애가 지니기에도 또 터득하기에도 어울리지 않는 대인 방식이었다. 누구든지 한 번만 보아도 알 수 있는 일이었다. 소라는 사랑받기 어려운 소녀였다. (「누가 꽃피는 봄날 리기다소나무 숲에 덫을 놓았을까」, 43~44쪽)

「누가 꽃피는 봄날 리기다소나무 숲에 덫을 놓았을까」(이하 「리기다소나무……」)의 주인공 소라(소연)는 공주의 분위기를 풍기는 아이였다. 행동과 사고는 언제나 모범적이었고 반듯했으며, 비록 시골 학교를 다니고 있지만 말투와 옷차림에는 도시적인 세련됨이 배어났다. 하지만 바로 그러한 점 때문에 또래 집단에서 그녀는 언제나 왕따와 같은 존재였다. 소라 자신의 의도는 아니었지만, 사람들에게 공주의 이미지를 연출하고 있다는 느낌을 전달했기 때문이었다. 어설픈 연기력의 소유자였던 셈이다. 반면에 서울에서 전학 온 남학생 이현우는 탁월한 연기력의 소유자였다. 이현우는 귀엽게 불량스러웠고, 마냥 노는 것 같은데 학업 성적도 탁월했다. 모범적인 측면과 일탈의 측면 사이의 경계선을 아슬아슬하게 줄타기하며 연기를 해 보이는 인물이었던 셈이다. 이런 인물에게 소연이 어떻게 마음을 주지 않을 수 있었을까. 소연은 자신의 비밀(연기 철학)인 "이 세상에 진실은 없다"라는 말을 전학생에게 고백하고 만다. 성인이 된 소라는 순탄하게 결혼을 했고, 이현우는 방송국 기자가 되었다. 사건 사고가 있을 때마다 이현우는 "이 세상에 진실은 없는 것 같습니다"라는 멘트로 뉴스를 종결하곤 한다. 이현우는 소라의 비밀을 연기의 레퍼토리로 활용하며 세상에다 공표하고 있었던 것. 반면에 그녀를 괴롭히며 즐거워하던 반장과 동급생 김영재는 소라를 잊지 못하고 있었다. 특히 김영재는 소라를 향한 순정을 예술적으로 승화시켜, 가난을 떨치고 훌륭한 화가가 되는 입지전적인 면모를 보인다. 침대에서 "내가 너를 안다니!"라며 감격해하는 김영재의 대사는 순정과 오버액션을 넘나들고 있다. 따라서 이야기는 이렇게 정리된다. 탁월한 연기자인 이현우를 어설픈 연기자인 소라가 좋아했고, 악역 전문의 성격 배우였던 반장과 김영재는 어설프기는 하지만 확실한 여주인공이었던 소라를 죽어라 좋아했던 것. 연기와 순정 그리고 오버액션이란 삶의 내밀한 관련성과 연관되어 있었던 것이 아닐까.

“자신을 따라다니는 수많은 카메라를 의식하는 여배우처럼 과장”된 몸짓을 보여주는 여자가 등장하는 「태양의 서커스」를 보자. 등장인물인 H는 무능함이 불러일으키는 동정심에 힘입어 구조 조정을 면했다. H는 허름한 카페 ‘휴식’에서 서빙 아르바이트를 하고 있는 은혜라는 대학생을 좋아한다. 회사에서 공금 2억을 횡령해 은혜와 호주로 도피할 생각을 갖고 있다. 물론 은혜와 사전에 어떤 약속이 있었던 것은 결코 아니다. 다만 2억을 들고 카페에 갔을 때 은혜를 만나게 된다면 자신의 거사를 용감하게 제의할 생각이었던 것. 그렇다면 그는 왜 호주로 도피할 생각을 했던가. 은혜가 태양의 서커스라는 쇼에 대해서 이야기했고, 호주에서만 하는 그 공연을 보고 싶다고 말했기 때문이다. 하지만 그날 은혜는 나타나지 않았다. 그리고 태양의 서커스는 호주가 아니라 캐나다에서 시작된 공연이었다. 이야기의 구조는 간단하다. 은혜는 태양의 서커스와 관련된 부정확한 대본으로 탁월한 연기를 펼쳐 보인 것이고, 그녀의 연기에 감동한 H는 과도한 순정이 동반된 오버액션을 준비했던 것. 그렇다면 어설픈 대본으로 탁월한 연기력을 보인 은혜는 배우이기만 했을까. 아니다. “아직 거기라구? 응큼한 년, 재미 보는구나, 하하. 함께 오면 되잖아. 뭐라구? 이 미친년! 그렇게 눈물을 빼고도 그 새끼하고 붙어 있을 기분이 나니?”라는 통화 내용에서 짐작할 수 있듯이, 은혜의 배후에는 순정을 바칠 또 다른 탁월한 연기자가 있었다. 그리고 여관에서 순정을 바치는 재미를 보다가 불의의 화재로 목숨을 잃게 된다.

다음날 오후에야 자리에서 일어난 나는 신문을 사러 나갔다. 전날 밤 화재로 죽은 사람 명단 속에 스물한 살 이은혜라는 이름이 있었다.

집으로 돌아오자마자 H에게서 전화가 걸려왔다. 목소리가 명랑했다.

너랑 헤어지고 나서 바로 회사 금고에 다시 갖다 뒀어.

싱겁네.

근데, 어젯밤 그 여자 정말 끔찍하게 시끄럽더라, 안 그래?

(「태양의 서커스」, 273쪽)

은희경의 소설에 따르면, 인간은 출처가 불분명하지만 내용은 뻔한 대본을 가지고 연기하는 배우이다. 그리고 동시에 다른 사람의 연기를 보며 한없이 감동할 준비가 되어 있는 관객이다. 방정식은 단순하다. 배우가 관객에게 무심할수록 탁월한 연기action를 펼칠 수 있다. 무심한 배우의 탁월한 연기는 관객의 순정 어린 반응reaction을 이끌어낸다. 순정과 열정에 휩싸인 관객은 오버액션overaction을 펼쳐 보이는 배우가 된다. 평범하고 사소해 보이는 일상에 대한 해부학적이면서 전복적인 시선, 삶의 운명적인 지점들을 농담으로 치부해버리는 자기 냉소와 아이러니, 자폐적 고립을 향한 충동과 타인의 정서적 시혜에 대한 갈망 사이에서 움직이는 나르시시즘 등과 같은 은희경 소설의 전반적인 특징은 이와 같은 삶의 방정식들로부터 분절되어 나오는 것이라고 보아도 크게 틀리지는 않을 것이다. 연기와 순정과 오버액션의 짬뽕과도 같은 인생들이란, 작가 은희경이 그려내고 있는 세계의 근원적인 이미지가 아닐까. 연기와 순정과 오버액션이 혼합되어 있는 세계를 어떤 관점에서 그리고 어떤 시점에서 포착하느냐에 따라 삶의 다양한 단면과 변주가 제시될 수 있는 것이리라. 『새의 선물』의 마지막 장에 나오는 말을 차용하자면, '삶은 순정, 아니면 농담'이다.

2. 삶은 생존이다, 그리고 사랑은 생존 본능이다

은희경에게 있어서 삶은 순정, 아니면 농담(연기와 오버액션)이 버무려진 짬뽕이다. 하지만 배우와 배역이 언제나 안정적인 상태에 있을 수는 없는 법. 가면을 쓰고 있을 때 맨얼굴에 대한 자기 의식이 예리해지듯이, 배역에 대한 의식이 민감해지면 질수록 배우의 실존적인 측면에 대한 자기 의식 역시 섬세해질 것은 자명한 일이다. 그렇다면 '삶은 순정, 아니면 농담'이라는 명제의 배후에 가로놓여 있는 무의식이 궁금해질밖에. 작품집 『상속』의 의미는 바로 이 지점에서 찾을 수 있지 않을까. 조금은 역설적이게도 들리겠지만 '삶은 생존이다'라는 명제가 그것.

> 어떤 때는 내가 뭣 때문에 이렇게 살고 있나 하는 생각도 들어. 아무리 봐도 내가 꿈꾸던 인생과는 거리가 멀거든. 그런데도 열심히 살고 있단 말야. 그런 걸 생존이라고 하는 건가. 넌 안 그래?[1)]
>
> (「내가 살았던 집」, 221~22쪽)

---

1) 단편 「내가 살았던 집」은 순정이나 연기력과는 무관한 지점에서 생겨나는 중립적인 목소리를 담아내고 있는 작품이다. 등장인물들 사이에서 순정과 연기력에 대한 자의식이 상호 견제되기 때문이다. "그녀의 목소리는 차가웠다. 나한테는 충동적인 때가 없었

그렇다면 '삶은 생존이다'라는 명제를 뒷받침하고 있는 무의식 내지 상상력이란 무엇이겠는가. 명확한 용어로써 확정지을 수는 없지만, 진화론 내지는 사회생물학과 관련된 무의식이 아닐까 싶다. 전체적인 조망을 위해서 7편의 중단편으로 구성된 작품집 『상속』의 전반적인 구성을 살펴보자. 앞에서 살핀 대로 「리기다소나무……」와 「태양의 서커스」는 인간 운명의 연극적인 상황을 다룬 작품이다. 반면 「아내의 상자」에는 돌연변이 유전자에 대한 공포스러운 자의식이 제시되며, 「상속」에서는 세포(암세포)의 단위에서 인간의 몸을 이해하려는 노력이 발견되며, 「내가 살았던 집」에서는 사회적인 약자를 재생산하지 않으려는 동물적인 모성에 대한 성찰이 나타난다. 악동 소설적인 분위기를 풍기는 작품 「딸기 도둑」과 「내 고향에는 이제 눈이 내리지 않는다」는, 사회적으로 규정된 열성(劣性) 유전자의 삶을 조망하고 있기도 하다.

은희경의 작품들에서 사회는 진화론(과 관련된 일반적인 이해에서 말하는)의 자연과 닮았다. 자연 선택을 통해서 진화가 이루어지듯이, 사회는 인간에 대한 사회적 선택이 일어나는 공간이다. 그런

는 줄 알아? 하긴 내가 잘못 봤는지도 모르지. 너 같은 출세주의자가 어떻게 충동적이 될 수 있겠어. 넌 단지 **감상이라는 촌스러운 취향**을 가졌을 뿐이야. 그가 걸음을 멈추었다. 맞아, 네가 잘못 봤어. 그건 충동이 아니고 추진력이라는 거야. 그리고 감상이 아니라 **순정**이라구." (「내가 살았던 집」, 211~12쪽, 강조는 인용자) 여기서 '감상이라는 촌스러운 취향'이라는 구은 연기나 오버액션과 관련된다. 또한 남녀 주인공이 모두 사랑은 연기거나 순정이라는 동일한 명제를 승인하고 있다. 따라서 이들 사이에서는 탈낭만화된 연기력이나 열정에 의한 오버액션이 별다른 의미를 갖지 않는다. 바로 이러한 조건이 연기, 순정, 오버액션의 배후에 놓인 무의식을 가늠할 수 있는 근거를 제공한다.

의미에서 사회는 시험(試驗)과 낙인(烙印)이라는 하위 기능을 가지고 있는 선택-선별 메커니즘이다. 선택-선별 과정을 거쳐 사회적으로 규정된 우성과 열성을 끊임없이 구분하는 사회의 이미지에는, 진화론과 관련된 일반적인 무의식이 굴절된 모습으로 나타난다.[2] 따라서 작품들 곳곳에서 인간과 사회에 대한 근원적인 이미지들이 숨겨지듯이 드러나 있는 것은 지극히 당연한 일일 것이다.

인간의 삶에서 가장 원초적인 사건이라면 당연히 출생일 것이다.「내가 살았던 집」에서 작가는 출생과 관련된 근원적인 이미지를 영화의 장면들을 통해서 제시하고 있다.

> 그녀는 중간쯤까지 돌아가 있던 테이프를 다시 데크에 밀어넣었다. 재생 버튼을 누르자 갓 태어난 아기가 화면에 클로즈업되었다. 아기의 얼굴은 말할 수 없이 고통스러웠다. 난생처음 외기 속으로 나와 숨을 쉬기 위해서 사력을 다하는 아기의 채 펴지지 못한 팔과 다리는 계속해서 바동거렸다. 살갗은 충혈되고 이마는 일그러지고 입술은 비뚤어졌다. 세상이라는 미지 속에 내던져진 그 붉은 생명덩어리는 너무나 미숙하고 나약한 존재였으므로 살겠다는 본능부터가 고통을 의미했다. 우리는 모두 그렇게 인생을 시작한다.
>
> (「내가 살았던 집」, 217쪽)

---

2) "N을 병원에 동행했던 남자는 제 육체를 통제할 수 없는 무력감에 대해 가벼운 논평을 던졌다. 다윈 때문에 인간들은 자기가 신의 창조물이 아니라 원숭이의 후예라는 걸 알고 자존심에 상처를 받았지. 거기다 또 프로이트가 무의식을 들고 나와서 인간이란 스스로를 통제할 수조차 없는 존재라고 주장하는 거야. 심각할 것 없어. 이젠 누구나 인정하는 일반 상식인데 뭐."(「상속」, 106쪽)

세상에 던져진 생명의 원초적인 모습에는 순정도 연기도 오버액션도 없다. 삶에 대한 고통스러운 의지만 존재할 따름이다. 초기 단계의 생명은 스스로는 생존할 수 없다. 다만 생존을 위해서 필요한 전략과 본능만을 가지고 있을 따름이다.

> 왜냐하면 착한 아이만이 어른들의 사랑을 받을 수 있으니까요. 왜 있잖아요, 〈동물의 왕국〉 프로그램에서 눈도 뜨지 못한 캥거루 새끼가 세상에 나오자마자 어미의 주머니 속으로 걸어 들어가는 것처럼 그건 일종의 생존 본능일지도 모릅니다. 어른의 보호를 확보하는 것 외에 달리 살아갈 방법이 없는 아이들로서는 말예요. 〔……〕 아이들에게는 자신이 착하지 않은 아이로 보인다는 사실이야말로 사랑받을 수 있는 밑천, 즉 생존의 조건을 잃어버리는 일이거든요. 사랑을 원하는 것은 모든 약한 존재들의 생존 본능이니까요. 그러므로 어느 날 착한 아이가 될 기회가 영영 사라져버렸음을 알았을 때, 그 아이의 절망은 포탄이 빗발치는 피난길에서 부모 손을 놓친 것만큼이나 심각한 일이었답니다. 겨우 아홉 살이었으니까요. (「딸기 도둑」, 166쪽)

은희경 특유의 냉소는 착하다는 사회적 · 도덕적 가치와 사랑받는 아이라는 개체적인 성격 사이에 형성되어 있는 것이 아니다. 착함-사랑받음이라는 조건이 생존 본능의 표현이라는 차원에서 냉소가 설정되어 있는 것이다. 생존하기 위해서는 착한 아이로 인정받아야 하고 그럼으로써 어른들의 사랑을 받을 수 있다는 단순한 현실 원칙은, 삶이 연기여야 하는 이유와 삶을 냉소적으로 관찰하고 배치해야 했던 근원적인 이유를 보여준다. 생존 본능과 사회의 논리가 만나는 접합 지점에서 삶은 원초적으로 연기여야만 한다. 사랑은 생명에게는 위기의 지점을 대변한다. 사회적인 선택과 도태가 결정적으로 갈라지는 생존 경쟁의 계기를 내포하고 있기 때문이다. 사랑받기 위해서는 연기(演技)가 필요하다. 그것은 인간에게 강요되는 최초의 패턴화된 삶의 양상이다.

작가 은희경에게 있어서 사랑은 원초적으로 탈(脫)낭만화되어 있다. 생존 본능이나 사회적 선택과 무관한 지점에 놓인 사랑을 욕망할 때, 바로 그때에만 사랑은 겨우 낭만화될 수 있을 따름이다. 따라서 낭만적 사랑에 대한 실현 불가능성 때문에 사랑을 탈낭만화한다는 것은 은희경 소설의 숨겨진 전제와는 무관하다. 사랑은 이미 언제나 탈낭만화되어 있기 때문에, 바보와 같은 순정으로 낭만적인 사랑을 꿈꾸어볼 수 있는 것이 아니겠는가. 하지만 그럼에도 불구하고 사랑이 생존 본능인 한 연기와 오버액션은 불가피할지도 모른다. 연기와 오버액션이란 사회적 본능과 다르지 않을 테니 말이다.

3. 열성 유전자의 발생학, 또는 문화적 유전자로서의 진화론

사회로의 진입initiation은 시험이라는 좁은 문을 거치게 마련이다. 당연히 사회적 선택과 개인적인 도태가 일어난다. 사회적 차원에서의 시험은 목을 조르는 상징으로 나타나는데, 열성으로 규정되는 경우에는 상징적인 죽음이라는 낙인과 함께 삶을 봉인당하게 된다. 「아내의 상자」를 보자. 아내는 대학 입시 때 어머니가 떠준 스웨터를 입었다. 그런데 그 스웨터는 목이 꽉 끼는 것이었다. 그래서였을까. 아내는 시험장에서 문이 닫혀 있는데도 문을 닫아달라며 소동을 일으킨다. 시험의 압박을 이겨내지 못한 그녀는 스스로 자폐를 선택했고, 사회는 열성 유전자라는 일차적인 낙인을 부여한다. 결혼해서 한 남자의 아내가 된 그녀는 아이를 낳지 못한다. 불임, 그것은 그녀가 열성 유전자임을 보여주는 또 하나의 사건일 것이다. 그녀의 마지막 시험은 남편에 의한 것이다. 남편은 행실이 그리 좋아 보이지 않는 옆집 여자와 아내의 교제를 방기한다. 아내의 자폐 증세를 고치기 위한 방편이기도 했지만 결과적으로는 아내를 시험에 들게 하는 일이었다. 아내의 불륜은 남편에 의해 발각되었고, 남편은 그녀를 외진 수용소 시설에 격리한다. 「아내의 상자」는 사회적으로 열성 유전자 또는 불량 유전자로 규정되어가는 과정을 그린 소설인 셈이다. 작품 말미에 돌연변이 유전자를 가진 초파리에 대한 뉴스가 뜬금없이 제시된 이유도 여기에서 찾을 수 있다.[3]

「딸기 도둑」은 살인 사건의 용의자인 한 여인의 고백(진술) 형식

---

3) "지난 발렌타인 데이에 미국 캘리포니아의 한 연구실에서는 수컷 초파리와 암컷 초파리 사이에 치열한 싸움이 벌어졌습니다. 짝짓기를 하려고 날갯짓을 하며 암컷에게 달려드는 수컷을 암컷이 계속해서 머리로 들이받았습니다. 나중에는 다리로 수컷의 머리를 걷어차버리기까지 했습니다. 이 암컷은 수컷이 정액을 뿌려도 알을 낳지 않았다고 합니다."

아내나 좋아했을 얘기였다. 나는 물끄러미 화면을 쳐다보았다.

"그 이유는 돌연변이 유전자 때문으로 밝혀졌습니다. 연구팀은 이 실험으로 돌연변이 유전자가 신경 계통에 영향을 끼친다는 것을 확인했습니다. 그 유전자에는 '불만'이라는 이름이 붙여졌습니다."(「아내의 상자」, 315쪽)

을 취하고 있다. 이 작품 역시 어떠한 과정을 거쳐서 도덕적으로 불량-열성 유전자가 생겨나게 되는지에 대한 이야기를 들려주고 있다. 처음부터 그녀의 삶은 꼬였다. 아버지는 몇 달이 지나도록 출생 신고를 잊고 있었고, 게다가 늦은 출생 신고마저 다른 사람에게 부탁하는 바람에 엉뚱한 이름으로 호적에 등재된다. 남들 다 가지는 이름(고유명사)조차 갖지 못한 그녀가 우성일 수는 없는 법. 성당에서도 세례받을 기회를 얻지 못했다. 그녀의 열성을 입증하는 결정적인 사건은 친구인 은혜에게 전달하라는 딸기를 도중에 먹어치운 일이었다. 그 사건으로 딸기 도둑이라는 별명이 주어졌다. 딸기 도둑은 그녀가 가졌던 최초의 고유명사이자 열성 유전자임을 알리는 낙인이었다. 그와 동시에 상징적인 죽음이 그녀의 삶을 파고들었다.

> 어떤 영화를 보니 주인공이 지긋지긋하기만 했던 자기의 집과 가족과 그때까지의 자기 자신에게 불을 지르고 나서 고향을 떠나는 장면이 있더군요. 그것과 비슷한 과정을 거쳐 저는 새로운 사람이 되었던 겁니다. 은혜가 나타나서 현재의 저 속에다 과거의 저를 다시 살려내지만 않았더라면 말이죠. 마치 오래전 시간의 공모자가 나타나서 잊고 살았던 살인의 전과를 일깨워주는 것처럼 은혜는 태양의 빛을 쓰고 나타나 저의 삶에 딸기 도둑이라는 그림자를 되살려놓았습니다. 저는 무엇엔지 공포를 느꼈던 모양입니다. 어린 시절 딸기밭에 갔다 온 그날처럼 이틀을 앓았습니다. 물컹하고 끈끈하고 검은 반죽 같은 그림자가 담을 넘고 벽을 뚫어가며 악착같이 저를 따라다니는 꿈을 반복해서 꾸었던 것 같습니다. 아무리 떼내

려 해도 발꿈치와 등허리와 뒤통수로 옮겨다니며 어느 틈엔가 다시 내 몸에 달라붙어 있는 어둠의 존재 — 소름 끼치는 악몽이었어요. (「딸기 도둑」, 185쪽)

열성 유전자라는 사회적 낙인은 삶을 변모시킨다. 딸기 도둑이라는 낙인을 스스로 망각하기 위해 그녀는 욕망을 가지지 않는 삶을 살았다. 좋게 말해서 무욕(無慾)의 삶이지, 실제로는 욕망을 거세(당)한 것이나 다름없다.

「내 고향에는 이제 눈이 내리지 않는다」 역시 열성 유전자의 분자 구조에 대한 이야기이다. 주인공은 윤준영, 당연히 출생부터 축복과는 거리가 멀다. "며칠째 계속해서 눈이 퍼붓던 윤년 2월의 마지막 날, 탯줄에 매달려 우는 붉고 작은 나를 문틈으로 흘끗 들여다본 아버지는 '요량 없고 성질 급한 놈'이라고 마땅찮은 첫인사를 던졌다고 한다." 신체적인 징후부터가 심상치 않다. 심하게 말을 더듬는데다가 키도 잘 자라지 않는다. 가정 환경 역시 좋을 리 없다. 큰 빚을 진 아버지는 가정을 버렸고, 어머니는 술집과 무도장을 전전하며 놀아난다. 그사이에 윤준영은 껄렁한 패거리들과 어울리며 불량 청소년이 되었고, 도피 자금을 마련하기 위해 강도짓을 하다가 소년원에 가게 된다. 신체 조건이나 가정 환경이나 성장 과정에 있어서 윤준영은 불량 유전자이고 열성 유전자의 삶 그 자체이다.

소년원이란 열성-불량 유전자에 대한 사회적인 낙인일 것이다. 소년원의 상징성은 「아내의 상자」에서 보다 명료하게 제시된다. 앞에서 말한 바 있지만 아내는 불임이다. 불임의 이유를 설명하는 과정에서 아내는 밑도 끝도 없이 미국 영화의 내용을 이야기한다. 아버지는 떠돌이였고, 어머니가 세 아이를 키우다가 죽었다. 아이들은 복지 시설에 맡겨졌고, 소식을 들은 아버지가 아이들을 찾으러 온다. 하지만 무직자에다가 주정뱅이인 아버지에게는 양육권이 주어지지 않는다. 아버지가 직장을 구해서 아이들을 찾으러 왔을 때 이미 아이들은 뿔뿔이 흩어진 뒤였다. 천신만고 끝에 아이들을 찾았는데, 한 아이는 양부모에게 맞아 죽었고, 한 아이는 자폐증에 걸렸다. 그리고 한 아이는 소년원에서 거세를 당했다.

"나도 거세당한 거예요."

담배 연기 때문에 아내는 눈을 깜박거렸다.

"소년원에서 거세를 시키는 건 범법자의 대를 끊어버리려는 거잖아요. 나도 피가 나쁘기 때문에 애를 낳지 못하도록 거세당한 거예요."

"소년원에서 말야?"

내 입에서는 기어코 이죽거리는 말이 튀어나왔다. 아내는 말을 조리 있게 혹은 길게 할 만큼 논리적이지 못했다. 그렇지만 설명하려고 애썼다.

"그게 아니구요. 나 같은 사람은 선택 이론에 의해서 도태되게 되어 있어요. 책에서 본 적이 있어요. 우성만 유전되고 열성은 도태되는 게 진화잖아요."

나는 그녀가 조금 안쓰러워졌다. 손을 뻗어 그녀의 젖가슴을 만졌다. 그러나 그녀는 내 손을 밀쳐내더니 벌떡 일어나 앉았다. 그러고는 그녀의 입에서 나올 성싶지 않은 과격한 말을 내뱉었다.

"옆집 개 말예요. 그 더러운 개새끼는 곧 굶어 죽을 거예요. 죽는 날까지 토실토실한 개한테 가까이 달라붙겠죠. 뻔뻔스럽게도 그 개가 크는 것까지 가로막으면서 말이죠. 빨리 죽어주면 좀 좋아. 개들은 왜 자살 같은 걸 안 하나 몰라." (「아내의 상자」, 296쪽)

진화론에 대한 일반적인 지식이 우생학적인 상상력으로 전이되었고, 다시 열성으로 규정된 아내의 냉소적인 자기 도덕률로 자리잡은 양상이다. 물론 아내의 진화론은 근거가 없는 것이다. 진화는 개체의 차원이 아니라 종(種)의 차원에서 이루어진다. 그리고 하등하고 단순한 생명이 고등하고 복잡한 쪽으로 발전하는 현상이 아니라, 생태계에서 다양성이 증가하는 것일 뿐이다. 진화는 하나의 방향만을 가진 진보가 아니며, 그 결과는 예측할 수도 없다. 사회생물학의 기초적인 지식만으로도 그녀가 가진 생각의 근거 없음을 밝히는 것은 누워서 떡 먹기보다 더 쉬운 일일 터. 하지만 세속화된 오해이건 과학적인 인식이건 간에, 진화론에 근거한 우생학적인 사고는 스스로를 인식하는 하나의 설명 방식이다. 오히려 진화와 관련된 그녀의 무의식이란 이미 문화적인 유전자meme에 해당한다고 보는 편이 더 정확할 것이다. 진화론에 대한 무의식은, 그 이해의 정도를 떠나서, 은희경 소설에 드러나 있지만 잘 보이지 않는 무의식과도 같은 것이 아닐까.

4. 유전자 지도와 닮은 삶의 지형도

그 녀석이 집을 나가겠다고 말했을 때에도 우리는 둑방을 걷고 있었다. 〔……〕 그 녀석이 불현듯 침묵을 깼다. 이 둑방을 계속 따라가면 끝에 뭐가 있어? 동물원. 정말? 응. 그리고 좀더 가면 산이 나오는데 공동묘지야. 그럼 반대편으로 가면? 거긴 왕릉. 아주 크고 오래된 무덤이겠네? 그래. 거기로 소풍 많이 갔지. 그러면 말야, 이 하천을 계속 따라가면 뭐가 나올까? 정말 별걸 다 궁금해하는구나. 나도 몰라, 안 가봐서. 하천을 죽 따라가면…… 아마 강이 나오겠지. 〔……〕 그 녀석은 잠시 깊은 생각에 잠기는 것 같았는데 표정이 몹시 우울했다. 늙는다는 거 생각해본 적 있어? 한참 만에 그 녀석이 다시 물었다. 늙으면 죽겠지 뭐. (「내 고향에는 이제 눈이 내리지 않는다」, 27~28쪽)

「내 고향에는 이제 눈이 내리지 않는다」에 제시된 공간 이미지는 은희경 소설에 등장하는 삶의 유형학 내지는 삶의 지형도를 압축적으로 보여준다. 여기서 하천과 둑방은 삶의 유형과 지형을 보여주는 공간화된 은유이다. 세 가지의 삶이 있다. 첫번째 유형의 삶은 동물원이 있고 산이 있고 공동묘지가 있다. 두번째 유형은, 첫번째와는 반대 방향인데, 어렸을 적에 소풍을 가곤 했던 왕릉으로 향하는 길이다. 세번째는 하천에서 강으로 그리고 다시 바다에 이르는 삶이다. 세 가지 유형의 삶은 문화적 · 경제적 · 환경적 차이를 내포하고 있는데, 생물학적인 용어로 수렴시켜보면 결국 열성의 삶, 평균적인 삶, 우성의 삶으로 대별된다.[4] 공동묘지와 왕릉의 공통점에서 확인할 수 있듯이, 모든 삶은 죽음에 이른다는 점에서만 공평하다. 유념해야 할 것은 열성의 삶과 평균적인 삶의 구분이 절대적으로 고정되어 있는 것은 아니고 상당 부분 겹쳐져 있다는 점이다. 또한 열성의 삶을 사는 사람의 입장에서 볼 때 평균적인 삶은 상대적인 우성이며 우성의 삶은 당연히 절대적인 우성으로 나타나게 될 것이다. 작가의 작품에서는 열성의 삶과 평균적인 삶의 관계에 주목하는 경우가 대부분이다.

세 가지 유형의 삶이 동시에 지시되어 있는 「아내의 상자」의 한 대목을 보도록 하자. 주인공 부부는 차를 함께 타고 신도시 주변의 도로로 나왔다. 그리고 선택된 삶, 우성의 삶을 만난다.

> 내가 매일 아침 지옥을 향한 진입로이듯 느리게 통과해 가는 길을 두 대의 스포츠카는 경쾌하게 뚫고 지나갔다. 나는 질질 끌듯이 그들은 칸타빌레로, 노래하듯이.
>
> 그 길의 전혀 예상치 못했던 깜찍한 소용에 대해 솔직히 나는 약간 놀랐다. 그들의 차는 다음 신호등에서 좌회전을 받아 갈라져 나갔다. **지리한 회색 포장 도로**로 직진하는 나와 달리 그들은 풀이 북슬북슬한 방둑길로 접어들었다. 그러고는 **연녹색 산 속의 오솔길** 뒤로 사라져버렸다. 그들이 사라진 하얀 길은 알맞게 구부러졌고 꽃이 만발해 있었다.
>
> 옆자리를 보니 아내도 그 스포츠카들이 사라진 오솔길 쪽을 쳐다

4) 여기서 평균적인 삶이란 진화적으로 안정된 전략evolutionarily stable strategy을 채택하고 있는 삶이라고 할 수 있다.

보고 있었다. 그 길이 눈앞에서 완전히 사라지도록 내내 고개를 뒤로 잔뜩 돌리고 쳐다보았다.

"저 길로 한번 가보고 싶어요."

아내의 목소리는 꽉 잠겨 나왔다. 마치 선택된 사람에게만 열려 있다가 그 계절이 지나면 사라져버리는 환상의 길 같다는 말도 했다.

(「아내의 상자」, 300쪽)

「아내의 상자」에서 아내/남편/스포츠카는 각각 열성의 삶/평균적인 삶/우성의 삶을 상징한다. 평균적인 삶은 「리기다소나무……」의 소연과 「상속」의 아버지가 대표적인 예이다. 어렸을 때부터 반듯한 삶을 살았고 노력에 의해 자신이 원하는 것을 이룰 수 있다고 믿는 사람들. 하지만 결국에는 예기치 않았던 삶의 기습으로 인해 어리둥절하게 되거나 좌절하고 마는 사람들.

그러면 작가의 관심이 집중되어 있는 열성의 삶을 살펴보자. 우성의 삶이 연녹색 산 속의 오솔길이며 선택된 사람에게만 열리는 환상의 길이라면, 평균적인 삶은 지리한 회색 포장 도로이다. 그렇다면 열성의 삶은 어떤 길이었던가. 동물원과 산을 거쳐 공동묘지에 이르는 길이었다. 산이 삶의 곤고함을 나타내는 일반화된 상징이라면, 동물원은 무엇일까. 인간에 의해 사육되고 길들여진 동물들이 죽을 때까지 구경 나온 인간의 시선을 받으며 야생 동물임을 연기하는 공간이 아니던가. 열성의 삶이 보여주는 사회적인 양상이 동물 내지는 동물원과 심층적인 차원에서 맞닿아 있다는 것만은 확실하다.

실제로 작품집 『상속』에는 곤충을 포함한 동물이 중요한 의미를 지니는 작품의 비중이 높은 편이다. 생존 경쟁을 벌이고 있는 두 마리의 강아지와 돌연변이 유전자를 가진 초파리가 등장하는 「아내의 상자」를 비롯해서, 사람이 보았다고 해서 자기 새끼를 잡아먹는 햄스터가 제시되는 「내가 살았던 집」, 나방의 탈태 과정을 제시하고 있는 「리기다소나무……」 등이 대표적인 경우이다. 은희경의 작품들에 등장하는 동물과 곤충은 작품 구성과 관련해서는 등장인물의 행동과 사고를 해명할 수 있는 통로가 되며, 작가와 관련해서는 세계와 인간을 사회생물학의 관점에서 이해하고 있음을 보여주는 표지이기도 하다.

「아내의 상자」에서 아내의 삶을 나타내는 비유는 두 가지이다. 하나는 자폐적인 삶을 나타내는 상자, 다른 하나는 파블로프의 개를 연상하게 하는 『벨 자』라는 소설이다. "파블로프의 개처럼 인간이 벨 소리에 의해 규칙적으로 약을 삼키기 위한 침을 분비하며 사육되는 폐쇄된 바구니." 그녀는 상처를 잊기 위해 상자를 쌓아갔고, 죽음과도 같은 깊은 잠에 빠져들었고, 불임 클리닉의 처방에 따라 배란 주기에 맞추어서 남편과 섹스를 했다. "단단히 웅크린 그녀의 입구를 찾지 못해 진땀을 흘리던 밤들이 떠오른다. [……] 그녀의 마른 몸에 물기가 돌게 하기 위해서는 언제나 그녀의 몸 한가운데 박혀 있는 입술산처럼 조그만 버튼을 참을성을 가지고 조심스럽게 만져줘야 했다. 그런 다음 가까스로 열린 그녀의 몸 속으로 들어가면 아내는 내 어깨를 꼭 당겨 안으며 당신을 사랑해, 라고 기운 없이 중얼거렸다. 그때마다 눈시울이 젖어 있었다." 남편은 그녀의 '버튼'을 눌렀고 그러면 그녀는 호르몬을 분비하며 가까스로 남편의 정자를 받아들였다. 그녀는 사육되고 있었고, 지극히 패턴화된 삶을 살았다.

작품 「내가 살았던 집」의 주인공은 이제 생리를 시작한 딸아이가 있는 미혼모이다. 방송 기자 김훈과의 연애를 그가 결혼을 해서 유부남이 된 이후에도 이어가고 있다. 햄스터(쥐)와 인간의 유전자가 95퍼센트가량 일치하기 때문일까. 이 작품에서 주인공과 딸아이 그리고 햄스터 사이에는 연쇄적인 연결 관계가 형성되어 있다. 주인공은 불륜의 과정에서 생겨난 뱃속의 아이를 낳을 것인지 지울 것인지 고민하고 있으며, 햄스터 암컷은 사람이 보았다고 해서 새끼를 잡아먹었다. 엄마로부터 버림받았다고 생각하던 딸아이는 햄스터를 베란다에 내다버린다. 딸아이는 햄스터의 엄마를 자처하던 터였다. 그리고 여자 주인공은 방송 기자와의 관계 속에서 생겨난 새로운 생명을 낙태시켰다. 왜 그랬을까. 방송 기자는 교통사고로 이미 죽었다. 그렇다면 아이는 사생아에다 유복자이며 아버지가 다른 누이를 가지게 될 운명이다. 이보다 확실한 열성이 있을 수 있을까. 따라서 낙태와 관련된 그녀의 고민은 생명의 존엄성과는 다른 차원에 놓여 있는 것이다. 열성 유전자로 살아갈 운명에 대한 윤리적 또는 비(非)윤리적인 배려이기 때문이다. 적어도 작중 인물의 입장에서 생각하면 그렇다는 말이다.

리처드 도킨스의 말을 빌리면, 모든 유전자는 이기적이다. 열성이건 우성이건 상관없이, 자신을 복제 재생산하기 위해 수단과 방법을 가리지 않는다. 그런 점에서 자신의 유전자가 열성임을 자각하고, 열성 유전자를 복제하는 일이 과연 진화의 원리에 합당한가를 고민한 끝에 재생산을 포기하는 유전자는 돌연변이일 수밖에 없을 것이다. 과연 이를 두고 뭐라 할 것인가. 자기 거세의 윤리학? 아니면 생존에 대한 말할 수 없는 권태? 어쩌면 진화와 관련된 과도한 무의식이 빚어낸 막다른 골목? 조금 더 생각해볼 문제이다. 하지만 작가의 작품에서 (열성의) 삶은 끊임없이 동물의 행태를 참조한다는 사실만큼은 분명해 보인다. 그리고 작가가 생명을 전략의 차원에서 사유하고 있으며, 무의식적이건 의식적이건 간에 소설의 육체를 유전자의 차원으로까지 가져가고 있다는 점은 참으로 시사적이다.

5. 세포의 기억과 몸의 발견

중편 「상속」은 은희경에게 있어서 중요한 작품이 될 것 같다. 죽음을 앞둔 아버지를 둘러싼 일상적인 풍경이 제시되어 있는 작품. 그렇다면 아버지는 부인이나 자식들에게 무엇을 상속했을까. 아무것도 남긴 것이 없다. 실패한 사업을 일으켜 세우고자 백방으로 뛰어다녔고 보증 잘못 서서 떠안게 된 부채를 해결하고자 했지만, 결과적으로는 어떠한 일에도 성공하지 못했다. 그렇다면 이 작품이 말하고자 한 바는 무엇일까. 제목과 본문 사이에 설정된 일종의 아이러니를 노린 것이었을까. 아니면 지천으로 널린 가족 소설에 대한 냉소적인 표정일까. 「상속」에서 작가가 말하고자 한 것은, 다름 아닌 세포이다. 암이라는 질병이 아니라 암세포에 대해 말하고 있는 작품. 작가의 시선이 죽음이나 질병이 아니라 세포에 닿아 있다는 것. 따라서 죽어가는 아버지와 관련된 자식들의 기억이나 추억은 전혀 제시되지 않는다. 아버지에 대한 의식의 기억이 아니라 몸의 기억, 더 나아가서는 세포의 기억에 대해 말하고 있기 때문이다. 아버지의 죽음을 인식해가는 딸 N의 시선이 이 작품의 핵심이다. 그녀는 아버지 병문안보다는 남자와의 여행을 선택하는 타입의 인간이다. 가족 관계에 대한 냉소적인 태도를 가지고 있는 사람인 셈이다. 따라서 N이 아버지의 죽음을 인식해가는 과정은 남다를 수밖에 없다. 매개항은 수면 내시경 검사이다. 자신의 몸을 외부가 아닌 내부로부터 들여다보았을 시선의 도입이 그것.

> 그날부터 N은 신경성 위궤양이 도져 병원을 찾아야 했는데 수면 내시경 검사를 받았던 그 병원이었다. 스스로 통제할 수 없는 상태에 놓인 육체를 생각하자 다시금 그녀는 공포를 느꼈다. 어쨌든 N은 자신의 육체 안에도 아버지 몸의 일부가 어떤 식으로든 깃들어 있고 그것을 다름아닌 바로 자신의 육체로 느낄 수 있다는 생각을 하기 시작했다. N은 확실히 달라졌다. 한 사람의 육체가 생겨나기까지 자신이 알지 못하는 수많은 사람들의 육체가 시간 속에서 생멸을 거듭해왔다는 것도, 제 몸 속에 죽음이 들어 있다는 사실도 처음 깨닫는 일이었다. (「상속」, 119쪽)

이를 두고 뭐라 할 수 있을까. 잠정적이고 상투적인 표현이지만, 신체의 발견이라고 할밖에. 피부에 남아 있는 감각의 환기도 아니고, 무의식의 후미진 모퉁이에 도사리고 있던 기억도 아니고, 신체의 내부를 들여다보는 시선에 의해 발견된 몸의 기억. 유전자의 복제를 통해 세포에 전사(轉寫)된 몸의 기억들. 이러한 장면에 주목하면서 작가의 소설이 새로운 전환점에 도달했다고 보는 것은 성급한 호들갑이 될까. 은희경의 소설이 자의식의 분열이 만들어놓은 공간을 연극화하는 데 있었음을 자각한다면, 신체의 발견은 새로운 전환점이 될 수 있지 않을까. 작품에는 'N의 모니터'라고 해서 아버지의 질병이 진행되는 단계들에 대한 사전(辭典)적인 설명을 부여하고 있는데, 그것은 아버지의 몸 안에서 일어나고 있는 병리학적인 상황들을 이해하기 위한 노력이다. 이와 더불어 눈여겨보아야 할 것은 몸에 대한 새로운 인식과 태도이다.

> 오래전에 운동을 멈춘 아버지의 다리는 근육이 빠져나가 앙상한 나뭇가지 같았다. 〔……〕 간병인이 반대쪽을 닦기 위해 아버지의 성기를 한 손으로 훌떡 밀어내자 더 이상 참지 못한 J는 복도로 나가버렸다. N은 간병인이 손을 놀리는 대로 그 반동에 의해 힘없이 흔들거리는 아버지의 성기를 천천히 바라보았다. 그것은 검고 시들고 지쳐 보였으며 주름투성이였다. 그러나 모든 일을 끝마친 뒤의 엄숙한 침묵 같은 것이 깃들어 있었다. 아버지의 성기는 N이 지금 갖고 있는 육체의 시작이었다. 그렇게 시작된 N의 육체의 모든 안팎은 농부가 땅을 경작하듯 아버지가 몸을 부려 세월 속에 거두어온 것이었다. 할 일을 마친 육체의 휴식은 존엄하다고 N은 생각했다. (「상속」, 140~41쪽)

아버지는 죽음에 이르기까지 자신의 역할에 충실한 배우였다. 가족으로 하여금 심리적 동요를 불러온 '대리인'이란 존재는 아버지가 죽음에 이르기까지 자신의 연기를 고집한 배우였음을 보여주는 표지이기도 하다. 하지만 아버지가 생각했던 필생의 연극 역시 성공적이지는 못했다. 그리고 이제 아버지의 몸을 구성하던 단백질은 해체 과정에 있다. 아버지의 성기를 보는 일 그리고 그것을 육체의 시작으로서 긍정하는 일은, 남근에 대한 시끌벅적한 해석들과 무관한 지점에 놓여 있다. 그것은 지극히 외표적인 것이어서 어떠한 관습적 상징도 용인하지 않는다. 다만 아버지의 성기이고, 그래서 지극히 생물학적인 기관일 따름이다. 이 지점에서 분명해진 것은 아버지가 상속한 것이 몸이라는 사실이다. 몸의 기억은 이미 N의 세포들이 기억하고 있을 것이다. 아버지의 연기(演技)가 N의 몸으로 연기(延已)되었던 것.

그렇다면 세포 수준에서의 기억이란 무엇일까. 모든 인간의 삶이 가질 수밖에 없는 삶의 동형성(同形性)을 나타내는 것이 아니겠는가. 생존에의 의지만 가지고 태어나 사회적인 시험에 시달리며 살면서 자신의 연기를 펼쳐 보이다가 죽음에 이르는 것. 하지만 육체가 죽음과도 같은 휴식의 단계에 이르면 연기도 끝나야 한다는 것. 아버지에 대한 N의 이해란 인간의 삶이 가진 운명에 대한 수긍과 다르지 않을 것이다. 또한 삶을 연출해가야 하는 필연적인 근거가 몸에 이미 언제나 내재되어 있었음을 자각하는 과정과도 크게 다르지 않을 것이다. 순정과 연기와 오버액션으로 점철된 삶을 충실하게 수행해온 육체에 대한 존경이 그것. 따라서 이 지점에서 보다 분명해진 듯하다. 삶이 순정, 아니면 농담일 수 있었던 이유, 그리고 삶이 생존이어야만 했던 이유. 그것은 몸과 죽음 때문이 아니었을까.

(가) 내가 내 삶과의 거리를 유지하는 것은 나 자신을 '보여지는

나'와 '바라보는 나'로 분리시키는 데서부터 시작된다. 나는 언제나 나를 본다. '보여지는 나'에게 내 삶을 이끌어가게 하면서 '바라보는 나'가 그것을 보도록 만든다. 이렇게 내 내면 속에 있는 또다른 나로 하여금 나 자신의 일거일동을 낱낱이 지켜보게 하는 것은 20년도 훨씬 더 된 습관이다. (『새의 선물』, 12쪽)

(나) 삶을 지속하기 위해 육체는 늘 보살핌을 받는다. 인간의 삶이 육체가 있을 때까지만 존재한다는 데에 육체의 권능이 있었다. 아무리 멋진 정신을 갖고 있다 하더라도 육체가 죽어버리면 하는 수 없이 멋 부리기를 끝내야 한다. 고통의 수식(數式)은 정신이 아니라 육체에 속한 세계의 규칙에서 비롯되는 건지도 모른다.

(「내가 살았던 집」, 233쪽)

인용문 (가)는 자주 인용되는 『새의 선물』의 한 구절이다. 자의식을 통한 엄정한 관찰이 냉소적인 놀이(소설의 창작 방법)가 될 수 있음을 밝혀놓은 대목이다. (나)는 소설집 『상속』에 수록된 작품 「내가 살았던 집」의 일부분이다. 몸의 의미를 확인하고 발견하고 있는 대목이다. '보여지는 나'와 '바라보는 나'를 통해 중층적인 연기overaction가 가능했다. 그렇다면 연기로서의 삶이 이루어졌던 무대는 무엇이었던가. '보여지는 나'와 '바라보는 나' 사이에 설정되어 있는 거리에는 무엇이 있었던가. 몸이 있었을 것이다. 작품집 『상속』의 의미는, 아마도 의식의 냉소적인 연출이 가능했던 무대를 자각하게 되었다는 점에서 발견할 수 있지 않을까.

작가의 말

소설이란 소설가의 현재이다. 이야기 속에 과거를 끌어냈든 미래를 상상해놓았든 간에 거기에서 삶을 읽어내는 것은 현재의 눈이다. 이 책에는 이상문학상 수상작인 「아내의 상자」를 빼고 모두 두번째 작품집 이후에 씌어진 중단편들이 실려 있다. 지난 3년간의 내 인생인 것이다.

1999년에는 소설을 한 편도 쓰지 않았고 2000년, 2001년, 2002년에 각기 두 편씩을 썼다.

일부러 안 쓰기로 배짱을 부려보았던 일 년이 지난 뒤, 사실 나는 소설을 쓰는 데 대한 두려움에 사로잡혀 고통스럽게 그 시간을 통과해야 했다. 써놓고 보면 지금까지 써왔던 것보다 낫다는 생각이 들지 않았고, 다 읽고 난 순간 '아니야, 안 와!'라고 버럭 소리를 지르며 충동적으로 파일을 지워버린 적도 여러 번이었다. 어떤 분류법에 의해 90년대 작가라는 소속을 갖고 있는 나는 90년대라고 통칭되는 모든 현상의 해석으로부터 자유로울 수 없었지만 내 소설을 그 틀에만 맞춘다면 거기에는 내가 가고자 했던 길이 보이지 않았다. 그럼에도 나의 말은 세상에 나오는 순간 어느 공장의 컨베이어 벨트 속으로 들어가 똑같은 라벨이 붙은 기성품으로 포장되어버렸다. 그렇다면 모든 것이 도로(徒勞)였을 뿐인가. 나는 세상에 대해 무엇을 지껄이고자 했던 것이며 그것마저 할 수 없게 된 지금 내게 있어 소설이란 무슨 의미가 있는가. 그동안 소설 쓰는 게 너무 신난다고 농담을 해왔던 나는 그제야 내 농담을 진담으로 알아들은 사람들이 두려워지기 시작했다. 그러나 지금은 아니다.

최근 K가 비틀스의 마지막 앨범에 대해 얘기해주었다. 마지막 수록곡 「겟 백」은 건물 옥상에서 라이브로 녹음되었다. 연주가 끝나자 존 레넌이 외쳤다고 한다. "우리는 오디션을 통과했다."

이 책의 마지막 교정을 마치고 새벽에 잠이 들었다. 아버지가 문을 열고 들어오셨다. 돌아가시기 전 병상에서의 모습이 아니고 10년 전쯤의 강건한 아버지였다. 벌떡 일어나 아버지 손을 잡았는데 그 손이 너무나 찼다. 비닐 봉지에 든 얼음물 같았다. 꿈속에서도 나는 아버지의 죽음을 혹독하게 실감했다. 그것은 지난 3년의 내 인생 가운데, 아니 전생을 통해 가장 슬픈 작별임에 틀림없다. 작년 가을 나는 함께 술 마시던 사람이 화장실에 갔을 때 혼자 멍하니 벽을 보며 아버지는 지금 어디 있는 걸까 하고 중얼거리곤 했다. 슬픔은 격렬하지 않았고 오히려 덤덤한 채로 나의 일부가 되었다. 모든 열정의 정체성 역시 격렬함보다는 지독하고 끈덕진 데 있지 않을까 하는 생각이 들었다. 그것은 그냥, 내 나이에 맞는 사랑의 아이디어인지도 모르겠다. 혹은 내 소설의 배음(背音)일 수도 있다. 나는 끝까지 냉정한 관찰자의 긴장을 지켜내고자 한다. 중립을 뜻하는 게 아니다. 나에게는 뜨거움도 있고 치우침도 있다. 다만 내 편애가 무엇을 향한 것인지 나 자신과 독자들에게 쉽게 들켜 엄숙하고 상투적인 연적들과 경쟁하고 싶지는 않다.

어릴 때 읽었던 한 전래 동화에 이야기를 들려주는 할아버지와 이야기를 좋아하는 아이들이 등장했었다. 작가와 독자의 직접 소통인 셈이다. 이야기를 해달라고 조르는 아이들에게 할아버지가 말한다. 오늘은 무슨 얘기를 해줄까. 무서운 얘기를 할까 아니면 우스운 얘기를 할까, 그것도 아니면 슬픈 이야기로 할까. 아이들은 모두 입을 모아 대답한다. 무섭고도 우습고도 슬픈 이야기! 그래서 할아버지는 무서운 도깨비가 우습게도 똥간에 빠지는 슬픈 이야기를 해주었다던가 하는 줄거리이다. 소설을 쓰는 중에 가끔 그 이야기를 떠올렸다. 한때 나는 실컷 웃으면서 읽고, 다 읽은 뒤에는 어쩐지 슬퍼지며, 그 웃음과 슬픔이 만든 좁은 틈 속에 내던져진 채로 불현듯 무서움을 느끼는 그런 소설을 쓰려고 했다. 지금은 꼭 그렇지는 않다.

소설가의 삶이 소설을 만든다. 나는 재미있게 살아서 재미있는 소설을 쓰고 싶다.

왜냐하면, 이제 오디션은 통과했으니까.

2002년 6월

은희경